U0382826

2010～2014年度
广东基建考古新发现

广东省文物考古研究所 编著

科学出版社
北京

内容简介

广东省是我国改革开放的前沿阵地，随着城镇化、工业化的不断发展，广东省进入了新的大规模建设时期。2010～2014年，广东省文物考古研究所实施配合基建考古项目157个，发现各时期、各类型遗址和遗物点300余处。本书是广东基建考古工作的忠实记录与科学总结，图文并茂地展示了广东省基建考古最新成果和工作进展，展现了广东地区由刀耕火种的野蛮时代进入文明社会再到岭南文化初步形成的完整链条，为观察广东历史提供了新的视角，为岭南文化的产生与发展增添了新的注解。

本书适宜考古学、历史学及相关专业研究人员阅读、参考。

图书在版编目（CIP）数据

2010～2014年度广东基建考古新发现 / 广东省文物考古研究所编著. -- 北京：科学出版社, 2020.11
ISBN 978-7-03-066572-0

Ⅰ. ①2… Ⅱ. ①广… Ⅲ. ①文物－考古发现－广东－2010-2014 Ⅳ. ①K872.65

中国版本图书馆CIP数据核字（2020）第207859号

责任编辑：张亚娜　樊　鑫 / 责任校对：王晓茜
责任印制：肖　兴 / 书籍设计：北京美光设计制版有限公司

科学出版社 出版
北京东黄城根北街16号
邮政编码：100717
http://www.sciencep.com

北京华联印刷有限公司 印刷

科学出版社发行　各地新华书店经销

*

2020年11月第　一　版　开本：889×1194　1/16
2020年11月第一次印刷　印张：19　1/2
字数：560 000

定价：358.00 元

（如有印装质量问题，我社负责调换）

序

广东省地处南隅，毗邻港澳，是我国改革开放的前沿阵地。“十一五”、“十二五”期间，是我国全面建设小康社会的关键时期，随着城镇化、工业化的不断发展，广东省进入了新的大规模建设时期。正如我们在《2010～2014年度广东基建考古新发现》一书中所看到的，近年来配合基础建设工程的考古项目数量逐年增加，其中不少基建工程施工范围正处于岭南古代文化形成与发展的核心地区，也是我省历史文化遗产分布最为密集的区域，所涉及的遗址和遗物点数量众多、价值重大。文物承载灿烂文明，传承历史文化，维系民族精神，是国家和民族的共同财富，如何处理好经济建设和历史文化遗产保护利用的关系？如何使当前大规模基础建设阶段成为发现文物最多、保护文物最有效的时期？这是摆在各级政府，特别是文物考古战线和基建部门面前的两个严肃而慎重的课题。

近年来，随着文物保护意识的提升，经济建设与文物保护关系一直都是社会舆论关注的焦点，而现实中屡屡出现破坏文物的恶性事件，也曾多次引发公众的激烈讨论。诚然，我国社会经济的迅猛发展，已将文物保护工作和基础建设融为一体，统筹好文物保护与基本建设工程的关系是文物考古战线和基建部门的共同责任，坚持基本建设工程中文物保护工作先行既是现代文明工程的重要标志也是我们构建和谐社会的必然要求。更进一步来看，做好文物保护工作，对于培育社会主义核心价值观，增强人民的自信心和自豪感，提升民族的凝聚力，促进和谐社会的建设，实现中华民族伟大复兴的中国梦都具有深远的历史意义和重要的现实意义。令人欣喜的是，在省委、省政府的高度重视下，广东省配合基本建设项目的考古工作得到了工程部门和工程涉及地区的地方党委、政府的大力支持，考古及文物保护工作已经科学规范、全面有序地展开，并取得了一系列成就。广东省文物考古研究所在开展基建考古工作中积累了经验，并不断摸索新形势下配合基本建设考古工作的新思路、尝试新的管理运行模式，在制度建设、项目管理、课题规划、公众宣传等方面都取得了新的成绩。

无论从工作方法或是研究手段来看，配合基建的考古工作与主动性考古工作并无二致，但鉴于基建项目体量和周期，前者的任务往往更为艰巨。2010～2014这五年当中，伴随着广东省各地基建工程的陆续上马，广东省文物考古研究所的同志由粤北山区到珠江三角洲、从雷州半岛至潮汕平原，踏遍了广东的山山水水，配合基建考古工作共计157项，发现并记录了300余处各时期遗址和遗物点，初步掌握了广东省内相关遗址的保存情况、规模大小和分布特点。呈现在读者面前的这本

《2010～2014年度广东基建考古新发现》，是上述光荣征程的忠实记录与科学总结，图文并茂地展示和汇报了广东省基建考古最新成果和工作进展，虽然本书内容是阶段性的，但从中不难看到一批重要的文化遗产获得了及时的抢救保护，一些学术课题也取得了重要进展。本书以翔实的材料、有序的编排为广东地区的考古学研究提供了一份重要的资料，其学术价值和社会价值不可低估。

文物保护另一重要目的是要让优秀的传统文化融入当代社会，厚植道德沃土，用文明的力量助推社会的发展进步，充分发挥文物的公共文化服务和社会教育功能。在中国广袤的文化版图上，产生了多种特色鲜明、价值独特的地域文化，包括不同民族的文化。谈及岭南文化，多数学者和公众关注的是宋以后该区域的经济文化发展状况，以及海上丝绸之路开辟带来的开放性和多元性特色，却忽视了先秦到宋这一相当漫长的历史时期，认为此时的岭南远离政治文化中心，是远离故土、放逐文明的穷乡僻壤。此类观点并非今人独创，其来有自，汉时文献即有岭南地区“非有城郭邑里也，处奚谷之间、篁竹之中”、人民“被发文身，以像鳞虫”的记载，可见偏见甚重。《2010～2014年度广东基建考古新发现》为我们观察广东历史提供了新的视角，为岭南文化的产生与发展增添了新的注解。书中记录新石器时代、青铜时代、秦汉时期、六朝至唐宋时期的遗址共计260余处，遗址类型多样，包括城址、村落、墓葬、建筑、窑址等，出土了青铜器、铁器、陶器、石器、骨器、竹木器、封泥、植物标本等大量遗物，展现了广东地区由刀耕火种的野蛮时代进入文明社会再到岭南文化初步形成的完整链条，集中反映了广东古代劳动人民在历史长河中，以自己的勤劳、智慧和勇气，不断地推动着社会文明的发展，开拓了一条并不浪漫却不可替代的前进之路，慎终追远，民德归厚矣，数千年风云遗留给我们的不仅是王朝更替、政治兴衰，矢志不渝的信仰坚守，才奠定了历尽磨难、日益深厚的岭南文化基础。

《2010～2014年度广东基建考古新发现》不仅是广东省文物考古研究所近年来基建考古工作的总结，也是广东省文物保护和合理利用的新起点。在我省经济建设与文物保护走向和谐发展的过程中，文物考古工作者从事的是一项传承文明、继往开来的事业，我们要让宝贵遗产世代传承、焕发新的光彩，为繁荣文化事业、促进经济发展和社会进步做出新的贡献。

目录

第一章　2010年度基建考古新发现

第二章　2011年度基建考古新发现

第三章　2012年度基建考古新发现

第四章　2013年度基建考古新发现

第五章　2014年度基建考古新发现

第一章
2010年度基建考古新发现

第一节
调查勘探类

1.1 广乐高速公路樟市至花东段工程项目文物考古调查、勘探

项目编号 GDKG–2010–002–DK02

实施时间 2010年1～3月

建设单位 广东广乐高速公路有限公司

配合单位 清远市文化广电新闻出版局、清远市博物馆、英德市文化广电新闻出版局、英德市博物馆、广州市花都区文化广电新闻出版局*

广州至乐昌高速公路樟市至花东段起于清远市与韶关市交界处沙口农场附近，接广乐高速公路坪石至樟市段，经英德市沙口镇、英红镇、横石塘镇、英城街办、连江口镇、黎溪镇，清远市飞来峡镇、源潭镇、龙塘镇，广州市花都区梯面镇、花山镇，南至广州市花都区花东镇，接广州机场高速北延线。路线总体呈南北走向，公路延伸范围地理坐标**大致为N23°25'～24°35'、E113°10'～113°40'。项目

小塘岗遗物点地貌全景

* 各单位名称以项目实施当时名称为准，下同。

** 由于部分遗址仍然存留，为保障文物安全，对书中遗址坐标进行处理，省去了部分数值。

方案路线全线长138.2138千米。广东高速公路樟市至花东段地处粤北山区向珠江三角洲过渡路段，地势北高南低，北部以低山、丘陵为主，中部经北江河流阶地、河流谷地，向南终于广花平原，路线内地势的最低点海拔约19.30米（横枝沥），最高海拔高度487.30米（梯面镇高百丈）；沿线大部分山丘植被茂密，生态环境较好。项目所在区域地表鱼塘密布，沟壑纵横，植被茂密。

遗物点

小塘岗遗物点

遗物点位于清远市英德市沙口镇红峰村委老屋村北小塘岗，GPS坐标N24°24'、E113°30'。小塘岗为山前侵蚀阶地，地势较平缓开阔，南为东西走向的连绵中低山丘，东、西、北三面皆为开阔平地，水源丰富。地表采集少量宋、明时期陶瓷片等，多数为碗、罐、碟等残片。

小塘岗遗物点发现遗物

小塘岗遗物点发现遗物

小塘岗遗物点发现遗物

1.2 广乐高速公路坪石至樟市段工程项目文物考古调查、勘探

项目编号 GDKG-2010-003-DK03

实施时间 2010年1～4月

建设单位 广东广乐高速公路有限公司

配合单位 韶关市文化广电新闻出版局、乐昌市博物馆、韶关市曲江区博物馆、乳源瑶族自治县民族博物馆

广东高速公路坪石至樟市段工程项目由主线和连接线两部分组成，主线北起广东乐昌市与湖南交界处的小塘村，终点在韶关市曲江区樟市镇小莲塘村，全长130.1千米。线路北段49千米多穿行于高山和峡谷之间，地势险要，多为石灰岩山地；向南穿越大瑶山后，自乐昌市区附近开始，基本沿武江和北江谷地前行，并在曲江段两次穿越北江，线路所经过的地段多是丘陵和少数山地及河谷平原。连接线北起乳源瑶族自治县的新街枢纽互通，南接韶关市浈江区的瑶前互通，与韶赣高速公路相连，全长30千米，跨越武江和武广高速铁路。线路所经过的区域多是山地、丘陵和河谷平原，地形地貌比较平缓，植被茂盛。

一、遗址（墓地）

1. 韶关市武江区圆墩岭新石器时代遗址

遗址位于韶关市武江区龙归镇双头村西圆岗墩，中心GPS坐标N24°43'、E113°27'，相对高度20～25米，遗址面积约30000平方米，高速公路用地范围内面积约10500平方米。

圆岗墩为圆形小岗，地面采集部分陶器残片和少量石器，陶器主要有圈足罐等，石器主要有石环和形状不同的砺石。

勘探清理新石器时代灰坑3个。

H1：开口在第2层下，打破第3层和生土，坑

圆墩岭遗址地表陶片

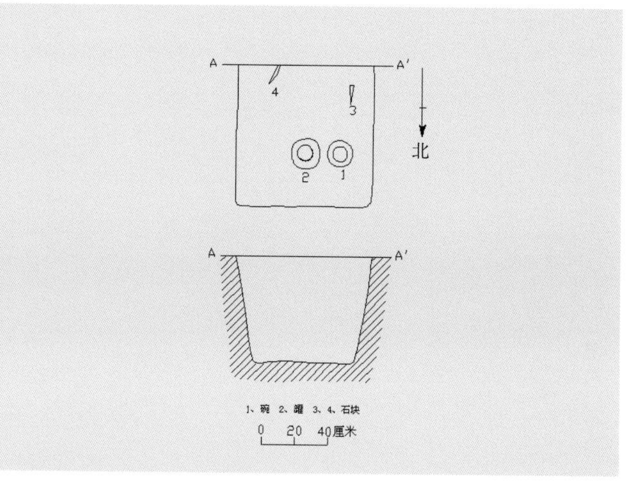

圆墩岭遗址M1平、剖面图

口呈不规则圆形，斜直壁平底，坑内填褐灰花土，土质较硬，杂有少数烧土块和炭粒，出土部分泥质灰陶器残片，口径60～105、底径45～80、深25～30厘米。

H4：开口在第2层下，打破第3、4层和生土，坑口圆形，斜直壁，圜底，坑内填褐灰色土，较硬，夹有少数炭粒和部分烧土块，出土新石器时代晚期陶器残片和一件残砺石，口径35～95、底径30～40、深60厘米。

灰坑出土了丰富的陶片和少数石器。出土陶片多为泥质灰陶，陶质较硬，烧造火候较高，拍印有条纹和长方格纹。主要可辨器形有敞口高领圈足罐等。从陶器残片和石器形状分析，与石峡文化第三期墓葬出土物接近或相似，初步断定该遗址为新石器时代晚期遗址。

勘探还发现明代竖穴土坑墓1座和灰坑1个，出土明代仿龙泉窑青瓷碗和褐釉瓷罐等。

该遗址发现于20世纪60年代，《曲江文物志》中有著录。

圆墩岭遗址H1出土部分陶片

圆墩岭遗址H4出土部分陶片

圆墩岭遗址M1出土青瓷碗

圆墩岭遗址M1出土陶罐

圆墩岭遗址T6出土部分陶片

2. 乳源瑶族自治县黄泥堪新石器时代遗址及南朝墓地

遗址位于韶关市乳源瑶族自治县桂头镇五官庙抽水站北的山前坡地上，中心GPS坐标N24°56'、E113°24'，相对高度约30米，遗址面积约2000平方米，高速公路范围内约800平方米。

地表采集到石器一批，有梯形石锛、砺石等。由于农民开垦果园，遗址文化层遭到不同程度的破坏。勘探未发现相应堆积。

墓地位于韶关市乳源瑶族自治县游溪镇莲塘边村委担干岭村东黄泥堪岭东坡，中心GPS坐标N24°56'、E113°24'，相对高度20～30米，墓地面积约3500平方米，高速公路用地范围内约1300平方米。共发现南朝墓葬6座，地表分布有散乱的南朝墓砖碎块、陶器碎片等。勘探发现较多南朝至唐宋时期瓷片，墓地的主要时代为南朝。

黄泥堪新石器时代晚期遗址地表发现的残石锛

黄泥堪南朝墓地暴露的南朝砖室墓葬

黄泥堪南朝墓地散落在地表的瓷器残片

3. 韶关市浈江区一号岭东汉至南朝墓地和六号岭南朝墓地

一号岭墓地位于韶关市浈江区五四村东的一号岭缓坡上，中心GPS坐标N24°52'、E113°32'，面积2000平方米，地面采集有东汉晚期到南朝时期的墓砖。

六号岭墓地位于韶关市浈江区五四村南六号岭，中心GPS坐标N24°52'、E113°32'，相对高度约20米，面积2500平方米。六号岭为圆形山冈，从地表采集的墓砖来看，墓葬应主要分布在西南坡，面向武江，时代为南朝。

一号岭东汉—南朝墓葬散落在地表的墓砖

六号岭南朝墓地暴露在地表的墓砖

4. 乳源瑶族自治县千家村南朝墓地及窑址

墓地位于韶关市乳源瑶族自治县桂头镇千家村东平缓的坡地上，中心GPS坐标N24°54'、E113°24'，墓地面积近20000平方米。墓地地处小丘陵台地，地表采集和探沟出土较多南朝时期墓砖，分布面积也比较广。

此外，勘探发现较多宋代陶瓷片。据记载，该地曾分布宋代窑址，且保存比较完整，由于地势低洼，现已处于鱼塘中央，其保存状况不明。

该遗址发现于第二次全国文物普查时期，《中国文物地图集·广东分册》有著录。

千家村南朝墓地及窑址地表的瓷器碎片

千家村南朝墓地及窑址地貌

5. 乳源瑶族自治县黄金岭汉代和宋代遗址

遗址位于韶关市乳源瑶族自治县桂头镇小江村委五官庙水闸西黄金岭南坡，中心GPS坐标N24°56'、E113°24'，遗址面积约1500平方米，高速公路范围内约500平方米。

黄金岭南坡现为梯田，种植果树等作物。地表采集到汉代泥质灰陶方格纹陶罐残底部和少量宋代瓷片，梯田断壁暴露的文化层厚30～40厘米。勘探发现宋代文化堆积层，未发现汉代遗物和堆积。综合来看，该遗址应为一处以宋代堆积为主的遗址，范围较小，文化遗物不丰富。

黄金岭遗址暴露在剖面上的陶片

二、其他相关遗存

乐昌市讲故评新石器时代遗址

遗址位于韶关市乐昌市新民村南讲故评，西距高速公路50米，中心GPS坐标N25°0'、E113°19'。

讲故评为低矮台地，形似犁铧，台地边坡下有小溪，地面采集到部分石器和陶器残片，特征见于石峡文化，经钻探，文化层厚30～50厘米。

遗址附近还发现明代砖室墓1座。

1.3 广佛肇高速公路肇庆段一期工程文物考古调查、勘探

项目编号 GDKG–2010–005–DK05
实施时间 2010 年 3 月
建设单位 肇庆市公路局
配合单位 肇庆市文化广电新闻出版局、肇庆市高要区文化广电新闻出版局

广佛肇高速公路肇庆段一期工程起点位于肇庆市大旺，与广贺高速公路连接，经四会市、鼎湖区、端州区，终点位于小湘镇。项目所在区域地貌大致分为两种：起点至北岭山路段几乎全部是北江、西江的冲积平原，地势低洼，河塘密布，水网较为发达；从北岭山至线路西端终点路段以低山缓坡为主，多地势低缓的侵蚀台地，总体自然环境较优越，动植物资源丰富，适于古代人类生存和活动。

一、遗址

1. 端州区坳头村唐代至明清遗址

遗址位于肇庆市端州区睦岗镇坳头村北岗坳顶的缓坡台地上，中心 GPS 坐标 N23°8'、E112°26'，遗址面积约 3000 平方米。

岗坳顶西侧有茂密的树林和竹林，东为低洼的

坳头村遗址有文化层出露的地层断面

谷地和水塘。遗址表土层为耕土层，土色为黄灰色，较松软，含有明清时期的酱釉陶片、红陶板瓦片、青花瓷片和少量唐代的黑釉陶罐残片、灰陶条砖残块。田埂断面可见文化层堆积，厚20～30厘米。考古勘探没有发现相关遗存。

坳头村遗址采集文物

坳头村遗址地貌

2. 四会市冯屋村唐宋至明清遗址

遗址位于肇庆市四会市大沙镇冯屋村南绥江左岸河滩，中心GPS坐标N23°16'、E112°43'。遗址地势低平，地表发现少量唐代黑釉陶片、宋代青瓷片和清代青花瓷片。考古勘探显示文化层尚有保存，出土遗物有黑陶片、灰陶布纹瓦片和炭粒等。

冯屋村遗址采集文物

冯屋遗址地貌

二、遗物点

布基村唐宋遗物点

遗物点位于肇庆市鼎湖区莲花镇布基村北200米地势平坦的旱地中，GPS坐标N23°14'、E112°37'，地表发现少量唐代黑釉陶片和宋代青瓷片。

布基村遗物点采集文物

1.4 广东中能酒精有限公司木薯燃料乙醇一期项目文物考古调查、勘探

项目编号 GDKG–2010–011–DK08

实施时间 2010年5～6月

建设单位 广东中能酒精有限公司

配合单位 湛江市文化广电新闻出版局、遂溪县博物馆

遗址

遂溪县骑岭南朝至隋代遗址

遗址位于湛江市遂溪县工业园区中的遂城镇铺塘村委会简足水村骑岭，东为207国道，西南距遂溪县城4千米，中心GPS坐标N21°24'、E110°16'，面积约5500平方米。

骑岭地处亚热带南部丘陵地带，山冈相对高度只有数米到十数米，地势相对平缓。遗址东北紧邻小河，其南则为古河道，历史时期曾是两河交汇处，古地理环境优越。地表采集到南朝陶瓷片。探沟地层共分五层，其中第2至第4层为南朝至隋文化层，文化层堆积厚约60厘米，出土较多水波纹、弦纹硬灰陶片及青釉瓷片，器形有罐、碗、豆等。发现同时期袋状灰坑7个，深200厘米左右，出土较多水波纹、弦纹硬灰陶片、青釉瓷片等，器形包括罐、钵、碗等，其中1件青釉高直身饼足内凹碗及1件青釉刻划莲花瓣高直身饼足碗有南朝至隋代器物特征。另发现有11个柱洞，骑岭遗址为南朝至隋代村落遗址。

通过比较分析，骑岭遗址应与粤西俚人有关。目前，与其内涵相同的遗址在郁南、阳春、信宜、高州等地皆有发现，这类遗存的共同点是位于山冈或山边，村落周边设环壕，使用袋状储藏坑，墓葬形制为船形土坑墓与瓮棺葬，陶器群独特，石用具发达，其共性成为汉唐间活跃于粤西桂南和海南岛俚人的重要文化因素。骑岭遗址层位关系丰富，为解决这类遗存的年代分期提供了可能，对岭南民族史研究也具有重要的意义。

骑岭遗址地貌

骑岭遗址地表散落陶片

TG2、H2

H1

TG5 ②层底部的青瓷碗残片

罐口沿（TG4 ②：4）

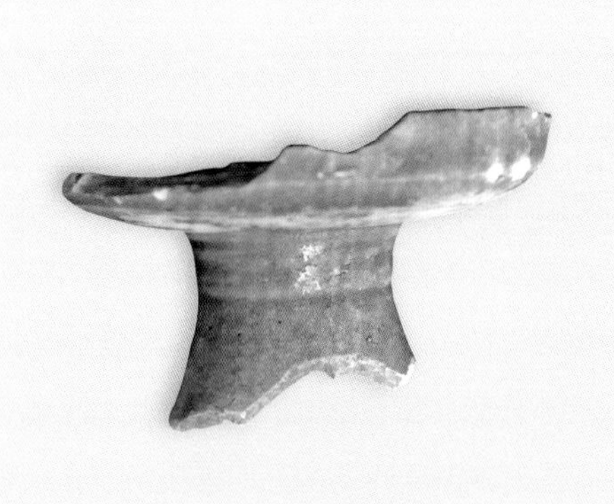

青瓷豆（TG3 ②：2）

水波纹罐与南朝青瓷碗共存（H1）

四系水波纹陶罐（TG4 ②：3）

青瓷莲瓣纹碗（H2：1）

1.5 广宁县官步初级中学和巷口小学拆迁重置合并建设项目文物考古调查、勘探

项目编号 GDKG–2010–014–DK11

实施时间 2010年6月

建设单位 广宁县文化广电新闻出版局

配合单位 肇庆市文化广电新闻出版局、广宁县博物馆

遗物点

广宁对莨岗先秦和隋唐时期遗物点

遗物点位于肇庆市广宁县南街镇城南村委巷口村对莨岗，东南毗邻龙嘴岗战国墓地，西距北江支流绥江约2千米，往南约2千米为铜鼓岗战国墓地，GPS坐标N23°35'、E112°25'，海拔67米，相对高度约30米。

对莨岗为山前侵蚀台地，东为低山，南北为山间低地，现为梯田，坡顶地势开阔平缓，植被茂盛，竹林与灌木密布。地表发现少量新石器时代晚期和隋唐时期石器与陶瓷片等文化遗物。探沟中采集少量商周时期的泥质灰陶条纹陶片和石器1件，未发现古代文化层等相关遗存。

对莨岗遗物点地貌

对崀岗遗物点地表发现遗物

对崀岗遗物点地表采集瓷片

对崀岗遗物点地表采集陶片

对崀岗遗物点探沟出土陶片

对崀岗遗物点地表采集石器

对崀岗遗物点探沟出土石器

1.6 中广核韶关核电工程项目文物考古调查、勘探

项目编号 GDKG–2010–020–DK14
实施时间 2010 年 10 ～ 12 月
建设单位 中广核韶关核电有限公司
配合单位 韶关市文化广电新闻出版局、韶关市曲江区文化广电新闻出版局、韶关市博物馆、韶关市曲江区博物馆

韶关核电工程厂址位于韶关市曲江区白土镇和乌石镇之间，上介滩村、下介滩村、饶屋村、廖屋村和谭屋村交界地带，县道白樟公路在其北部穿过，北部紧邻北江，工程占地面积 662400 平方米，地形多为山地和丘陵，少量水田或洼地，地面植被较茂盛。

鸡公田宋代窑址堆积剖面

古窑址

鸡公田宋代窑址

窑址位于韶关市曲江区白土镇饶屋新村东鸡公田山西坡，中心点 GPS 坐标 N24°39'、E113°32'。面积约 10000 平方米。地表采集到直筒形匣钵和部分瓷罐、瓷盆残底及大量的烧土块，台地断崖上有窑壁残存。勘探发现丰富的窑址废弃堆积。依据窑壁遗迹及采集遗物判断，其时代与曲江白土宋窑相同。

鸡公田宋代窑址出土的瓷片

鸡公田宋代窑址地表发现的瓷碗

鸡公田宋代窑址出土的瓷碗

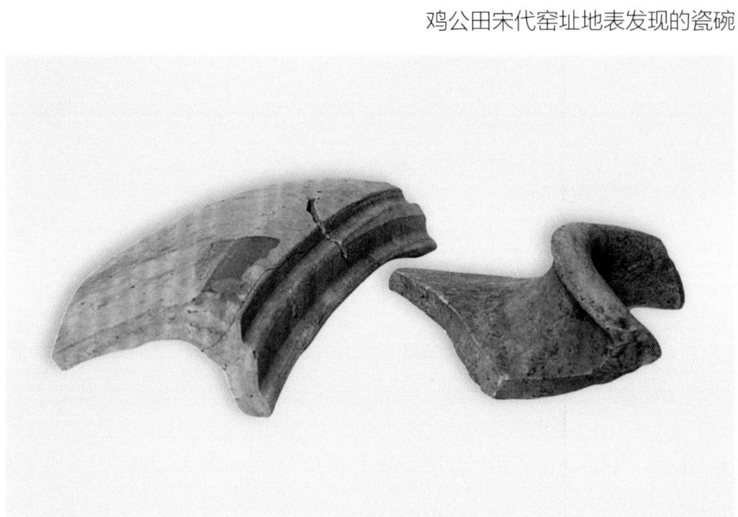
鸡公田宋代窑址出土的瓷片

鸡公田宋代窑址出土的瓷碗残片

鸡公田宋代窑址出土的匣钵

山塘片宋代窑址

窑址位于韶关市曲江区白土镇饶屋新村东山塘片山西坡，中心点GPS坐标N24°39'、E113°31'，遗址面积约12000平方米。地面采集到大量直筒形匣钵和部分瓷盆、瓷罐残片。发现依山而建的窑炉1座，平面略呈“U”字形，残长250、残宽120、深80厘米，窑壁厚7～10厘米，方向295°。勘探发现丰富的窑址废弃堆积。依据窑炉及遗物判断，其时代与曲江白土宋窑相同。

山塘片宋代窑址遗迹

山塘片宋代窑址出土的匣钵

山塘片宋代窑址出土的窑具

第二节
抢救发掘类

1.7 新建贵阳至广州铁路（广东段）考古发掘

项目编号 GDKG-2010-008-FJ01
实施时间 2010年4～7月
建设单位 贵广铁路有限责任公司
配合单位 肇庆市文化广电新闻出版局、广宁县文化广电新闻出版局、广宁县博物馆

新建贵阳至广州铁路广东段从广西壮族自治区贺州市八步区步头镇与广东省肇庆市怀集县蓝钟镇交界处的贵广铁路“两广隧道”开始，经肇庆市怀集县、广宁县、四会市、鼎湖区，佛山市三水区、南海区，至广州市番禺区钟村广州火车南站，全长208千米。其中肇庆市怀集县、广宁县、四会市三县市辖区路段基本沿西江支流绥江两岸穿行于粤西山区或者山间谷地，该路段多数为山地和丘陵地貌，植被茂盛；肇庆鼎湖区、佛山市三水区、南海区及广州市番禺区辖区路段属于珠江三角洲平原地貌，河网密布，多数为鱼塘、水田、城乡居民区和工业用地，地理条件较为优越，动植物资源丰富，适宜古代人类生存和活动，是岭南早期人类较为活跃的地区，之前的考古工作曾发现四会鸟旦山墓地、广宁铜鼓岗墓地等多处重要古代遗址和墓地。

广宁龙嘴岗先秦和隋唐墓地

墓地位于肇庆市广宁县南街镇城南村（原巷口管理区）龙嘴岗和龟背坪，西距北江支流绥江约

龙嘴岗墓地地貌

2千米，南距铜鼓岗战国墓地约2千米，墓地中心GPS坐标N23°35'、E112°25'，发掘面积1500平米。

龙嘴岗为相对高度约30米的山前侵蚀台地，呈长带状西南—东北向分布，地势狭陡；龟背坪相对高度约30米，地势稍平缓。两处台地皆植被茂盛，竹林与灌木密布。四周分布有较多低山台地，间有低洼水田与村庄。

龙嘴岗与龟背坪上部原生堆积主要为红褐色砂土，间有砂砾层，底部堆积为杂色基岩风化土。龙嘴岗墓地因水土流失等因素导致文化层堆积保存情况较差，多数探方内仅有表土层与生土堆积，少量探方局部保留水土流失形成的早期扰土层。

龙嘴岗墓地Ⅰ区墓葬分布（局部）

本次考古发掘成果丰富，共清理遗迹19个，其中新石器时代晚期灰坑1个、战国墓葬17座、隋唐墓葬1座，出土350余件青铜器、陶器、原始瓷器与石器等珍贵文物，并提取大量土样、炭样以及植物遗存等样品标本。

1. 灰坑

2010GLⅠH1　开口于第1层下，北部被M25打破。由于位于坡顶，水土流失严重，灰坑保存情况较差，西部被现代水塔破坏，平面形状不详，南北残长410、东西残宽70～130厘米。灰坑南部呈斜坡状，坡度较缓，北部略呈弧形斜内收，底部平整。灰坑底部发现11个圆形柱洞，柱洞深8～20厘米，

2010GLⅠM23清理后

2010GL Ⅰ M23 随葬品局部（1）

2010GL Ⅰ M23 随葬品局部（2）

2010GL Ⅰ M29 清理后

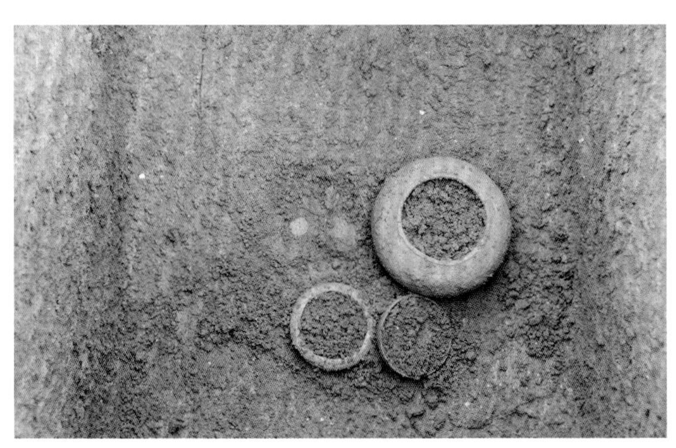

2010GL Ⅰ M29 随葬品局部（1）

2010GL Ⅰ M29 随葬品局部（2）

2010 GL I M33清理后

布局无明显规律。灰坑南部有一近方形的小坑，坑内填土呈灰黑色，土质疏松，出有少量陶片，多为夹砂黑陶与泥质灰陶，饰条纹、方格纹和曲折纹等，可辨器形有釜、鼎足等，另出土石纺轮1件。

2. 墓葬

共清理墓葬18座，其中龙嘴岗清理战国墓葬17座，平面布局上与1995年、1996年和2005年发现的19座墓葬南北相连，36座墓葬沿龙嘴岗中部坡顶至台地南端的山脊呈西南—东北向带状分布，彼此无打破关系。墓葬皆为竖穴土坑墓，墓圹平面多呈窄长形，少数墓葬有二层台与柱洞。龟背坪西南坡清理隋唐时期长方形竖穴土坑墓1座。

3. 出土遗物

共发现新石器时代晚期至隋唐时期文物小件350余件，主要有石器、陶器、原始瓷器、青铜器与青瓷器，其中多数为战国墓葬出土随葬品。

（1）石器　地层中出土石器种类较为丰富，器形主要有石锛、石镢、石镞、石刀、石砧、石凿、

龙嘴岗墓地出土石锛

龙嘴岗墓地出土石镞

龙嘴岗墓地出土石镢

龙嘴岗墓地出土陶瓿

石纺轮、砺石，墓葬中出土石器皆为砺石。

（2）陶瓷器　地层出土陶器以夹砂黑陶为主，部分泥质硬陶，纹饰有条纹、交错条纹、曲折纹与方格纹等，部分陶器饰附加堆纹，器类有鼎足、釜、矮圈足器与纺轮等，其中瓦形鼎足与锥形鼎足数量较多。墓葬出土陶器以泥质硬陶为主，另见泥质软陶与夹砂陶，纹饰多见刻划水波纹与弦纹，其次为方格纹，少量米字纹、三角格纹、刻划直线纹与斜行篦点纹等，泥质硬陶器肩部或底部多有刻划符号，陶器随葬品组合以瓿、钵、盂与碗最为常见，部分为壶、罐、杯、瓮及鼎等。墓葬出土原始瓷器有碗、

龙嘴岗墓地出土陶罍

龙嘴岗墓地出土陶钵

龙嘴岗墓地出土陶罐

龙嘴岗墓地出土陶壶

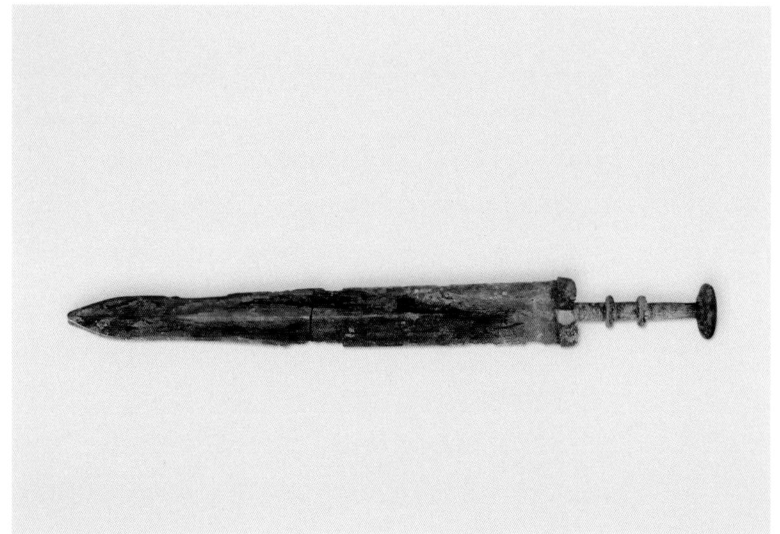
龙嘴岗墓地出土青铜剑

龙嘴岗墓地出土青铜矛

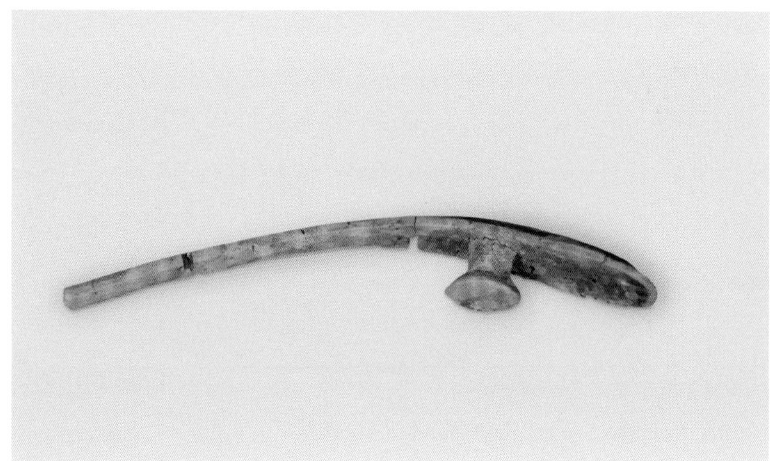
龙嘴岗墓地出土青铜带钩

龙嘴岗墓地出土青铜斧

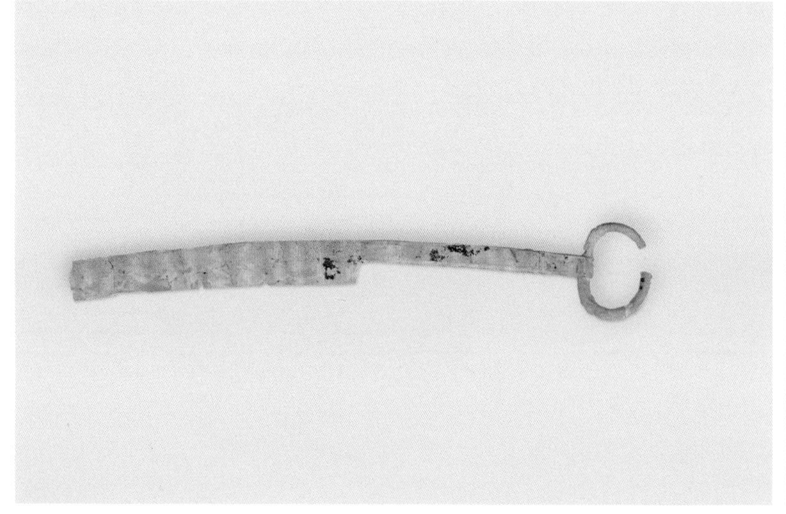
龙嘴岗墓地出土青铜削刀

龙嘴岗墓地出土青铜镞

龙嘴岗墓地出土青瓷罐

龙嘴岗墓地出土青瓷碗

小盒、杯与瓿等，多为灰白胎，火候不高，施青釉，多数脱落严重。

（3）青铜器　青铜器随葬品以兵器与工具的组合为显著特征，其中刮刀、削刀最为多见，次为斧与镞，矛与剑则仅出于少数墓葬，且两者多共存。此外，出土少量鼎、盘、铎与带钩等。

广宁龙嘴岗墓地延续时间较长，最早可到新石器时代晚期，最晚则至隋唐时期，以战国晚期墓葬出土遗物最为丰富。

广宁龙嘴岗墓地发现有不同时期的文化遗存：龙嘴岗表土层采集和H1出土的陶鼎、釜、矮圈足器以及石钁、石锛等磨制石器代表着较早阶段的文化遗存，其时代范围为新石器时代晚期至商周时期，这批早期文化遗存可与封开乌骚岭墓地出土材料相对照，瓦形鼎足、石钁等材料暗示了粤西地区新石器时代晚期文化遗存与粤北石峡文化之间的渊源；而战国墓葬的形制、随葬器物等与广宁铜鼓岗墓地以及邻近的封开、四会、罗定等地所发现同时期墓葬特征较为接近，其时代应为战国晚期，最晚可至西汉早期。粤西地区战国墓葬出土的陶器和青铜器组合也可见于两广甚至岭北湘江流域战国时期的越墓中，应是当时南方百越文化系统内部的密切联系在考古材料上的反映。

1.8 新建赣韶铁路广东段考古发掘

项目编号 GDKG–2010–010–FJ02

实施时间 2010 年 8 ～ 10 月

建设单位 赣韶铁路有限公司

配合单位 韶关市文化广电新闻出版局、仁化县文化广电新闻出版局、仁化县博物馆

仁化石马龙地明代墓地

墓地位于韶关市仁化县周田镇平甫村石马龙村南石马龙地，南距国道 G323 约 200 米，中心 GPS 坐标 N24°57'、E113°48'，发掘面积 850 平方米。

石马龙地是一处低矮山冈，四周开阔，部分为旱地及水田。

地表残存红砂岩石羊、石马各 2 尊，风化较严重，外部轮廓较完整，局部细节模糊。其中 1 对石羊、石马分立神道两侧，保存较好；另 2 尊被土掩埋，残。地表采集少量陶片、瓷片等文化遗物，可辨器形主要有陶罐、陶钵、青瓷碗、青瓷盘等。

发掘明代砖砌长方形双室合葬墓 1 座，墓顶为石质盖板。墓室保存较好，坐东南向西北，墓向北偏西 45°。附属设施部分已损毁，保存状况一般。据墓碑、墓志铭记载，该墓为明代奉政大夫邓光祚及妻刘氏合葬墓。

石马龙地明墓地貌

石马龙地明墓全景

石马龙地明墓墓室内状况

石马龙地明墓清理后

石马龙地明墓顶盖板

石马龙地明墓排水设施

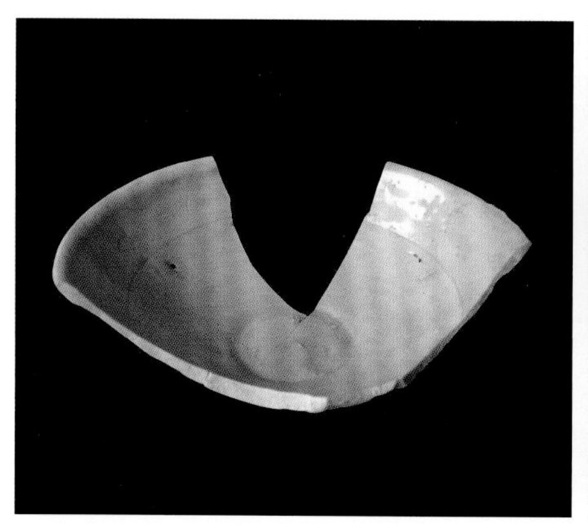

石马龙地明墓 T0403 ③出土青瓷盘

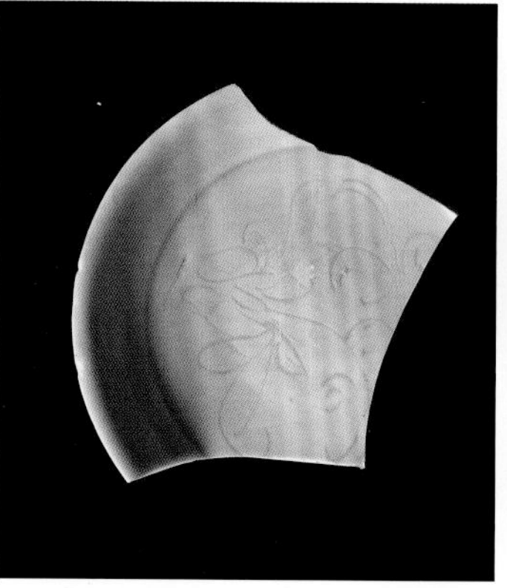

石马龙地明墓 T0404 ③出土斗笠碗

石马龙地明墓 T0502 ③出土青瓷碗

1.9 广东中能酒精有限公司木薯燃料乙醇一期项目考古发掘

项目编号 GDKG-2010-015-FJ03
实施时间 2010年7～9月
建设单位 广东中能酒精有限公司
配合单位 湛江市文化广电新闻出版局、湛江市博物馆、遂溪县博物馆

遂溪县骑岭南朝至唐代遗址

遗址发现于2010年广东中能酒精有限公司木薯燃料乙醇一期项目的文物考古调查勘探工作中，遗址地理位置和地理环境参看相关调查报告，发掘面积1600平方米。

骑岭东北约100米为遂溪河支流，遂溪河与南海相通，交通便利，其西南3000米的边湾村曾出土南朝时期窖藏金银器。

遗址文化层分2层，共发现遗迹59个（组），其中房屋遗迹2处，灰坑55个，灰沟2条。房屋遗迹的判断依据柱洞的分布规律：F1平面为长方形，四角、两长边中间及房子中央各有一柱洞，长3.75、宽约2.10米，面积约8平方米；F2平面也呈长方形，残存柱洞7个，长约3.60、宽约2米，面积约7平方米。房屋属干栏式建筑的可能性较大。

灰坑中有42个呈袋状，12个为锅底状，锅底状灰坑上部皆残，其原有形状亦可能是袋状。多数灰坑出土陶瓷器残片，少数灰坑出土少量石器，1个灰坑出土有残铁器。

地层和遗迹中出土大量陶瓷器遗物，其中陶瓷器占绝对优势。陶器可分为泥质陶和夹砂陶两类，纹饰主要有水波纹和弦纹，器形有宽沿夹砂平底釜、泥质水波纹四系罐、陶钵、提梁壶、器盖及纺轮等。青瓷器出土较多，比例与陶器大致相当，器形主要有碗和豆。此外，还出土有少量石器和铁器。

骑岭遗址的发掘具有重要学术意义。首先，遗址出土的瓷器与陶器数量相近，由于瓷器的类型学体系比较完整，型式演变规律比较清晰，根据陶瓷器的共存关系将遗址划分为南朝晚期、隋和初唐三

骑岭遗址北区地貌

期，既依据充分，又可信度较高，这个分期为认识粤西南地区俚人遗存的文化特质和传承流变提供了重要的参照系。其次，遗址出土了瓷器烧造过程中弃置的废品，说明俚人已经能够烧造瓷器，丰富了对俚人文化的认识。再次，遗址出土瓷器与陶器的比例约为4 ∶ 6，远高于信宜、高州同类遗址的2 ∶ 8，可见滨海地区俚人文化的多样性和发达程度，可能要高于内陆地区。最后，遗址距离发现南朝时期窖藏金银器的边湾村很近，二者如果存在关系，骑岭遗址则可能为海上丝绸之路研究提供全新的资料。

骑岭遗址南区地貌

骑岭遗址探方 T0102 遗迹（局部）

骑岭遗址探方 T1211 三层面柱洞

骑岭遗址探方 T1309 内房屋遗迹 F2

骑岭遗址 H22 坑内填土情况

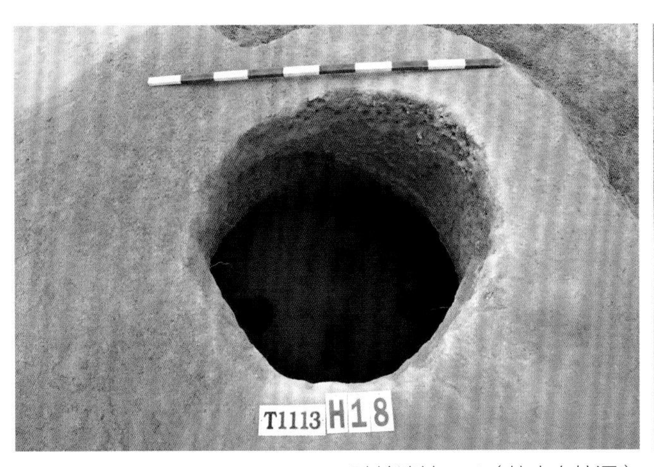

骑岭遗址 H18（坑内有柱洞）

骑岭遗址 H21 遗物出土情形

骑岭遗址出土陶罐

骑岭遗址出土陶豆

骑岭遗址出土陶碗

骑岭遗址出土瓷碗

骑岭遗址出土瓷碗

骑岭遗址出土陶钵

骑岭遗址出土陶钵

骑岭遗址出土陶罐

骑岭遗址出土陶纺轮

1.10 新建茂名至湛江铁路古代文化遗址考古发掘

项目编号 GDKG–2010–017–FJ04

实施时间 2010年7～9月

建设单位 茂湛铁路有限责任公司

配合单位 湛江市文化广电新闻出版局、吴川市文化广电新闻出版局、湛江市博物馆

新建茂名至湛江铁路项目位于广东省西南部雷州半岛东北部，东南濒临南海。地势北高南低，地貌以冲积平原、低山丘陵为主，分布有较多海拔10～30米的低矮台地。区内河流纵横交错，水系发达，水源充足，主要河流有鉴江河。

吴川市马飘岭南朝至唐代遗址

遗址发现于2008至2009年新建茂名至湛江铁路项目的文物考古调查勘探工作中。遗址位于湛江市吴川市塘缀镇山路村马飘岭、大凌田村九朗岭、山丫村山塘岭，皆为相对高度十余米、地形低缓的侵蚀台地，南距鉴江10千米左右。Ⅰ区马飘岭测量基点GPS坐标N21°26'、E110°33'，海拔18米。发掘总面积3000平方米。

遗址共清理遗迹33个，其中灰坑31个、灰沟2条，年代为南朝至唐代，出土陶器、青瓷器、石器等各类珍贵文物350余件，并提取大量土样、炭样以及贝壳等重要样品标本。

（一）地层堆积

Ⅰ区马飘岭文化层堆积保存较好，Ⅱ区九朗岭、Ⅲ区山塘岭因水土流失与垦地种植对地层堆积破坏较为严重，表土下多为生土，基本不存在文化层堆积。现以2010WMⅠ区TN8W4东壁为例介绍如下：

第1层：灰色耕土层，厚5～8厘米，土质较疏松，该层在整个探方中均有分布，略呈东南高、西北低坡状堆积，出土少量青花瓷片和泥质灰陶。

第2层：黄褐土，厚5～30厘米，土质较致密，该层在整个探方中均有分布，略呈东南高、西北低坡状堆积，出土有大量陶瓷片，可辨器形主要有陶罐、陶钵、青瓷碗。该层下开口灰坑4个，分别编号H18、H20、H24与H28。

第3层：红褐土，厚5～20厘米，土质较致密，此层在探方内除西北角处无分布外，其他区域均有分布，略呈东高西低坡状堆积，出土有部分泥质灰陶、夹砂陶残片和少量青瓷片，可辨器形有陶罐、陶钵、陶釜、青瓷碗等。

第3层下为红褐色生土堆积。

（二）遗迹

遗址共清理南朝至唐代灰坑31个、灰沟2条，皆位于Ⅰ区马飘岭。

1）灰坑

2010WMⅠH3　位于TN5W4西北角，开口于第2层下，打破第3层、生土层。平面形状近圆形，口小底大呈袋状，弧壁，口径210、底径230、深270厘米。坑内填土可分三层：第1层厚50厘米，灰褐色土，土质较致密，含少量碎石块、红烧土粒、炭粒等；第2层厚120厘米，红褐色土掺灰褐色土，质地疏松，含少量碎石块、红烧土粒、炭粒等；第

马飘岭遗址Ⅰ区地貌

3层厚100厘米，红褐色土，土质疏松，含少量红烧土粒、炭粒等。出土遗物较丰富，有陶器与青瓷器，陶器以泥质灰陶为主，其次是泥质浅褐色陶、夹砂灰陶等，部分陶器表面饰刻划水波纹与旋纹，可辨器形有罐、盆、钵、盘、瓷碗等。

2010WMⅠH11　位于TN6W3西南角，开口于第2层下，打破第3层与生土层。平面形状近圆形，口小底大呈袋状，坑口最大径124、中部径263、深218厘米。坑内填土可分四层：第1层灰褐色土，土质较致密，含少量红烧土粒、炭粒与较多贝壳；第2层贝壳层，夹杂少量红褐色土；第3层红褐色土，土质疏松，含少量红烧土粒、炭粒与贝壳；第4层红褐色土，土质疏松，含大量贝壳。H11出土较多陶器与青瓷器，陶器以泥质灰陶为主，其次是泥质浅褐色陶、夹砂灰陶等。陶器主要为素面，部分饰刻划水波纹与旋纹，可辨器形有罐、盆、钵、盘、碗等。

2010WMⅠH23　位于TN6W3的中部偏东，开口于第2层下，打破第3层及生土层。平面呈椭圆形，口部为直壁筒形、下部呈袋状，坑壁光滑，底部向内斜收，底面平整，口径140、腹径210、底径180、深180厘米。坑内填黄褐色花黏土，局部含灰土、灰黑土和粗砂粒及炭粒。出土较多泥质灰陶器残片、夹砂灰陶残片和青瓷器残片。

2010WMⅠH27　位于TN6E1东北部，开口于第1层下，打破第2层及以下地层。平面形状为圆形，口小底大呈袋状，弧壁，平底，口径96～98、底径135～137、深180～187厘米。填土分两层：第1层灰褐色土，厚102～110厘米，质地稍疏松，含少量炭粒；第2层灰土，厚72～77厘米，土质潮湿松软，含有少量炭粒。出土较多泥质灰、褐、黄色陶片与青瓷片。陶片大多为素面，少量陶片饰有水波纹和旋纹，可辨器形有罐、盆、钵、碗。

2010WMⅠH29　位于TN8W2的东部，开口于第2层下，打破第3层和生土。平面呈圆形，口部为直壁筒形，下部呈袋状，坑壁光滑，底面平整，

马飘岭遗址发掘区局部

马飘岭遗址 H3 遗物出土现场

马飘岭遗址遗物出土状况

马飘岭遗址遗物出土状况

口径50～55、底径170～175、深178厘米。坑内填浅灰色土，上部较致密，下部含水量大且松软，夹杂有部分炭粒和少数烧土块。出土有较多陶瓷残片，可辨器形有罐、罐、钵、釜、碗、盘、豆与纺轮等。

2）灰沟

2010WMⅠG1　位于TN1W1东北部，开口于第2层下，打破第3层和生土。平面呈长条状，斜壁，平底，宽60～65、底宽50～55、深78厘米。沟内填灰黑色土，夹杂有部分炭粒和少数烧土块，包含大量蚬壳，出土有较多陶瓷片，可辨器形有盆、钵与器盖等。

（三）遗物

遗物出土南朝至唐代文物350余件，主要有陶器、青瓷器与石器。

陶器　地层出土陶器以泥质灰陶为主，部分泥质褐陶，烧制火候高、质地坚硬。另有少量泥质黄褐软陶与夹砂陶。纹饰多见水波纹与旋纹。器类包括罐、钵、盆、甑形器、纺轮、网坠与建筑构件等。

青瓷器　本次考古发掘出土青瓷器较多，器类有豆、盘与碗等。

滑石器　仅见滑石容器1件。

（四）年代、性质及其他

综合来看，吴川马飘岭遗址为南朝至唐代小型聚落遗址。发掘所见袋状坑为粤西地区该时期遗址所习见，出土的四系陶罐、陶盆、陶钵、甑形器以及青瓷碗、青瓷盘等文化遗物也与信宜、高州等地同时期遗址出土遗物较为接近，反映出南朝至唐代北至西江南岸南达雷州半岛的粤西南地区土著文化的强势。同时，部分袋状窖藏坑内大量堆填贝壳的现象是本次考古发掘新发现，有助于进一步了解袋状坑的功用与当时的饮食情况。马飘岭遗址考古资料为研究古代俚人物质生活与社会习俗提供了新的材料，对研究粤西地区南朝隋唐时期社会历史具有重要意义。

马飘岭遗址 H7 清理后

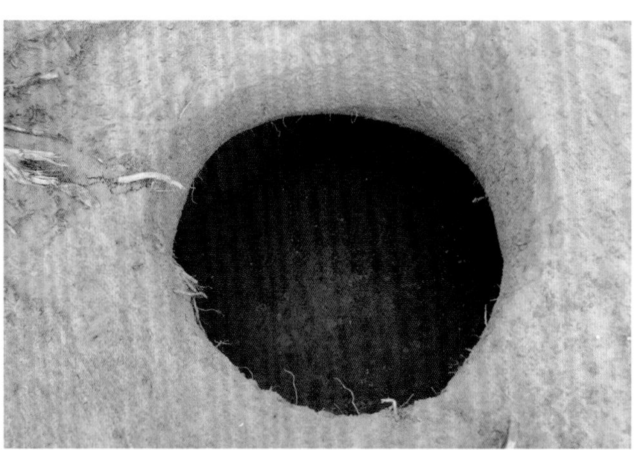

马飘岭遗址 H8 清理后

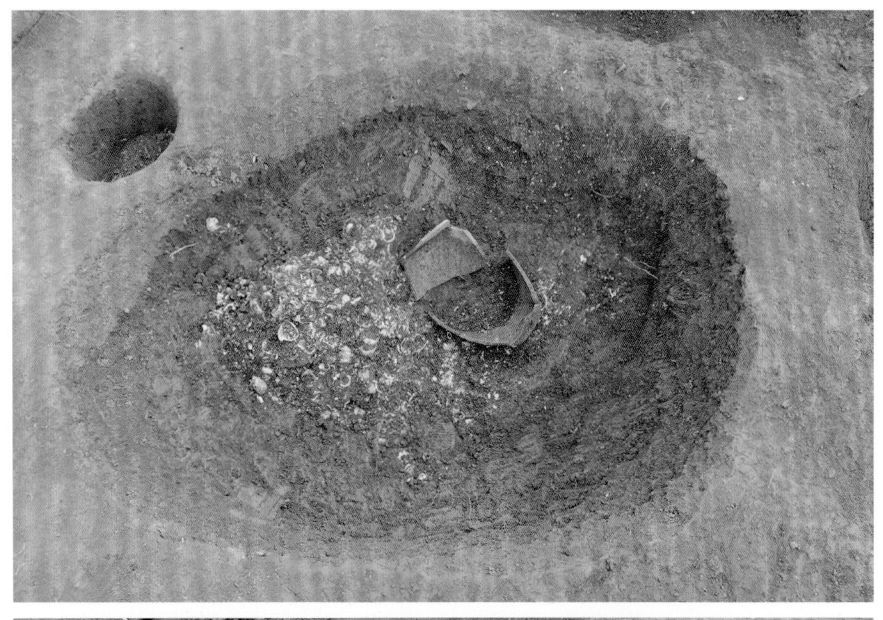

马飘岭遗址 H12 ①层下贝壳堆积和遗物

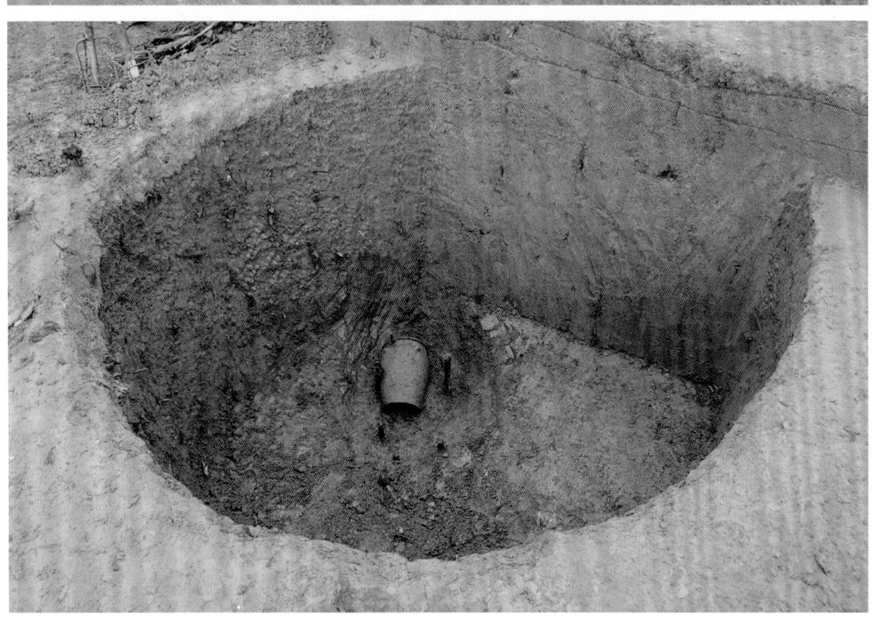

马飘岭遗址 H21 遗物出土现场

马飘岭遗址出土陶钵

马飘岭遗址出土陶盆

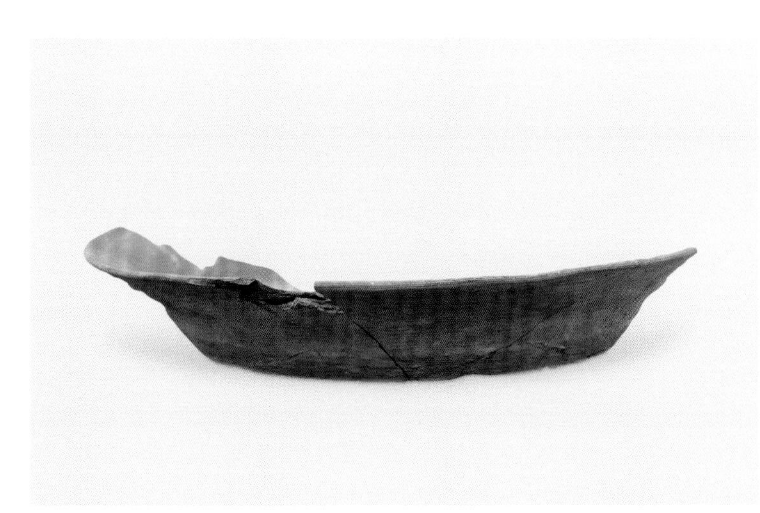
马飘岭遗址出土陶器盖

马飘岭遗址出土青瓷豆

马飘岭遗址出土陶纺轮

马飘岭遗址出土砺石

马飘岭遗址出土滑石器

马飘岭遗址出土青瓷碗

马飘岭遗址出土青瓷碗

马飘岭遗址出土青瓷碗

马飘岭遗址出土青瓷碗

马飘岭遗址出土陶罐

马飘岭遗址出土陶罐

1.11 广东高速公路坪石至樟市段工程项目抢救性考古发掘

项目编号 GDKG–2010–018–FJ05

实施时间 2010 年 8 ～ 12 月

建设单位 广东高速建设项目管理中心

配合单位 韶关市文化广电新闻出版局、乐昌市博物馆、韶关市曲江区博物馆、乳源瑶族自治县民族博物馆

遗址发现于 2010 年广东高速公路坪石至樟市段工程项目文物考古调查、勘探工作中，项目地理位置和地理环境参看相关调查报告，发掘总面积 2000 多平方米。

1. 乳源瑶族自治县黄泥堪唐及明代墓地

墓地位于韶关市乳源瑶族自治县游溪镇莲塘边村委担干岭村东黄泥堪岭东坡，中心点 GPS 坐标 N24°56'、E113°24'。墓地所在区域为山前缓坡台地，

黄泥堪墓地 2010RHM2 清理后

黄泥堪墓地 2010RHM4 清理后

地形相对平坦开阔，相对高度20～30米。地表受农耕生产影响，文化堆积受到一定破坏，墓葬基本暴露于表土层下。

共清理墓葬6座，其中土坑竖穴墓1座，砖室墓5座。墓葬方向在202°～287°之间，基本为南北排列。砖室墓均为唐代墓葬，土坑墓为明代墓葬。

2010RHM2为长方形券顶砖室墓，开口于表土层下，打破生土，墓室东西长约3.14、南北宽约0.77米、残高约0.6米，方向286°。墓顶及墓壁坍塌较严重，封门残高0.15、墓壁残高0.42米。后壁正中设一小壁龛，龛长0.25、进深0.13、高0.5、距墓底0.35米。以刀形砖起券。墓室封门及墓壁以长方形砖错逢平铺的方法垒砌，砖长28、宽13、厚4厘米，部分砖的侧面印叶脉纹。墓底用长方形砖纵横错缝平铺。葬具、人骨无存。墓室东端发现2件随葬陶罐，倒置。罐皆为泥质素面黄褐陶，矮直领，溜肩，弧腹，平底。墓葬年代为唐代早期。

M4为长方形竖穴土坑墓，长2.2、宽0.8、残深0.2米，方向277°。墓圹四壁陡直平滑，底部较平坦。葬具、人骨无存。墓内填黄褐色土，土质疏松，含少许炭粒等物。随葬品2件置于墓底东端，皆为带盖陶罐（瓷碗倒扣为盖），保存较完整。墓葬年代为明代。

2. 浈江区一、六号岭南朝墓地

一号岭墓地位于韶关市浈江区犁市镇五四村东，中心点GPS坐标N24°52'、E113°32'，相对高度约20米。六号岭墓地位于浈江区犁市镇五四村南，中心点GPS坐标N24°52'、E113°32'，相对高度20米，与一号岭相连，面向武江。

一号岭发掘清理墓葬5座，六号岭发掘清

一号岭南朝墓2010SYM1清理后

六号岭南朝墓 2010SLM5 清理后

一号岭南朝墓 2010SYM1 出土青瓷碗

六号岭南朝墓 2010SLM5 出土青瓷碗

理墓葬7座，两处墓葬分别编号，其中一号岭编号为2010SYM1～2010SYM5，六号岭编号为2010SLM1～2010SLM7。根据墓葬结构和出土文物判断，12座墓葬均为南朝墓葬。

一号岭2010SYM1为凸字形券顶砖室墓，由墓道、墓圹和墓室组成，方向为93°。墓道已毁，结构不详。墓圹平面为长方形，长4.26、宽1.50、残深0.86米；墓室长4.04、宽1.22、残高0.22～0.86米。墓室券顶已塌毁。墓壁用灰色长方形砖错缝平铺而成。刀形砖常见规格为长32、宽15、厚3～4.5厘米，长方形砖常见规格为长32、宽15、厚6厘米。砖的侧面有的印菱格纹或叶脉纹。葬具、人骨无存，随葬器物残存青瓷碗2件和青瓷盏1件。M1时代为南朝。

3. 武江区圆墩岭先秦遗址

遗址位于韶关市武江区龙归镇双头村西圆墩岭，中心GPS坐标N24°43'、E113°27'，相对高度20～25米，发掘面积2000平方米。

发掘先秦时期大型壕沟1条（编号为G1）和小型壕沟3条。

G1为遗址北部环壕，略呈西北至东南走向，围绕岗顶呈半环绕状。G1开口于表土层下，打破生土层，沟壁、底加工规整，沟壁较陡，底部平坦，发掘部分长300、口宽4～4.5、底宽1.5～2.2、深1.5～1.9米。

沟内堆积分6层。

第1层厚0.1～0.27米，黑褐色土，土质较硬。包含较少陶片，陶片有泥质灰陶、夹砂黑陶，纹饰主要有曲折纹，可辨器形有罐。

第2层厚0～0.3米，黄褐色土，土质较硬。包含零碎陶片。

第3层厚0～0.35米，浅黄褐色土，土质较硬。包含零碎陶片。

第4层厚0～0.55米，灰褐色土，土质稍硬。包含较多陶片。

第5层厚0～0.45米，浅青灰色土，土质稍硬。包含零碎陶片。

第6层厚0～0.6米，青灰色土，土质稍硬。包含零碎陶片、炭粒等。

第2至6层包含陶片虽数量多寡不一，但特征皆与第1层相同。

第6层以下是红土、白土相间的纯净生土层。

出土陶器多为生活用具，有罐、碗、盆、豆、钵、纺轮等。出土石器数量较多，达300余件，主要为生产工具、装饰用品和武器，有锛、凿、铲、环、镞、戈、网坠和鱼钩石范等。

圆墩岭遗址的年代为距今4000～3500年。

此外，还清理唐宋墓葬5座和明清墓葬7座等晚期遗存。

圆墩岭遗址发掘区局部

圆墩岭遗址 G1 局部

圆墩岭遗址 TN8W10 柱洞及 H10 分布

圆墩岭遗址 G1 ①出土陶罐

圆墩岭遗址 G1 ④出土陶罐

圆墩岭遗址 H3 出土陶罐

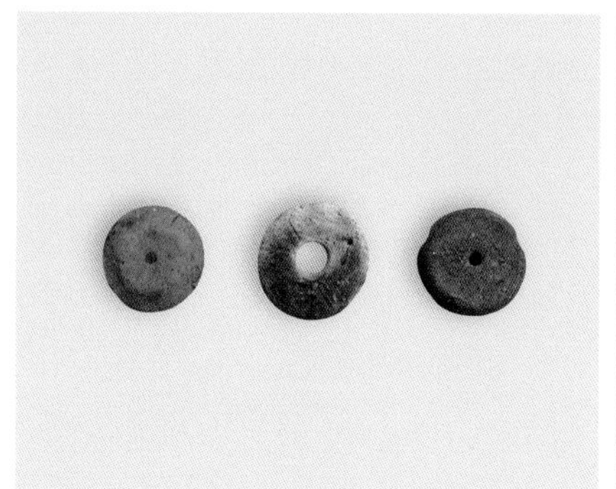
圆墩岭遗址出土陶纺轮

圆墩岭遗址出土陶支脚

圆墩岭遗址出土陶器圈足

圆墩岭遗址出土石镞

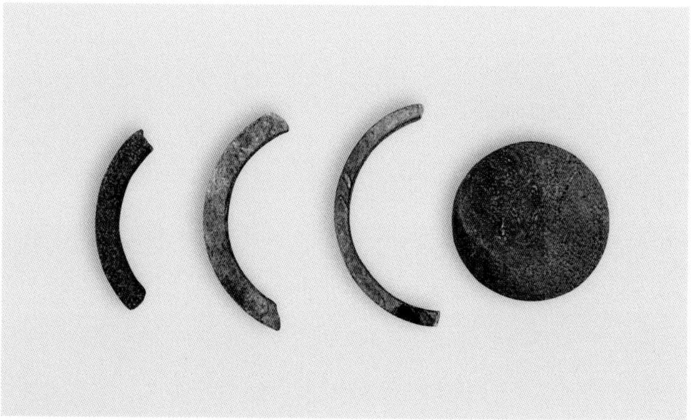
圆墩岭遗址出土石环及石芯

圆墩岭遗址出土双鱼钩石范

圆墩岭遗址出土石戈（残）

圆墩岭遗址出土石锛

圆墩岭遗址出土石锛

1.12 从莞高速公路惠州段项目考古发掘

项目编号 GDKG–2010–023–FJ07

实施时间 2010年9月～2011年2月

建设单位 从莞高速公路惠州段建设项目管理中心

配合单位 惠州市文化广电新闻出版局、惠州市博物馆、博罗县博物馆、高州市博物馆、遂溪县博物馆

博罗县曾屋岭东周墓地

墓地位于惠州市博罗县福田镇联合村冲径曾屋岭东麓，东距东江支流约500米，发现于2008年“从（化）（东）莞高速公路建设用地文物考古调查”工作中。

曾屋岭地处珠江三角洲东北端、东江中下游平原西北缘，背靠罗浮山。

发掘东周时期墓葬85座。

墓葬均为长方形竖穴土坑墓，墓向基本为南北向，随葬品主要有陶器、原始瓷器、青铜器和石器。

2010BZ.M9　打破M10西部和M35北部，墓口长2.92、宽0.7米，底长2.8、宽0.6米，深1.8米，墓向328°。随葬品有青铜鼎、青铜刮刀与玉玦各1件，墓葬年代为春秋时期。

2010BZ.M13　开口在第2层下，打破第3层和生土层。墓口长2.7、宽0.98米，墓底长2.6、宽0.88米，深1.6米。随葬陶豆6件，墓葬年代为春秋时期。

2010BZ.M20　开口在第2层下，打破第3层和生土层。墓口长3.5、宽0.9米，墓底长3.45、宽0.85米，深1.1米。随葬陶豆3件、陶簋1件、陶釜1件和青铜器1件，墓葬年代为春秋时期。

2010BZ.M21　墓口长3.1、宽0.9米，墓底长2.9、宽0.8米，深1.27米，方向351°。随葬品青铜鼎、青铜刮刀和陶纺轮各1件，墓葬年代为春秋时期。

2010BZ.M36　墓口长2.8、宽0.9米，墓底长2.7、宽0.85米，深1.27米。随葬陶豆3件和青铜戈1件，墓葬年代为春秋时期。

2010BZ.M70　开口于第2层下，打破第3层和生土层。墓口长3、宽1米，墓底长2.9、宽0.95米，深1.5米。随葬青铜短剑1件、青铜刮刀1件和陶豆3件，墓葬年代为春秋时期。

2010BZ.M72　开口在第2层下，打破第3层和生土层。墓口长3、宽0.9米，墓底长2.9、宽0.8米，深0.65米。出土青铜戈1件和陶豆3件，墓葬年代为春秋时期。

曾屋岭墓地发现数量众多的东周时期墓葬，出土一大批以原始瓷豆、青铜鼎、青铜短剑与青铜刮刀等为代表的随葬器物，是继博罗横岭山墓地之后东江流域发现的又一处两周时期的大型墓地。

此外，另发掘宋代墓葬1座和清代墓葬3座。

曾屋岭遗址地貌

曾屋岭遗址 2010BZ.M9 清理后

曾屋岭遗址 2010BZ.M9 出土青铜刮刀

曾屋岭遗址 2010BZ.M9 出土青铜鼎

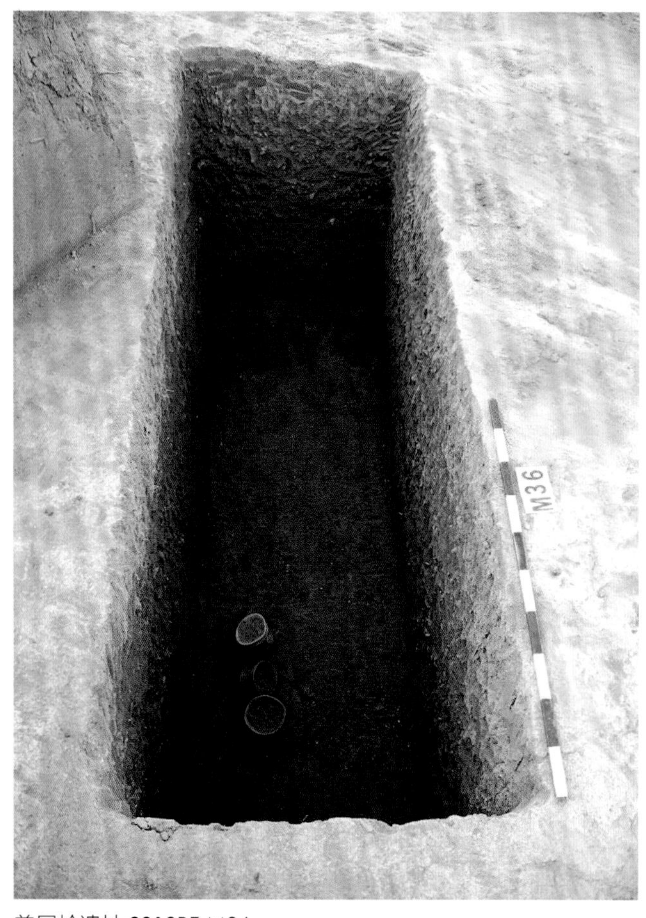

曾屋岭遗址 2010BZ.M36

曾屋岭遗址 2010BZ.M36 出土青铜戈

曾屋岭遗址 2010BZ.M36 出土陶豆

第二章

2011年度基建考古新发现

第一节
调查勘探类

2.1 五华县狮雄山遗址调查、勘探、试掘

项目编号 GDKG–2011–001–DK01

实施时间 2011年1月～2012年1月

配合单位 梅州市文化广电新闻出版局、五华县博物馆

五华县狮雄山秦汉城址

城址位于梅州市五华县华城镇塔岗村西南的狮雄山，北临岐江、潭江、乌陂河的交汇口，西南有五华河流经，测绘基点GPS坐标N24°2'、E115°37'，海拔152米，遗址面积约34000平方米。

狮雄山地处华城盆地东南部，是一座由南、北两个山冈组成的马鞍形台地，北冈相对高度约58米，南冈相对高度约45米，遗址主要分布于南冈，其四周为河谷地带，地形开阔。

狮雄山遗址发现于1982年，1984至1990年先后4次对该遗址进行调查、发掘，揭露面积约768平方米，发现汉代建筑基址，并出土有大量板瓦、筒瓦、瓦当及陶器等遗物，将该遗址认定为南越王赵佗所筑“长乐台”遗址。

为进一步了解狮雄山遗址的年代、布局、结构和性质，加大广东省首批大遗址保护力度，为遗址公园的科学规划提供充分依据，经国家文物局批准，广东省文物考古研究所对狮雄山遗址进行了第五次调查、勘探和试掘。本次考古工作揭露面积350平方米，钻探面积50000平方米，发现秦汉时期遗迹包括壕沟1条、建筑基址5座、排水沟3条、陶窑1座、水井1座、灰坑21座以及灰沟10条，出土大量秦汉时期珍贵文物，突破以往对于该遗址年代与性质的既有认识。

城壕残长约300米，平面形状呈不规则长方形，剖面为斜直壁、弧底，开口距地表0.35～0.45米，口宽4.5～7米，现存深度1.8～2.6米。壕沟自北、东、南三面包围第三、四级台地，经鞍部和南冈南侧的自然冲沟连至山下的古高坑水和五华河，将人

狮雄山航拍俯视全景

壕沟北段局部

二号建筑基址剖面局部（南—北）

四号建筑基址与H22局部（西南—东北）

一号建筑基址的墩台及东部平台（西—东）

工壕沟与天然河道有机联系起来，构成了一个规模宏大的防御系统。根据出土陶器分析，城壕最下部堆积的年代为战国末期，可知城壕始建年代当不晚于战国末期。

所发现5座建筑基址中，4座分布于城壕范围之内。其中一号建筑基址位于狮雄山第四级台地的中北部，平面呈东西向长方形，东西长40、南北残宽13～15米，经历过三次以上大规模扩建，3条排水沟分别位于一号建筑基址东侧、西侧和中部，一号建筑基址应为城址的主体建筑。二号建筑基址位于狮雄山南冈第四级台地南端，剖面可见38层夯土，平面呈东西向长方形，东西长11.5、南北残宽3.5、厚0.75～2.2米，东、西两端皆有基槽。第三级台地西侧的四号建筑基址出土大量纺轮、网坠、陶丸、石磨盘及磨棒等生产工具，该建筑基址的西北侧发现陶窑和窑前堆积坑，东侧发现有出土铁矿石、矿渣、红烧土、封泥、残铁器等遗物的大型灰坑，结合建筑基址中所出遗物，四号建筑基址及其周边区域很可能是手工业作坊区。壕沟以外的南区仅发现五号建筑基址，目前发掘的是其南部边缘的一小部分，建筑垫土厚达1.3米，上部见有大量废弃建筑材料。由于人为或自然原因的破坏，多数建筑上部结构已不复存在，其功能与用途都还有待进一步研究。

城址内出土大量秦汉时期重要文化遗物。建筑材料出土数量最多，其中又以板瓦、筒瓦数量为多，瓦当居次，铺地砖最少。陶器类型丰富，包括瓮、罐、

狮雄山地貌（西北—东南）

釜、壶、盆、瓿、盂、杯、熏炉、器盖、盒、三足小盒、纺轮、网坠、权与丸等。石器主要有石凿、石锛、石刀、石矛、磨盘、磨棒等。铁器仅见铁釜1件，且多残损，器形难辨。“定楬丞印”、“定楬之印”、“蕃”、“安”、“定”等40余枚钤印封泥是本次工作最为重要的新发现。

狮雄山遗址的范围，远较此前判断的南越王赵佗所筑“长乐台”建筑基址要大，其性质应是规模相对较大的城址。由于壕沟的建成年代不晚于战国末期，建筑垫土下的灰坑H22中所出陶器与早年广

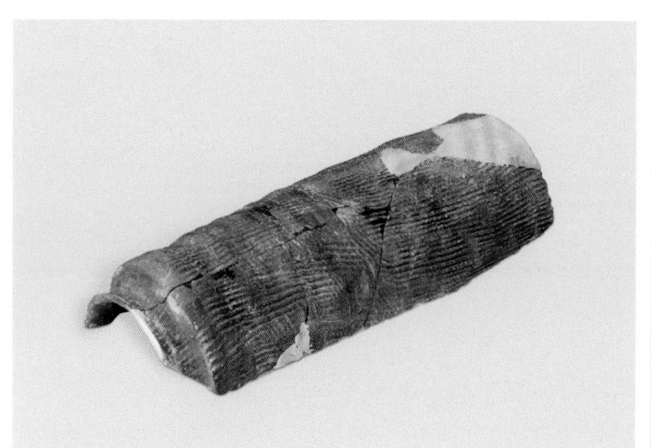

狮雄山城址出土筒瓦

狮雄山城址出土瓦当

狮雄山城址出土陶罐

狮雄山城址出土陶釜

狮雄山城址出土小盂

狮雄山城址出土炭化稻谷

州发现的秦墓所出基本相同，垫土之上的遗存又多属南越国时期，故狮雄山城址始建年代当早至战国晚期，而城内大型建筑使用年代应在秦代至西汉早期南越国时期之间。

有关狮雄山秦汉城址年代、布局、结构和性质的新认识，为本地区秦汉时期考古学分期研究及先秦两汉城址研究增添重要的新内容，为南越国早期历史的研究提供了新线索，为大遗址保护规划的编制及考古遗址公园的建设提供了重要依据。

五华狮雄山秦汉城址的考古发现，对于广东乃至岭南地区先秦两汉时期尤其是秦汉之际城址的考古调查与发掘工作具有重要意义。公元前 214 年，秦军平定岭南，推行郡县制，设桂林、象郡、南海三郡，又于南海郡置番禺、龙川、博罗、揭阳等数县。史载南下秦军 50 万，并数次“徙中县之民……使于百越杂处”。任嚣、赵佗经略岭南时，扼据要冲，广筑关防，其戍卒与移民当不下数十万之众。秦南海郡北设横浦、洭浦、阳山与湟溪等关隘，由于岭南地域宽广且地多险恶，因之镇守境内各处兼具军事、政治性质的城址或关隘当不在少数，囿于史料阙如，难知其详。相关考古发现的稀少，则与广东地理环境、该时期城址地形、规模与结构等方面的独特性有关。

五华狮雄山秦汉城址坐落于粤东北韩江上游五华河盆地的孤立山丘之上，占据重要地理位置。与岭北规模宏大的同时期城址相较，狮雄山城址面积与规模受自然条件所限，但占地形之利，据漕运之便，其作为区域性军事要塞的意义不言而喻。城址内壕沟、大型夯土基址等重要遗迹的总体保存情况不甚理想，在一定程度上影响对其结构与功能认识的完整性，虽即如此，亦可由目前考古资料窥得当时岭南统治者对这一岭南东部军事重镇的苦心经营，虽历经秦代、南越国政权更迭，未曾间断。其地理位置、地形、地势与所见文化遗存对于探寻广东境内同时期城址或军事关隘极具参考意义。广东地区岭谷众多、地形破碎，分割为多个小地理单元，且境内低山台地面积狭小，故早期城址选址、规模、布局、功能等诸要素极具地域特征，同时由于岭南地区的气候环境条件，早期城址的整体保存情况可能相对较差，今后针对省内该类遗存的考古工作应尤为注意以上特点。

狮雄山城址出土三足小盒

狮雄山城址出土“定楬之印”封泥

2.2 广东省韶关市2×30MW生物质发电项目

项目编号 GDKG–2011–002–DK02

实施时间 2011年3月

建设单位 广东韶能集团股份有限公司

配合单位 韶关市文化广电新闻出版局、韶关市曲江区博物馆

广东省韶关市2×30MW生物质发电项目位于韶关市曲江区白土镇乌泥角村与河边村。

韶关市地处南岭南麓、北江流域上游，主要河流有北江支流浈江、武江、锦江、滃江及南水等，区内地貌以山地丘陵为主，其中丹霞红岩地貌闻名于世，喀斯特岩溶地貌亦发育较好。境内有曲江盆地、翁源盆地、坪石盆地、南雄盆地多个河谷盆地分布其间，盆地内发育数级河流阶地。

曲江区大窝塘唐宋遗址

遗址位于韶关市曲江区白土镇乌泥角村南大窝塘，西北距北江约150米，南距南水约2千米，属北江支流南水河与北江干流交汇地带，中心GPS

大窝塘遗址地貌

坐标 N24°42'、E113°30'，海拔 60 米，遗址面积约 5000 平方米。

大窝塘为北江西岸侵蚀台地，地势低缓，其东、西两侧皆为低山。

地表发现较多陶瓷片等文化遗物。陶器多为泥质黑衣陶，器形主要为罐，瓷器皆为青釉瓷，可辨器形有饼足碗、圈足碗等，该遗址年代应为唐宋时期。

大窝塘遗址采集砚台

大窝塘遗址地表遗物

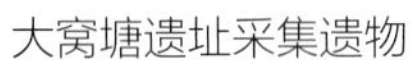

大窝塘遗址采集遗物

大窝塘遗址采集遗物

2.3 广东大唐国际雷州发电厂2×1000MW一期工程项目

项目编号 GDKG-2011-004-DK04

实施时间 2011年5～6月

建设单位 大唐国际发电股份有限公司

配合单位 湛江市文化广电新闻出版局、湛江市博物馆

广东大唐国际雷州发电厂2×1000MW一期工程位于湛江市雷州市乌石镇港彩村南侧临海地区，储灰场则位于雷州市北和镇北沟边村崩沟岭。

项目所在区域地处粤西南雷州半岛，濒临北部湾与南海，整体地势低缓，总体西北高东南低，区域内地貌类型主要有湖沼堆积平原、河海混积平原、冲洪积平原和剥蚀台地。

雷州市大河咀南朝至唐代遗址

遗址位于湛江市雷州市北和镇北沟边村崩沟岭西北，西距海湾约10千米，中心GPS坐标N20°41'、E109°53'，遗址面积1000平方米。

崩沟岭为滨海台地，地形起伏较大，沟壑纵横，顶部地势平缓。由于台地滑坡、崩塌严重，遗址保存情况较差，顶部地表及沟底均采集到较多陶瓷碎片，局部沟壁断面可见堆积较薄、断续分布的文化层。陶器为泥质灰陶，饰水波纹加旋纹的组合纹饰，可辨器形有罐、擂钵等；瓷器为青釉瓷，器形有罐与碗。上述器物特征及组合在粤西南地区南朝至唐代遗存中习见。

大河咀遗址断崖剖面文化层

大河咀遗址地貌

大河咀遗址地表采集遗物

大河咀遗址 TG1 ③层出土遗物

2.4 河源市东环高速公路项目

项目编号 GDKG–2011–008–DK08

实施时间 2011年6～7月

建设单位 河源市交通运输局

配合单位 河源市文化广电新闻出版局、河源市博物馆

河源市东环高速公路大致为东北—西南走向，北起河源市东源县义合镇，经东源县仙塘镇、紫金县柏埔镇及临江镇，南止于紫金县古竹镇，全长约37千米。

项目位于广东省中东部、东江流域中游，地处东江东岸丘陵区，除东江干流外，另有秋香江、柏埔河与义容河等支流。区内地貌类型以丘陵、低山为主，间有地势低缓的河谷盆地，发育河流阶地。

紫金县对面岭新石器时代晚期至商时期遗址

遗址位于河源市紫金县临江镇胜利村校木组东南，西距柏埔河500米，中心GPS坐标N23°40'、E114°45'，海拔76.1米，相对高度35米。

对面岭为柏埔河东岸侵蚀台地，东、北、南三侧皆为台地，西为开阔河谷，整体地势低缓，局部坡面稍陡。大部分地表植被茂密，西坡因开垦梯田而损

对面岭遗址地表遗物

对面岭遗址地貌

毁严重。

顶部及西坡中部地表与探沟地层中皆发现有陶片与石器。陶片分夹砂灰白陶与泥质灰陶两类，前者居多，纹饰见条纹、方格纹及长方格纹，可辨器形有釜、罐等。石器皆为磨制石器，类型丰富，有石锛、穿孔石器、石锤及石料等。对面岭遗址文化遗存可见虎头埔文化及后山文化两类文化因素，该遗址年代为新石器时代晚期至商时期。

穿孔石器　1 件。标本 11ZDT4 ①：1，下部残，深灰色板岩，梯形，断面呈椭圆形，残断处可见两面对钻穿孔，两侧边尚留打制疤痕，残长 8、宽 2.5 ～ 4.5、厚 1.5 厘米。

石锛　2 件。标本 2011ZD 采：1，通体磨光，长条形，弓背，双肩，肩部不甚明显，单面刃，长 6.8、宽 2.2、厚 0.6 厘米。标本 2011ZDT2 ①：1，稍残，深灰色板岩，扁薄，双肩，单面刃，刃部稍残，长 7、柄宽 2.5、体宽 4、厚 0.4 厘米。

陶罐　1 件。标本 2011ZD 采：2，口沿，夹砂灰白陶，侈口，方唇，唇面有一周凹槽，折沿，沿内面向外微弧，肩部饰长方格纹。

虎头埔文化与后山文化分别因普宁虎头埔遗址与普宁后山遗址而得名。由新石器时代晚期延续至商时期的该两类文化遗存，在潮汕平原与莲花山山脉南北两麓皆有为数众多的发现，尤其是榕江中游和兴宁—五华盆地，更发现了密集分布的多个遗址群。近年来，在粤北东江上游、北江流域及珠三角地区亦发现大量具有虎头埔文化因素（以印纹硬陶矮圈足器为典型器物）的遗存，而具有后山文化因素（以凹底罐、子口钵、鸡形壶等为典型器物）的遗存亦在多个区域有发现，如东江上游的连平黄潭寺、和平枫树墩、和平子顶山与龙川石子顶等。对面岭位于东江中游腹地，该区域新石器时代晚期至商时期遗存的考古发现相对较少，其是否代表着莲花山北麓虎头埔文化与后山文化由东江上游向下游、由东北向西南的传播扩散路径，尚待探讨。

对面岭遗址采集穿孔石器

对面岭遗址采集石锛

对面岭遗址采集石器

对面岭遗址采集陶片

2.5 广东省天然气管网二期工程高明—肇庆联络线项目

项目编号 GDKG–2011–014–DK14

实施时间 2011 年 8 ～ 9 月

建设单位 广东省天然气管网有限公司

配合单位 肇庆市文化新闻出版局、佛山市文化新闻出版局、高要市博物馆

广东省天然气管网二期工程高明—肇庆联络线呈西北—东南走向，北起肇庆市高要区金渡镇，途经白土镇、回龙镇，止于佛山市高明区明城镇，总长约 24 千米。

项目位于广东省中南部珠江三角洲与粤西山地过渡区域，地处西江中下游南岸，东面珠江三角洲冲积平原，西倚粤西山地丘陵区，地貌以冲积平原与低山丘岗为主，其间水网密布，河流分支复合频繁。

高要区州山顶明代遗址

遗址位于肇庆市高要区白土镇下灶村东州山顶，西江支流自其西北 500 米处蜿蜒而过，中心 GPS 坐标 N23°1'、E112°35'，海拔 21 米，相对高度约 15 米，面积 1000 平米。

州山顶为地势低缓的侵蚀台地，北侧与东南侧为台地，东北侧为低山，其西、南则为开阔河谷。坡面及顶部植被茂密，西、北坡下部因取土开路而局部被毁，较多文化遗物暴露于路边及断崖剖面。断崖可观察到包含大量陶片的文化堆积层，文化层最厚处 1 米有余，遗物主要为黑釉带耳陶罐与陶垫圈，堆积中包含较多灰黑色炭灰与红烧土，断崖之上直至坡顶地表散落有较多陶片，概与烧制陶器有关。断崖东部暴露砖室墓 1 座，封门稍有破损，墓室与

州山顶遗址地表遗物

州山顶遗址地貌

券顶基本完好。断崖地层中另暴露 2 件黑釉陶罐，罐口均覆有残碎青花瓷碗。州山顶为一处文化层堆积较厚、遗物数量较多、内涵较为丰富的明代遗址。

陶罐标本 2011GZ 采：1，稍残，泥质灰陶，微侈口，圆唇，弧肩，圆鼓腹，凹底，腹部施黑釉，口径 10.2、腹径 20、底径 15、高 19 厘米。标本 2011GZ 采：2，泥质灰陶，微侈口，尖圆唇，弧肩，圆鼓腹，凹底，腹部施黑釉，口径 10、腹径 20、底径 15、高 20 厘米。

陶垫圈标本 2011GZ 采：3，残，泥质灰陶，微喇叭形，上下面平，壁内内凹，直径 20、高 2.7、厚 14 厘米。

州山顶遗址断崖

州山顶遗址暴露墓葬

墓砖标本 2011GZ 采：4，完整，泥质黄陶，长方体，素面，长 18、宽 12、厚 7.3 厘米。

明代窑址在广东境内发现较多、分布较广，以烧制仿龙泉窑系青瓷器的窑址尤为多见，烧制陶器的窑址则较为少见。目前西江流域明代窑址的考古发现较少，州山顶遗址是珠江三角洲与粤西山地区过渡地带、西江南岸目前唯一发现烧制黑釉陶器的明代窑址。该遗址的发现，为深入研究广东地区明代陶器烧造技术提供了重要的新材料。

州山顶遗址采集遗物

州山顶遗址采集遗物

州山顶遗址采集遗物

州山顶遗址采集遗物

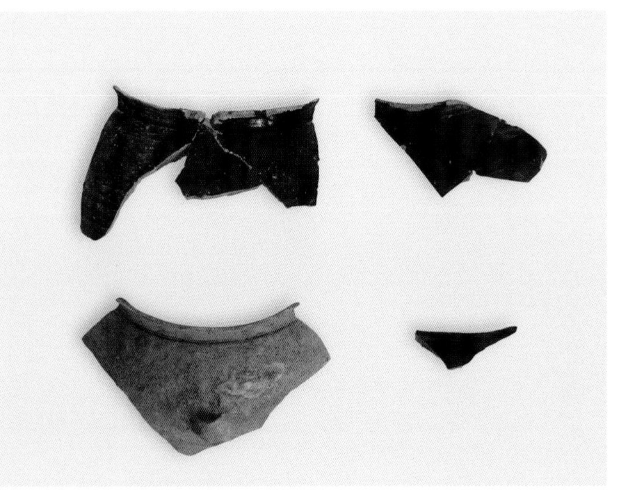

州山顶遗址采集遗物

2.6　广佛肇高速公路高要小湘至封开江口段项目

项目编号　GDKG–2011–017–DK17

实施时间　2011年12月～2012年3月

建设单位　肇庆市公路局

配合单位　肇庆市文化广电新闻出版局、肇庆市博物馆、高要市博物馆、德庆县博物馆、封开县博物馆

广佛肇高速公路位于广东省的中西部，路线大致呈东西走向，东起肇庆市横贯高要区小湘镇，经高要区禄步镇，德庆县播植镇、风村镇、永丰镇、高良镇、官圩镇、马圩镇、回龙镇，封开县长岗镇、谷圩镇，西至封开县江口镇，全长约130千米。

项目地处西江北岸、粤西山地丘陵地带，地貌以山地、丘陵为主，间有河谷盆地，境内主要河流有西江及其支流大径河、悦城河、马圩河、绿水河及贺江等。

一、遗址

德庆县背后山汉唐遗址

遗址位于肇庆市德庆县播植镇前岸村北，东北距河流150米，中心GPS坐标N23°9'、E112°23'，海拔83.2米，相对高度55米。

背后山为侵蚀台地，地势稍陡，其南、北、西三侧皆为台地，东为河谷，因开垦梯田，遗址遭到较严重破坏。东北坡地表采集到少量泥质灰陶方格纹陶片及瓷碗碎片，探沟内出土方格纹四系陶罐及黑釉双耳瓷罐各1件，其年代分别为东汉时期与唐代。

四系陶罐标本TG14：1，泥质灰陶，子口，矮领，溜肩，上腹微鼓，下腹斜直，大平底，肩部有四个横耳，饰二道凹旋纹，上腹部拍印方格纹，纹饰较浅，口径20、腹径35、底径28.5、高44厘米。

双耳陶罐标本TG12：1，泥质灰胎，通体施黑釉，子口，矮领，溜肩，鼓腹，平底，上腹部有两个竖耳，腹部饰条形弦纹，口径11、腹径18、底径10、高17厘米。

背后山遗址探沟内墓葬

背后山遗址探沟遗物出土现场

背后山遗址探沟出土遗物

背后山遗址探沟出土遗物

二、遗物点

1. 德庆县马地岗汉唐遗物点

遗物点位于肇庆市德庆县马圩镇马地岗，GPS坐标N23°12'、E111°53'，海拔99米，相对高度约60米。马地岗为地势稍陡的侵蚀台地，地表采集到少量方格纹与素面陶片，可辨器形有罐等。

马地岗遗物点采集遗物

马地岗遗物点采集遗物

2. 德庆县四禅山汉唐遗物点

遗物点位于肇庆市德庆县播植镇洛阳村，GPS坐标N23°15'、E112°8'，海拔78米，相对高度约40米。地表采集到少量陶片，纹饰有方格与旋纹。

四禅山遗物点地表遗物

四禅山遗物点采集遗物

3. 高要区山念畬唐代至明代遗物点

遗物点位于肇庆市高要区小湘镇爱村，GPS坐标N23°9'、E112°23'，海拔43米，相对高度25米。山念畬为地势低缓的侵蚀台地，地表采集到少量唐代青釉瓷片，可辨器形有饼足碗，另发现明代黄绿釉四系陶罐1件。

山念畬遗物点地表遗物

山念楷遗物点采集釉陶四系罐

山念楷遗物点采集瓷片

三、其他遗存

封开县金钱咀汉唐遗址

遗址位于肇庆市封开县长岗镇周黎村金钱咀村东，中心 GPS 坐标 N23°20'、E111°33'，海拔 25 米，遗址面积约 3000 平方米。

金钱咀为山间河谷地带的低矮台地，地势平缓，东、西两侧为低山丘陵，东侧即临溪流。现代农田对遗址造成一定程度破坏，地表采集到少量泥质灰色硬陶片与青釉瓷片，硬陶纹饰仅见方格纹，另有部分素面黑釉陶，可辨器形有罐，青釉瓷器形为饼足碗；局部探沟内发现包含少量方格纹灰陶片的文化层。综合调查与勘探情况判断，该遗址为保存情况一般的汉唐时期遗址。

金钱咀遗址地貌

金钱咀遗址地表遗物

金钱咀遗址文化层出土陶片特写

金钱咀遗址采集遗物

金钱咀遗址采集遗物

2.7 江门至罗定高速公路项目

项目编号 GDKG-2011-018-DK18
实施时间 2011年11月～2012年3月
建设单位 广东省公路建设有限公司
配合单位 江门市文化广电新闻出版局、云浮市文化广电新闻出版局、佛山市文化广电新闻出版局、鹤山市博物馆、新兴县博物馆、罗定市博物馆

江门至罗定高速公路呈东西走向，东起江门市鹤山市共和镇，西止罗定市华石镇，经鹤山市址山镇、云乡镇，开平市月山镇，鹤山市宅梧镇、双合镇，佛山市高明区合成镇，云浮市新兴县稔村镇、东成镇、新成镇、簕竹镇，云安县前锋镇、南盛镇、石城镇、镇安镇，罗定市金鸡镇、苹塘镇，全长144.01千米。

项目位于广东省中西部，自东向西由珠江三角洲地带向粤西山地丘陵地带过渡，地势西高东低，地貌类型主要有冲积平原、河谷盆地及低山丘陵。区内较大山脉有云雾山脉、天露山等，主要河流有潭江、鹤城河、新兴江和南江等。

该项目路线范围经调查新发现文物点12处，其中遗址4处、墓地1处、遗物点7处。新兴县云山遗址等10处文物点发现唐代文化遗存，分别分布于鹤山市、高明区及新兴县，所见文化遗物虽丰富程度一般、器物类型单一，但其分布地域跨度大，涉及江门、佛山与云浮三个地级市所辖地域，由此推断，珠江三角洲与粤西山地区之间的西江南岸低山丘陵地带，隋唐时期文化遗存可能有较大范围分布。

此次调查所见隋唐时期文化遗存以青釉瓷罐与青釉瓷碗为大宗，其次为黑釉陶罐，上述遗物在广东省境内南朝至唐代遗址中习见。值得注意的是个别遗址如鹤山市荔枝山遗址发现少量水波纹陶器，此类遗存多见于粤西南地区南朝至唐代遗址中，一般认为其族属应是当地土著俚人，其分布范围北至西江南岸，东达阳江地区西部，而基本不见于广东其他区域。该时期以水波纹陶器为代表的俚人遗存分布范围通常不见砖室墓，而在砖室墓遗存分布地域尤其西江以北地区亦少见俚人遗存。新兴—阳春区域既往考古材料中见有砖室墓，往西则基本不见该类遗存，该区域可能为砖室墓遗存所代表族群分布的西南界，而本次调查在该区域的东侧珠江三角洲西端发现俚人遗存，数量虽有限，其分布规模与遗存性质尚不明朗，但结合以往考古资料，可以推断珠江三角洲与粤西山地区之间的西江干流以南低山丘陵地带在南朝至隋唐时期不同类型的文化遗存分布有交错，可能暗示该时期不同考古学文化在这一地域的文化交流，或有不同族群在不同阶段的势力消长。

一、遗址与墓地

1. 鹤山市长长山南朝至唐代遗址

遗址位于江门市鹤山市双合镇泗河村委布尚村西，东距河道约400米，中心GPS坐标N22°36'、E112°33'，海拔55米，相对高度35米。

长长山为地势低缓的侵蚀台地，平面呈不规则

形，顶部相对平坦。南、北、西三侧皆为台地，西侧地势渐高，东侧为狭长河谷。

遗址地表与探沟文化层中皆发现南朝至唐代文化遗物，以青釉瓷器为主，另有少量夹砂硬陶器，瓷器可辨器形主要有带耳罐，陶器则为方格纹侈口罐。

长长山遗址遗物

长长山遗址遗物

长长山遗址地貌

2. 新兴县云山战国至唐代遗址

遗址位于云浮市新兴县东成镇云河村委都村北侧云山南坡，中心 GPS 坐标 N22°43'、E112°20'，海拔 50 米。

云山南坡北高南低，地势相对平缓，局部被梯田破坏。云山北为低山，西、南为台地，东有溪流蜿蜒而过。

遗址地表采集到较多陶瓷片，类型有印纹硬陶、黑釉陶与青釉瓷等。硬陶纹饰见有米字纹、方格纹及水波纹加旋纹的组合纹饰，黑釉陶器可辨器形有罐，青釉瓷器可辨器形有带耳罐与碗等。此外，还采集到残石器 1 件。文化层堆积较厚，上文化层多见青釉瓷片，下文化层则出土印纹硬陶片。综合地表踏查与勘探结果，云山遗址所见文化遗存可分早晚两组：第一组以印纹硬陶为代表，其时代为战国晚期；第二组以青釉瓷器与黑釉陶器为代表，其时代为唐。

云山遗址遗物

云山遗址遗物

云山遗址遗物

云山遗址地貌

3. 鹤山市荔枝山南朝至唐代遗址

遗址位于江门市鹤山市双合镇泗河村委布尚村西，东距河道250米，西与长长山遗址相邻，中心GPS坐标N22°36'、E112°33'，海拔54.3米，相对高度35米。

荔枝山为山前侵蚀台地，平面近圆形，坡面稍陡，顶部平坦，因整体改造为梯田，遗址遭到严重破坏。

遗址地表采集到少量青釉瓷片，可辨器形有带耳罐、盆及碗等，另发现零星水波纹灰陶片。综合地表踏查与勘探结果，该遗址为一处保存情况较差的南朝至唐代遗址。

荔枝山遗址采集遗物

荔枝山遗址地貌

4. 鹤山市虎头山唐代墓地

墓地位于江门市鹤山市址山镇角塘村东南，中心 GPS 坐标 N22°33'、E112°47'，海拔 34.8 米，相对高度约 20 米。

虎头山为山前侵蚀台地，平面为狭长形，南北走向，东、西、南三侧有溪流环绕。台地边缘稍显陡峭，顶部经过平整，整体破坏严重。

在南坡现代取土处发现唐代青釉瓷罐 1 件，残存下腹部、底部及一横耳，釉部分脱落。虎头山应为一处保存情况较差的唐代墓地。

虎头山墓地遗物

虎头山墓地地貌

5. 开平市蟾蜍山宋代遗址

遗址位于江门开平市月山镇新村东北，中心GPS坐标N22°33'、E112°41'，海拔64米。

蟾蜍山略呈南北向长条形，地势低缓，顶部较平。遗址未见文化层堆积，地表发现少量宋代陶瓷片，可辨器形有陶罐、青瓷碗、擂钵等。

蟾蜍山遗址地貌

蟾蜍山遗址遗物

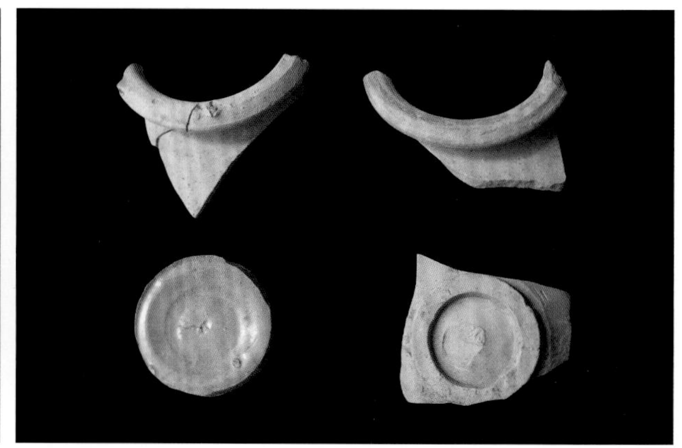

蟾蜍山遗址遗物

二、遗物点

1. 新兴县莲藕塱先秦至唐代遗物点

遗物点位于云浮市新兴县东成镇都斛村西北，GPS坐标N22°43'、E112°16'，海拔81米。南坡地表发现较多唐代陶瓷片，可辨器形有带耳罐、饼足碗等，另采集到磨制石锛1件。

莲藕塱遗物点遗物

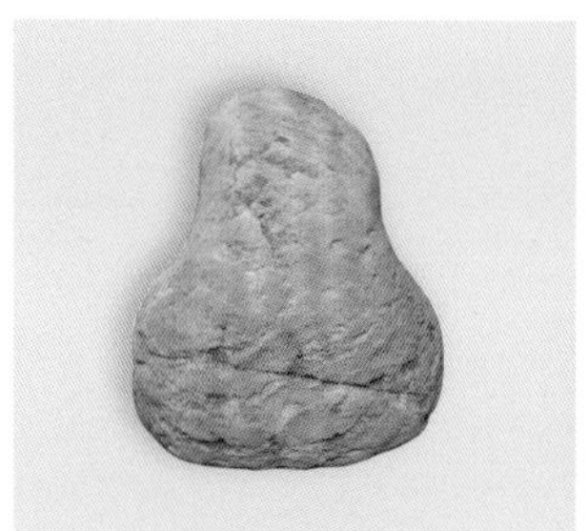

莲藕塱遗物点遗物

莲藕塱遗物点地貌

2. 鹤山市奁头狮山唐代遗物点

遗物点位于江门鹤山市双河镇莲庆青年农场南，GPS 坐标 N22°36'、E112°34'，海拔 25 ～ 47.6 米。奁头狮山略呈南北向，坡势较缓，顶部平坦。地表发现零星唐代青釉瓷片，可辨器形有带耳罐等。

奁头狮山遗物点地貌

奁头狮山遗物点遗物

3. 高明区塘山边唐代遗物点

遗物点位于佛山市高明区合成镇高村村委城村东南，GPS 坐标 N22°43'、E112°26'，海拔 82 米。塘山边坡势较陡，顶部平缓。顶部地表发现零星唐代陶瓷片。

塘山边遗物点地貌

塘山边遗物点遗物

4. 新兴县水田顶唐代遗物点

遗物点位于云浮市新兴县东成镇思本村东北，GPS 坐标 N22°43'、E112°19'，海拔 39 米。水田顶略呈南北向长条形，地势低缓，地表发现有少量唐代陶瓷片，器形有陶罐、青瓷饼足碗等。

水田顶遗物点地貌

水田顶遗物点遗物

5. 新兴县云栏山唐代遗物点

遗物点位于云浮市新兴县东成镇思本村北，GPS 坐标 N22°43'、E112°18'，海拔 78 米。南坡地表发现少量唐代陶瓷片，可辨器形有带耳罐、碗等。

云栏山遗物点地貌

云栏山遗物点遗物

6. 新兴县放牛山唐代遗物点

遗物点位于云浮市新兴县新成镇布龙村东北，GPS坐标N22°42'、E112°6'。放牛山平面略呈椭圆形，山势较陡，顶部平坦。地表发现少量唐代陶瓷片。

踏查

放牛山遗物点遗物

放牛山遗物点地貌

2.8 广佛江快速通道江门段项目

项目编号 GDKG–2011–019–DK19

实施时间 2011年12月～2012年1月

建设单位 江门市滨江建设投资管理有限公司

配合单位 江门市文化广电新闻出版局、江门市博物馆、鹤山市博物馆

广佛江快速通道江门段位于江门市西部。主线大致呈南北走向，北起江门市蓬江区棠下镇，经鹤山市、蓬江区及江海区新会区，南至新会区三江镇，全长41.38千米；鹤山支线起于鹤山市大兴社，于雅瑶镇五栋村接入主线，全长6.13千米。

项目地处珠江三角洲平原西端、西江西岸，西倚粤西山地丘陵区前缘，区内地貌以低缓丘陵及三角洲冲积平原为主，总体地形北、中南高，南部低。

1. 蓬江区炮台山唐宋遗物点

遗物点位于江门市蓬江区棠下镇五洞村积溪西南，GPS坐标N22°44'、E113°2'。地表和断崖发现较多唐宋时期青瓷饼足和圈足碗残片等遗物。

炮台山遗物点采集遗物

炮台山遗物点地表遗物

炮台山遗物点地表遗物

2. 蓬江区斧头山唐宋遗物点

遗物点位于江门市蓬江区棠下镇大亨村，GPS坐标N22°41'、E113°2'。斧头山为地势低缓的台地，平面略呈椭圆形。西北坡地表及断崖上发现有较多唐宋时期青釉瓷片，可辨器形有罐、饼足碗及假圈足碗等。

斧头山遗物点采集遗物

斧头山遗物点地表遗物

斧头山遗物点断崖剖面

第二节
抢救发掘类

2.9 广东省连州至怀集公路（二广高速连州段）考古发掘

项目编号 GDKG–2011–020–FJ01

实施时间 2011年11月～2012年4月

建设单位 广东二广高速公路有限公司

配合单位 清远市文化广电新闻出版局、清远市博物馆、连州市文化广电新闻出版局、连州市博物馆、湛江市博物馆

二广高速连州段位于清远市连州市西部，大致呈南北走向，北起连州市三水瑶族乡与湖南省蓝山县所城镇交界处，南经丰阳镇、东陂镇、西岸镇及连州镇，往南进入清远市连南瑶族自治县境内。

项目地处广东省西北部南岭南麓，北倚九嶷山，东、西两侧分列大东山与起微山，主要河流为北江支流连江。区内地貌以山地为主，其次为低山、丘陵，自丰阳镇而下至连州镇的区域则多见河谷盆地，连江两岸分布较多低矮侵蚀台地。

本次考古发掘共清理砖室墓110座，其中丰阳镇境内35座，西岸镇境内28座，连州镇境内47座。墓葬年代跨度较长，涵盖东晋、南朝、隋唐及宋代四个时期，其中又以南朝至唐代墓葬为主。

墓葬形制均为中小型砖室墓，多为长方形单室单券顶墓，少量为双层或三层券顶，个别墓葬为叠涩顶，偶见双室合葬墓，部分墓葬带小型墓道，西岸镇鹅江村塘仔面墓地M4墓道底部发现砖砌排水沟。随葬器物多为2至5件青釉瓷器，常见器形为碗，其次为罐，部分见钵、壶与长颈瓶等；少量随葬有铜钱、银镯等；部分墓葬出土有1至2件滑石制作的动物雕塑，以滑石猪最为多见，个别为鱼、蝉等。极少数墓葬器物多达十余甚至二十余件。

墓葬发现较多纪年铭文砖，铭文包括“贞观九年造”、“永淳元年八月造”、“贞元廿年记”、“文廿年作”等。这批纪年铭文墓的发掘为完善北江流域乃至广东地区的东晋隋唐时期墓葬分期提供了重要新材料。

西岸镇石兰寨M6、M7中清理出的墓主骨骸，是首次在广东境内唐代墓葬中发现保存较完整的人骨遗存。部分墓葬葬俗特殊，如丰阳镇松树塝墓地发现墓圹中心和四角铺底砖下垫放鹅卵石；松树塝唐墓M18墓圹中心铺底砖下设长方形腰坑1个，坑内平放一块墓砖，其下叠压两块并排侧立的墓砖，其中一块侧立墓砖上放置一排4枚开元通宝铜钱。

六朝至唐代砖室墓在北江流域的韶关、清远与肇庆等地区多有发现，大型墓地如韶关市乳源县泽桥山墓地亦不鲜见。此次连州市境内发掘清理的110座砖室墓以六朝隋唐墓为主，密集分布在连江上游两岸低矮台地或低山缓坡，范围涉及丰阳、西岸及连州三个镇，呈现出区域集中分布的特征。由于本次发掘并未涉及高速公路线路以外区域，故可推断连江上游两岸散布的六朝隋唐墓葬实际数量，当远不止百余座之数。广东境内六朝至唐代砖室墓遗存广泛分布在北至五岭南麓、北江流域上游，南达西

松树塝墓地地貌

江流域两岸这一广阔地域，珠江三角洲、粤西低山丘陵区与粤西南山地丘陵区交界的新兴、阳春等地亦有发现，尤以粤北地区分布最为密集。粤北地区六朝至唐代砖室墓遗存具有整体分布地域广、区域分布密集度高、单个墓地或墓地群规模大等特点。连州六朝隋唐砖室墓群反映的墓葬形制、丧葬习俗及随葬品组合情况，与粤北其他地区同时期砖室墓所见情况相似程度颇高，显示出粤北地区六朝至唐代该类文化遗存所代表的族群在人口数量上的优势、社会文化的延续性以及内部联系的紧密性。

二广高速连州段东晋至宋代墓葬群为深入研究粤北乃至岭南地区六朝至唐宋时期社会历史、古代岭南族群迁徙、居民体质特征等课题提供了十分重要的新材料。

1. 连州市松树塝墓地

墓地位于清远市连州市丰阳镇松树塝村附近9座毗连的台地，共清理砖室墓35座。测量基点GPS坐标分别为：百群沟N25°3'、E112°14'，海拔234米；百群涌N25°3'、E112°14'，海拔212米；羊仔坪N25°2'、E112°15'，海拔235米；塘涌N25°2'、E112°15'，海拔233米；牛头坳N25°2'、E112°15'，海拔216米；桃核涌N25°2'、E112°15'，海拔220米；桃子涌N25°2'、E112°15'，海拔233米；禾鼓涌N25°2'、E112°15'，海拔237米；大岭N25°2'、E112°15'，海拔228米。

松树塝墓地 M4 清理后

松树塝墓地 M18 清理后

松树塝墓地 M4 随葬品

松树塝墓地 M18 腰坑

松树塝墓地 M25 墓底铺鹅卵石

松树塝墓地 M25“贞元廿年记”铭文砖

2. 连州市塘仔面墓地

墓地位于清远市连州镇西岸镇鹅江村塘仔面，测量基点 GPS 坐标 N24°56'、E112°17'，海拔 136 米。共清理墓葬 5 座。

塘仔面墓地 M4 清理后

塘仔面墓地 M4 墓道下排水设施

塘仔面墓地地貌

石兰寨墓地 M6 清理后

3. 连州市石兰寨墓地

墓地位于清远市连州市西岸镇石兰寨村，共清理墓葬11座。测量基点GPS坐标分别为：簸箕岭N24°55'，E112°19'；猪头岗山N24°56'、E112°17'；隆江塝N24°56'、E112°17'；江河墩N24°56'、E112°17'，海拔137米；石兰寨村东北N24°56'、E112°27'，海拔132米；坪仔坡N24°56'、E112°17'，海拔149米。

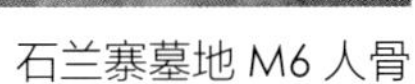
石兰寨墓地 M6 人骨

石兰寨墓地地貌

4. 连州市西岸村墓地

墓地位于清远市连州市西岸镇西岸村，共清理墓葬 4 座。测量基点 GPS 坐标分别为：双龙塘 N24°55'、E112°17'，海拔 148 米；九州塘岭 N24°55'、E112°17'，海拔 148 米。

5. 连州市麦田村墓地

墓地位于清远市连州镇西岸镇麦田村周边台地，共清理墓葬 8 座。测量基点 GPS 坐标分别为：靠背山 N24°54'、E112°17'，海拔 128 米；黄田湾 N24°54'、E112°17'，海拔 138 米；长塘山 N24°53'、E112°17'，海拔 138 米。

麦田村墓地地貌

麦田村墓地 M4 随葬品

麦田村墓地 M4 清理后

6. 连州市新开墩墓地

墓地位于清远市连州市连州镇青龙头村西南，测量基点 GPS 坐标 N24°48'、E112°17'，海拔约 140 米。新开墩属于连江二级支流昆陂河的二级阶地，墓地处于阶地北坡，西侧紧接大龙山脉，北侧为台地，东、南两侧为绵延的山前缓坡。共清理墓葬 5 座，均为长方形单室砖墓。

新开墩墓地地貌

新开墩墓地 M5 清理后

7. 连州市竹兜墩墓地

墓地位于清远市连州市连州镇青龙头村西，测量基点 GPS 坐标 N24°48'、E112°17'，海拔 158 ～ 166 米。墓葬分布于竹兜墩山前侵蚀坡地，东邻青龙头村，西接大龙山脉，北为南北向绵延的山前缓坡带，南为山前台地。清理墓葬 2 座，均为长方形单室砖墓。

8. 连州市上横墩墓地

墓地位于清远市连州市连州镇青龙头村西北，测量基点 GPS 坐标 N24°48'、E112°17'，海拔 170 ～ 191 米。上横墩为山前侵蚀台地，相对高度 20 米左右，墓地西接大龙山脉，南、北两侧为地势平缓的山前台地。共清理墓葬 4 座，均为长方形单室砖墓。

9. 连州市加减冲墓地

墓地位于清远市连州市连州镇青龙头村西北，测量基点 GPS 坐标 N24°48'、E112°17'，海拔 165 ～ 195 米。加减冲为山前侵蚀台地，相对高度 30 米左右，墓地西接大龙山脉两坡之间的山坳，东侧为渐缓的坡地。清理墓葬 1 座。

10. 连州市后岗墩墓地

墓地位于清远市连州市连州镇内田洞村西，测量基点 GPS 坐标 N24°49'、E112°17'，海拔 163 ～ 177 米。后岗墩为山前侵蚀台地，相对高度 14 米左右，墓地位于后岗墩北坡，其东为内田洞村，东北为平缓的山前平地，西、南两侧紧接大龙山脉。清理墓葬 1 座。

11. 连州市右地岭墓地

墓地位于清远市连州市连州镇沙坊村西南，测量基点 GPS 坐标 N24°51'、E112°17'，海拔 130 ～ 145 米。右地岭为山前侵蚀台地，相对高度 15 米左右，墓地西、南及东北方向属走势较平缓的山前平地。共清理墓葬 7 座。

12. 连州市大地墓地

墓地位于清远市连州市连州镇沙坊村西，测量基点 GPS 坐标 N24°51'、E112°17'，海拔 128 ～ 134 米。大地为山前低矮台地，相对高度 6 米左右。共清理墓葬 11 座，其中 M11 为砖砌长方形双室合葬墓，余为长方形单室砖墓。

大地墓地地貌

大地墓地发掘区

大地墓地 M9 清理后

大地墓地 M11 清理后

13. 连州市铁鬼坪墓地

墓地位于清远市连州市连州镇沙坊村西，南约400米处为大地墓地，测量基点GPS坐标N24°51'、E112°17'，共清理墓葬13座，其中M8和M11为砖砌长方形双室合葬墓，其余均为长方形单室砖墓。

铁鬼坪墓地 M5 清理后

铁鬼坪墓地 M11 清理后

铁鬼坪墓地地貌

14. 连州市晨景冲墓地

墓地位于清远市连州市西岸镇新村西，测量基点 GPS 坐标 N24°52'、E112°17'，海拔 125 ～ 139 米。晨景冲为山前侵蚀台地，相对高度 14 米左右，坡地沿西侧大龙山脉呈南北走势，东为新村及走势稍缓的山前平地，南有大龙河自西北向东南从大龙山流出。清理墓葬 3 座，其中 M3 为砖砌长方形双室合葬墓，余为长方形单室砖墓。

晨景冲墓地 M3 清理后

晨景冲墓地地貌

第三章 2012年度基建考古新发现

第一节
调查勘探类

3.1 潮州笔架山宋代窑址调查、勘探

项目编号 GDKG–2012–013–DK12

实施时间 2012年8月～2013年1月

建设单位 潮州市文物旅游局

配合单位 潮州市文物旅游局文物科、潮州市博物馆

窑址位于潮州市潮安区，与中心城区仅一水之隔。笔架山，又名韩山或双旌山，山势沿韩江东岸自北而南蜿蜒起伏，中部有三峰对峙，形似笔架。该山范围较广，由若干小山组成，包括猪头山、虎山、果场后山、印山和蟹山等。笔架山窑址的调查和发掘工作始于1953年，截至1986年，已先后清理宋代瓷窑共计11座，以发掘时间为序，分别被编为1～11号窑址。1989年，潮州市人民政府划定并公布了笔架山宋代窑址的保护范围和建设控制地带。2001年6月，该窑址被国务院公布为第五批全国重点文物保护单位。

2012年，为配合国家级大遗址保护规划的编制工作，广东省文物考古研究所联合粤东考古中心对窑址保存现状进行了全面调查。本次工作测绘基点设于10号窑保护棚东南侧，距其南墙约15米，中心GPS坐标为N23°39'、E116°39'。

此次调查工作对已发掘的11座窑址进行了复查。其中，可确定方位且保存状况良好者共计4座。

4号窑位于现橡胶厂后院山坡上，北面靠近山沟。窑炉坐东向西，方向290°，宽3～3.06米，窑壁残高0.4～0.6米，现存长度约31米。窑室前端已毁，后端和烟道为韩山师院家属楼覆盖或毁坏。

笔架山窑址地表植被情况

10号窑东侧的瓷片和窑具堆积

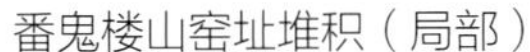

番鬼楼山窑址堆积（局部）

庄厝山探沟（G2）的堆积状况

5 号窑位于李厝山中部缓坡上。窑炉坐东向西，方向 286°，宽 2.32 ～ 2.52 米，窑壁残高 0.7 ～ 0.8 米，现存长度约 18 米。前、后两端及烟道均被现代建筑破坏。6 号窑位于李厝山中部缓坡上，北距 5 号窑 15 米。窑炉坐东向西，方向 275°，宽 2.5 ～ 2.55 米，窑壁残高 0.20 ～ 0.35 米，现存长度约 12 米。窑前部及火膛均为现代建筑破坏，后端和烟道保存状况不详。10 号窑位于庄厝山南部，果厂后山与番鬼楼山之间。目前，10 号窑位置清晰，其上建有保护棚，是已发掘窑址中保存最好的一座。

复查未见者共计 7 座，具体情况如下：1、2 号窑原位于猪头山西坡，现已为旧潮安县水泥厂厂区覆盖；3 号窑原位于印山西南坡，现已随印山的整体推平而不复存在；7、8 号窑原位于虎山北坡，9 号窑应处于虎山西北坡，三座窑址均已在韩山师范学院理化楼和操场修建施工过程中被覆盖或破坏；11 号窑原位于糖厂后山西南坡（今印山古庙东南侧），1986 年清理时已经完全暴露在地表，历经近 30 年的雨水冲刷，现已无踪迹可寻。

调查新发现窑址 3 座，分别编号为 LY1、LY2 和 LY3。

LY1 位于庄厝山西南坡中部。窑炉坐北向南，方向 198°，残长约 32 米。该窑保存状况较差，残宽 2.2 ～ 2.3、深 0.25 ～ 0.3 米，窑床剖面形状略呈“U”字形。窑底由泥土与瓷片混合夯筑而成，厚 0.05 ～ 0.08 米，窑床外壁两侧为风化岩。勘探结果显示，窑床中部及前端火膛均被现代建筑所破坏。LY2 位于李厝山和庄厝山相交处的山脊上，东南紧靠 LY1。方向 271°，坐东向西，窑室前部和火膛均被现代建筑所破坏。现存长度约 25 米、宽 2.9 ～ 3 米。该窑保存状况较好，窑壁基本完整，窑室内堆积有大量的完整匣钵。窑底未全面清理，状况不明。LY3 位于橡胶厂后山（即果厂后山）缓坡，4、5 号窑之间。方向 271°，坐东向西，窑室直接暴露在断崖剖面上。现存长度约 30 米，宽 3.4 米，窑壁单砖平铺叠砌，残高 0.9 ～ 1.4 米。窑前端和火膛均被现代建筑所破坏。

根据踏查情况，重探区域选择在庄厝山西南坡、10 号窑东侧登渣凹山北坡、番鬼楼山西北坡等处，依地势布探沟 4 条，分别编号为笔架山 TG1、TG2 和番仔楼 TG1、TG2。探沟出土遗物以日常生活用品为主，包括各类瓷器残片、窑具和其他用具。瓷片按釉色可分为青釉、青白釉和褐釉，青白瓷瓷胎多为灰白色，由于经过淘洗和捣练，胎质纯净细密，气孔极少。器物的烧造方式可分正烧和覆烧两类，烧制火候均较高。器形以碗、盏、罐、执壶、灯、杯、器盖为主。青白瓷器成型方法分轮制、模制两种，以轮制拉坯为主；圆形器如碗、盏、罐等均为轮制

新发现窑址 LY1（局部）

新发现窑址 LY3 的堆积情况（局部）

拉坯成型；瓷灯则是分两段轮制，后以泥浆黏合。窑具包括匣钵、匣钵盖、器物垫座、垫环、垫圈、渣饼、泥垫等，其中，匣钵有漏斗形、圆筒形和钵形，匣钵盖则分为钵形和圆饼形。

宋代的广东诸窑场均具有一个显著的特点，即善从各地名窑的生产技术中汲取经验。将此次发现的遗存与江西湖田窑、湖北青山窑等同时期青白瓷窑场比较，三者在窑炉与窑具、胎体与釉色、制作工艺、品种与造型、装烧工艺等方面，既表现出较强的一致性，又有所差异。宋代南方青白瓷窑场的技术交流渠道比较畅通，笔架山窑受湖田窑影响明显，但其制品的地方特色却相当显著。

宋代笔架山窑是潮州地区当之无愧的瓷业中心，民间传说笔架山一带彼时共有九十九条窑，窑长九丈五尺，民间素有“百窑村”之称，与其相关的文献记载颇多，《海阳县志·古迹略三》载：“南靖知县郭大鲲墓在笔架山白瓷窑”；《潮州·实业志》载：“北宋潮州城东有水东窑。”笔架山窑的最早记载可追溯至南宋《三阳志》(《永乐大典·潮州府》引)：“郡以东，其地曰白瓷窑。”广东宋代窑址较唐及南汉时数量大增，今潮州市范围内的瓷器制造业已进入大规模生产时期，除笔架山窑外，该地区尚发现有洪厝埠、竹园墩、凤山、北堤头、东园、窑上埠、瓮片山、竹竿山、象鼻山等窑址，上述窑址部分创于唐代，以烧制青白瓷为主，兼烧青瓷黑瓷。

从考古发掘和调查的情况观察，以笔架山窑为代表的潮州诸窑不仅在国内向周边地区供应生产技术和产品，在国外的东南亚、西亚等地亦出土了不少潮州窑的产品，上述情况的产生，得益于其优越的区位优势和发达的运售网络。潮州地区濒临南海，良港颇多，如柘林港、凤岭古港及南澳港等均具有一定的规模，这些港口处于泉州和广州两大港口航线的中心点，水陆交通均十分便利，在二者之中点进行生产和贸易，有效地扩大了潮州瓷器的贸易范围，贸易的增长转而刺激了笔架山等潮州诸窑的生产。同时，宋代潮州在交通方面已有了长足的发展，韩江及其支流是当时此地区水运的最大网络，内河水道运输量大且价格低廉，为潮州诸窑原料、产品的运输提供了十分便利的条件，也为其瓷器销售的顺利畅通奠定了基础。由此可见，宋时的潮州诸窑已然形成了生产、运输、贸易的良性循环。

采集的瓷碗

采集的瓷碗

采集的匣钵

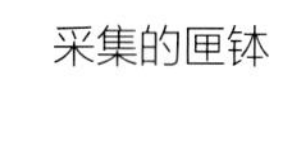
采集的匣钵

采集的器盖

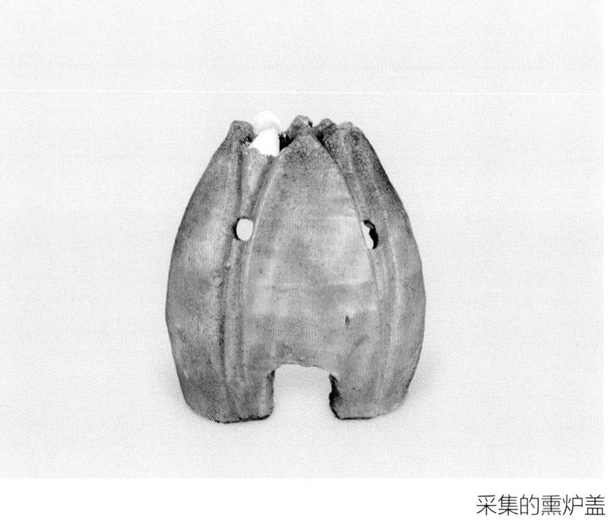
采集的熏炉盖

3.2　潮州至惠州高速公路

项目编号　GDKG–2012–016–DK15
实施时间　2012年8月～11月
建设单位　广东潮惠高速公路有限公司
配合单位　潮州市文化广电新闻出版局、潮州市博物馆、汕头市文化广电新闻出版局、汕尾市文化广电新闻出版局、惠州市文化广电新闻出版局、普宁市文化广电新闻出版局、普宁市博物馆、揭西县博物馆、海丰县文化广电新闻出版局、海丰县博物馆、惠东县文化广电新闻出版局、惠东县博物馆

潮惠高速公路项目起点位于潮州市古巷镇，经潮州市、汕头市、揭阳市、汕尾市及惠州市，至惠东县大岭镇与惠莞高速公路惠州段相接，全程约248千米。

遗址

1. 葫芦山新石器时代晚期至商代遗址

遗址位于揭阳市普宁市广太镇寨山头村，距离虎头埔遗址约2千米。中心GPS坐标N23°28'、E116°16'，海拔约20米，面积约25000平方米。

葫芦山属山前侵蚀台地，台地顶部较平缓，植被茂密，种植有桉树、阳桃等经济作物，四周为河流侵蚀而成的低地。文化遗物集中于台地顶部。

地表采集遗物包括陶瓷器残片和烧土块等。陶片以泥质灰陶和灰褐陶为主，次为灰白陶与黄褐陶，红陶及夹砂陶较少见。纹饰以条纹、方格纹、长方格纹、交错条纹、附加堆纹等最为常见，器形可辨者仅矮圈足罐一类。瓷片发现较少，主要为青花瓷片和酱釉陶片。

勘探结果表明，葫芦山西北侧文化层厚达50厘米，包含炭粒和红烧土块，并发现较多泥质硬陶和少量夹砂陶，纹饰包括条纹、交错条纹、方格纹、附加堆纹、叶脉纹和圆圈纹等，并出土石锛1件，文化内涵与地表采集陶器残片基本相同。

根据遗物的形态和纹饰等方面的差异，可将葫芦山遗址采集的遗物分为三组。

一组：本组遗存较为丰富，陶片多为泥质灰陶、灰白陶与黄褐陶。器表装饰印条纹、长方格纹、交错条纹、附加堆纹。陶片内壁可见因手制而产生的凹凸不平的现象。遗物主要见有矮圈足罐、石锛等。

石锛2012PGHTG2②：1，刃部略残。直身，单面刃，略残。长6.7、宽3.4、厚1.8厘米。

葫芦山遗址一组遗存流行拍印几何形印纹的矮圈足罐，石器见有磨制的直身单面刃石锛，其文化特征与虎头埔遗址所出同类遗存相同，二者应属文化性质相同、时代相近的同类遗存。

以虎头埔遗址为代表的虎头埔文化是分布于广东省东部和东北部的新石器时代晚期文化遗存，该文化以几何印纹矮圈足罐最具代表性，陶器器类单调，器表纹饰多样。根据以往的发掘资料，在榕江流域、梅江流域和东江上游区域均发现有大量与之文化面貌相同的遗址，《普宁市虎头埔新石器时代遗址发掘报告》发掘者认为，榕江中游冲积平原与莲花山山地的交界地带是虎头埔一类遗存中心分布区。近年来，随着广东省配合基本建设调查、发掘

葫芦山遗址出土的陶片及石锛

资料的积累，除在属梅江流域的五华河河谷地带和兴宁盆地发现的虎头埔文化遗址数量大增外，在东江下游及其支流、北江流域亦发现有虎头埔文化遗址。韶关市武江区圆墩岭遗址可大体划分为前后衔接的两个阶段，均未见石峡文化因素，发掘者认为其属于虎头埔文化遗存；惠州市龙门县庙山遗址，位于西林河畔的侵蚀台地上，西林河经增江直下东江可与珠江三角洲地区相连，发掘者认为庙山一期陶器具有鲜明的虎头埔文化特征，属虎头埔文化的地方变体。据庙山一期遗存中出现珠江三角洲地区同时期文化因素的情况分析，庙山遗址所处位置已近虎头埔文化分布范围的西缘。目前，在东江下游、北江流域等区域内发现的虎头埔文化遗址数量不多，且文化面貌与榕江流域和梅江流域的虎头埔文化遗址略有差异，此种现象是虎头埔文化经东江和北江向西、向北迁徙的证据，还是不同区域考古学文化间相互交流和影响的结果，仍需通过新考古资料的发现和研究对其进行深入的探讨。

除葫芦山遗址外，潮州至惠州高速公路考古调查工作在平宝山、新寮埔、回澜寨等遗址中均发现有虎头埔文化遗存。上述遗址普遍分布于低丘陵和冲积平原相间地带，相对高度处于30～60米区间内，遗址面积普遍较小、文化堆积薄，附近均有河溪流经或曾存有古水道。从空间分布情况看，本次发现的平宝山遗址、葫芦山遗址，与虎头埔、店前山、树篮山等遗址相互邻近，应归属于同一聚落。小地理单元内数处遗址共同构成遗址群是虎头埔文化在各地普遍存在的现象，但这些遗址群是代表不同族群的共存还是同一族群的延续，尚无定论。因此，相关资料的积累目前仍应是虎头埔文化研究工作的

葫芦山遗址重探出土交错条纹陶片

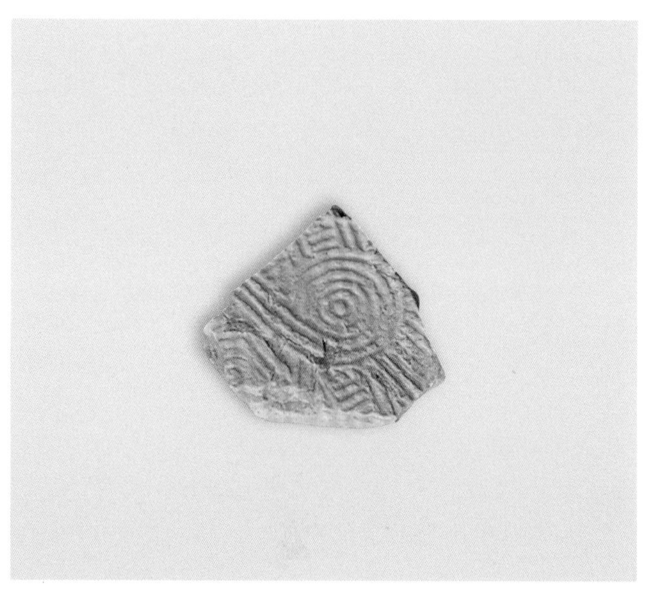
葫芦山遗址重探出土重圈纹陶片

重点，在此基础上，对区域遗址群落的研究才有更加准确和深入的可能。

二组：仅采集到陶器残片，多为泥质灰色或灰褐色硬陶，火候较高，器表拍印方格纹。陶片细碎，难辨器形。遗物数量不多，其陶质、陶色和纹饰等特征更接近普宁池尾后山遗址中的同类遗物。

以广东普宁池尾后山遗址为代表的后山类型，是分布于广东东部地区的早商时期至商周之际考古学文化遗存。后山类型的陶器主要有鸡（鸭）形壶、折肩或折腹凹底罐、子口钵等，此外还有带流壶、豆、杯、盂、釜等，石器有拍、锛、斧、镞、磨石等。其分布区域西到汕尾、海丰一带，东界约在榕江下游与韩江之间的桑浦山脉的西侧。除葫芦山遗址外，潮州至惠州高速公路考古调查工作在平宝山遗址亦发现有后山类型遗存。粤东地区虎头埔文化和后山类型之间的关系，一直以来都是学界关注的焦点。本次调查发现的后山类型遗存与同遗址出土的虎头埔文化遗存判然有别，说明二者之间并无直接的传承关系。有学者认为，后山类型既含有江浙地区夏商时期和江西吴城文化的因素，又与福建地区的同期文化存在千丝万缕的联系，应是具有两种以上文化因素的考古学文化遗存。

三组：采集遗物细碎难辨，仅见青花瓷片和酱釉陶片两类。

葫芦山三组遗存主要见有青花瓷片和酱釉陶片，属明清时期遗存。

2. 平宝山新石器时代晚期至春秋时期遗址

遗址位于揭阳市普宁市广太镇平宝山村东北，其西南为平宝山村，中心GPS坐标N23°28'、E116°16'，海拔56米，面积约20000平方米。

平宝山为山前台地，土壤发育良好，山体地势较陡，山腰至山顶分布大量遗物。

地表采集遗物包括陶器残片和烧土块等。陶片以泥质灰陶和灰褐陶为主，次为灰白陶与黄褐陶，红陶及夹砂陶较少见。纹饰以条纹、长方格纹、交错条纹、曲折纹、重圈纹、附加堆纹、方格纹、夔纹等最为常见，器形可辨者仅矮圈足罐一类。

勘探结果表明，平宝山西北及东北两侧文化层厚达45～65厘米，包含炭粒和红烧土块，出土较多泥质硬陶和少量夹砂陶，纹饰包括条纹、交错条纹、附加堆纹、叶脉纹、方格纹、夔纹和圆圈纹等，文化内涵与地表采集陶器残片基本一致。

平宝山遗址地表采集矮圈足罐底

平宝山遗址地表文化遗物

平宝山遗址地表采集细方格纹陶片

根据特征，平宝山遗址采集遗物分为三组。

一组在遗址中较为多见，陶片多为泥质灰陶、灰白陶与黄褐陶。器表拍印条纹、长方格纹、交错条纹、曲折纹、重圈纹、附加堆纹。陶片内壁可见因手制而产生的凹凸不平的现象。遗物仅见矮圈足罐一类。二组仅采集到陶器残片，多为泥质灰色或灰褐色硬陶，火候较高，器表拍印方格纹。陶片细碎难辨器形。三组采集遗物较少，多属火候较高的泥质硬陶，器表流行纹饰以夔纹为主。

平宝山遗址一组遗物流行拍印几何形印纹的矮圈足罐，此文化特征与葫芦山一组遗物相近，应属文化性质相同的遗存，年代均为新石器时代晚期。二组遗物发现不多，但从陶器残片的陶质、陶色和纹饰等方面分析，应和葫芦山二组同属后山类型遗存，年代亦应相当。三组遗物与博罗银岗遗址第一期遗存、梅花墩窑址相似，属夔纹陶类型遗存，此类遗存在两广地区有着广泛的分布，仅广东省就已发现此类遗存百余处，其年代为西周至春秋时期，部分遗存年代可延续至战国早期。

3. 新寮埔新石器时代晚期遗址

遗址位于揭阳市揭西县新寮埔村西南的南洋坳，中心 GPS 坐标 N23°26'、E116°1'，海拔 52 米，面积约 15000 平方米。

新寮埔为河谷侵蚀台地，其东、南两侧为河谷，西南则为连绵的低山丘陵。遗址地表植被茂盛，遗物发现较少，仅在山顶散见少量陶器残片和石器，石器可辨器形者包括锛、砺石等。经勘探，探沟地层内包含的遗物较少。

新寮埔遗址文化遗物较少，类型较单一，根据地表采集与探沟地层出土遗物情况判断，属新石器时代晚期虎头埔文化的聚落居址。

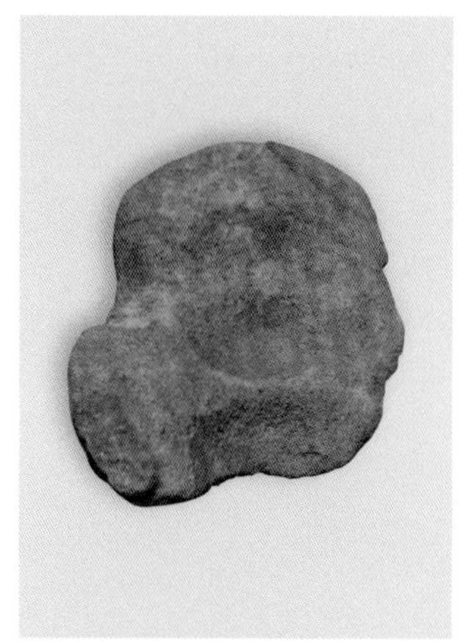

新寮埔遗址地表采集砺石

新寮埔遗址地表采集石锛

4. 宫墩明代窑址

窑址位于揭阳市揭西县河婆镇宫墩村，中心GPS坐标N23°24'、E115°50'，面积约30000平方米。

遗址位于河谷侵蚀台地，其周围低山丘陵及山间谷地交错分布。宫墩村及其四周散落大量遗物，调查过程中，采集到大量明代青瓷碗、青花瓷碗、匣钵、红烧土及垫圈等瓷窑生产遗物。部分地点尚存窑床、窑壁、石柱等遗迹，早期作坊建筑墙基亦可见。经勘探，在探沟内地层中也发现大量同时期遗物。

综合地表踏查和考古勘探情况，宫墩窑址是一处文化遗物较丰富，保存情况较好的明代龙窑遗址。此外，在回澜寨遗址也发现同时期窑址。明代是广

宫墩遗址建筑遗迹

宫墩遗址重探出土明代青瓷碗残片

宫墩遗址重探出土青花瓷碗

东陶瓷生产飞跃发展的阶段，窑场分布范围宽广，数量众多。粤东地区以饶平、大浦窑为代表，主要烧制日用、外销青花瓷和仿龙泉窑系青瓷器。宫墩及回澜寨窑址所发现遗物也以青花瓷和仿龙泉窑系青瓷器为主，应与饶平、大浦窑属同一窑系。调查材料虽无法准确复原其窑炉形制与结构，但为研究广东地区尤其粤东地区明代瓷器烧造技术与陶瓷生产工业补充了新的重要资料。

5. 回澜寨新石器时代晚期遗址及明代窑址

遗址位于揭阳市揭西县河婆镇回澜寨村，中心GPS坐标N23°24'、E115°50'，面积约25000平方米。

遗址处于山前侵蚀台地之上，其北为地势平缓的冲积平原，南侧为连绵的低山丘陵，西侧为南新山塘。台地顶部散见大量陶器残片，纹饰包括条纹、细方格纹、曲折纹等。探沟地层中还出土明代瓷碗、匣钵残片及红烧土块。

回澜寨遗址内涵丰富、性质较为复杂，所发现遗存可分为早晚两组：以条纹、细方格纹、曲折纹等陶片为代表的早期遗存属虎头埔文化，以瓷碗、匣钵残片为代表的晚期窑址遗存时代则属于明代。

回澜寨遗址地表采集梯格纹陶片

回澜寨遗址地表采集条纹陶片

回澜寨遗址山顶地表文化遗物

6.猪母岭山春秋时期遗址

遗址位于汕尾市海丰县平东镇西山下村，中心GPS坐标N23°1'、E115°27'，面积约15000平方米。

调查采集到饰泥质方格纹、云雷纹的陶器残片，勘探所见遗物相同，但未见文化层。根据采集陶片特征判断，遗址时代应为春秋时期。

猪母岭山遗址地表文化遗物

猪母岭山遗址地表采集云雷纹陶片

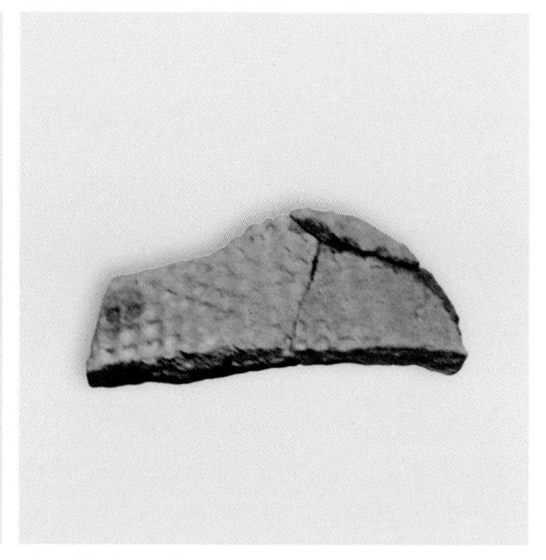
猪母岭山遗址地表采集方格纹陶片

3.3 汕湛高速公路汕头至揭西段

项目编号 GDKG–2012–003–DK03

实施时间 2012 年 6 ～ 7 月

建设单位 广东揭汕高速公路有限公司

配合单位 汕头市博物馆、汕头市潮阳区博物馆、揭阳市博物馆、普宁市博物馆、揭西县博物馆

汕头至湛江高速公路揭西至汕头段（以下简称揭汕高速）起于汕头市河浦镇，终于揭西县大溪镇叶下桃村，全线总长 87.136 千米。

一、遗址

1. 圆山仔商周时期遗址

遗址位于汕头市潮阳区河溪镇华东村圆山仔，中心 GPS 坐标 N23°18'、E116°33'，面积约 15000 平方米。

圆山仔为背靠高山的长圆形山冈，坡度平缓，四周地势低平。地表踏查采集有部分夹砂陶罐残片。可辨器形包括器座、罐、釜等。陶器多为轮制，部分外壁拍印绳纹，烧造火候较高。

根据遗物特征判断，该遗址为商周时期的聚落遗址。

圆山仔遗址地表陶片

圆山仔遗址采集标本

2. 东岩山唐代和明代墓地

东岩山墓地采集的唐代墓砖

墓地位于汕头市潮阳区河溪镇华东村南部的东岩山西坡，中心GPS坐标N23°18'、E116°33'，线内面积约1500平方米。

东岩山为略呈长圆形的独立山冈，西部坡度较缓，周边地势低平，分布水田、鱼塘等。踏查发现唐代券顶砖室墓2座，编号2012CDM1、M2；明代灰沙墓2座，编号2012CDM3、M4。勘探探沟地层中出土青花瓷片，估计附近还有明墓分布。

东岩山墓地 M1

东岩山墓地 M2

东岩山墓地 M3

东岩山墓地 M4

二、遗物点

1. 围仔山战国至西汉时期遗物点

遗物点位于汕头市潮阳区河溪镇南垅村，GPS坐标 N24°27'、E112°4'。地表采集战国到西汉时期的泥质灰陶方格纹、米字纹陶罐残片。

围仔山遗物点采集标本

2. 蛇仔龙商时期遗物点

遗物点位于汕头市潮阳区和平镇临昆上村蛇仔龙南坡，GPS坐标 N23°17'、E116°27'。地表采集少量商时期绳纹夹砂罐残片。

蛇仔龙遗物点采集标本

3.4 云浮至阳江高速公路罗定至阳春段

项目编号 GDKG–2012–001–DK01

实施时间 2012年4～6月

建设单位 广东罗阳高速公路有限公司

配合单位 阳春市博物馆、罗定市博物馆

云浮至阳江高速公路罗定至阳春段位于广东省西南部，北起罗定市华石镇，途经罗定市围底、两塘和阳春市的河朗、松柏及陂面镇，南终于阳春市春城镇。

项目沿线多盆地、丘陵、平原和构造剥蚀山地，地势起伏变化较大。跨越的河流主要有漠阳江及其支流及罗定江支流围底河等。

龙尾山遗物点采集遗物

遗物点

1. 鹅岭南朝至唐代遗物点

遗物点位于阳江市阳春市陂面镇南星村委鹅岭，GPS坐标N22°17'、E111°48'。山顶发现少量南朝至隋唐时期泥质灰陶残片，胎质较硬，有耳，肩部饰水波纹和弦纹组合纹。

2. 龙尾山南朝至唐代遗物点

遗物点位于阳江市阳春市陂面镇上塘村龙尾山，GPS坐标N22°17'、E111°48'。发现有少量南朝至隋唐时期泥质灰陶残片，胎质坚硬，肩部饰水波纹和弦纹组合纹。

3. 山塘墩宋代和明清遗物点

遗物点位于阳江市阳春市陂面镇上塘村龙山自然村山塘墩，GPS坐标N22°18'、E111°48'，海拔45米。地表见宋代和明清时期遗物，宋代遗物以碗、盆残片居多，明清遗物主要为青花瓷碗。

山塘墩遗物点地貌

山塘墩遗物点地表遗物

山塘墩遗物点采集遗物

4. 旧寨塘隋唐时期遗物点

遗物点位于阳江市阳春市陂面镇旧寨塘，地表采集陶器残片以泥质灰陶为主，少量为泥质红陶，部分陶器残片饰戳印圆圈纹和间断水波纹，可辨器形仅罐一种，时代为隋唐时期。

5. 旺岗宋代遗物点

遗物点位于云浮市罗定市围底镇大旺塘村委旺岗，GPS坐标N22°37'、E111°42'。旺岗为低矮岗地，地表采集宋代青釉瓷器和酱釉陶器残片，可辨器形者有盆、钵等。

旧寨塘遗物点采集遗物

旺岗遗物点采集遗物

6. 三角山汉代至唐代遗物点

遗物点位于云浮市罗定市围底镇莲塘头村委三角塘村小组三角山，GPS坐标N22°41'、E111°41'，海拔82米。地表采集较多汉代至唐代陶器残片，以泥质灰陶为主，也有少量泥质橙红陶，纹饰包括水波纹、方格纹和弦纹等，可辨器形有瓮、罐等。

三角山遗物点地貌

三角山遗物点地表遗物

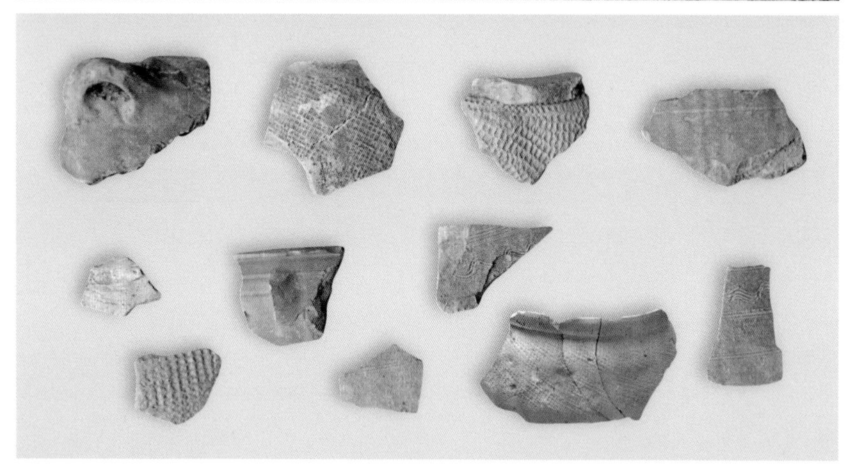

三角山遗物点采集遗物

3.5 湛江市官渡海围、消坡海围大桥

项目编号 GDKG–2012–005–DK05
实施时间 2012年5～6月
建设单位 湛江市交通投资集团有限公司
配合单位 湛江市文化广电新闻出版局、湛江市博物馆

官渡海围大桥项目位于广东省西南部湛江市，路线整体呈南北走向，北端起始于湛江市坡头区官渡镇，途经坡头区官渡镇、龙头镇，至坡头区龙头镇消坡海围结束，全长10.7千米。

一、遗址

铁炉村汉代、唐代和明清遗址

遗址位于湛江市坡头区官渡镇铁炉村东侧的低矮台地上，中心GPS坐标N21°23'、E110°24'，海拔26米。

遗址四周为地势低缓的坡地，地表散见较多陶瓷残片。以青釉瓷片为主，另有少量泥质灰陶和青花瓷。陶器表面多饰席纹等纹饰。可辨器形包括平底罐、饼足碗、假圈足碗、钵形碗、圈足碗等。

铁炉村遗址汉代、唐代、明清时期遗物皆有，年代跨度较大。

铁炉村遗址地表遗物

铁炉村遗址地表遗物

铁炉村遗址地表遗物

铁炉村遗址近景

二、遗物点

1. 官塘大坡汉代、宋代和明清遗物点

遗物点位于湛江市坡头区官渡镇官塘村大坡，南距官塘村450米，GPS坐标N21°21'、E110°25'，海拔9米。

大坡为冲积平原上的低矮台地，植被茂密，其北为地势低平的河谷低地，现已被大面积开发为虾塘、鱼塘，东、西两侧为河流冲沟。地表散见少量陶瓷器残片。汉代陶器残片主要有泥质褐陶与泥质黄陶，火候较高，饰细方格纹，可辨器形有敞口罐、圈足碗等。另见宋代冰裂纹瓷片和少量明清时期的青花瓷片。

官塘大坡遗物点近景

官塘大坡遗物点地表遗物

官塘大坡遗物点地表遗物

2. 麻俸村南朝遗物点

遗物点位于湛江市坡头区官渡镇麻俸村南，GPS 坐标 N21°21'、E110°26'，海拔 7 米。

遗物点地处冲积平原上的低矮台地，台地坡面较缓，遍植桉树，其东、西两侧为冲沟，南侧为山间河谷低地。地表散见少量夹砂灰陶和泥质灰陶片，纹饰包括素面和水波纹，时代为南朝。

麻俸村遗物点近景

3.6 中石油深圳LNG应急调峰站项目

项目编号 GDKG-2012-007-DK07

实施时间 2012年7～9月

建设单位 中石油昆仑天然气利用有限公司

配合单位 深圳市文物考古鉴定所、惠州市博物馆、东莞市博物馆

中石油深圳LNG项目陆地部分起于深圳市葵涌镇，向西北途经惠州市惠阳区、东莞市清溪镇，止于东莞市樟木头镇，线路总长63千米。

水下考古调查区域位于广东省深圳市大鹏湾官湖水域内，总面积50万平方米。

中石油深圳LNG应急调峰站项目沿线地貌

中石油深圳LNG应急调峰站项目沿线地貌

一、遗址

麻再岭宋至明代遗址

遗址位于东莞市清溪镇麻再岭，紧邻北环路，中心GPS坐标N22°50'、E144°11'。

遗址采集零星汉代方格纹瓦片，大量唐宋至明代的陶片、瓷片及布纹瓦片，可辨器形包括碗、盆、罐、擂钵等。重探过程中，在文化层中出土了大量明代瓦片、瓷片等。遗址主体为宋代至明代建筑遗址。

麻再岭遗址远景

麻再岭遗址地表遗物

麻再岭遗址地表遗物

二、遗物点

年丰村唐代遗物点

遗物点位于深圳市龙岗区坪地镇，距深圳市绿发鹏程环保科技有限公司北约 1000 米的低矮山冈，GPS 坐标 N22°46'、E114°19'。山冈南坡冲沟中发现唐代瓷片及灰黄色陶片。

年丰村遗物点地表遗物

3.7 南雄东方（大润发）广场规划建设项目

项目编号 GDKG–2012–023–DK22

实施时间 2012 年 10 ～ 11 月

建设单位 南雄市文化广电新闻出版局

配合单位 韶关市博物馆、南雄市博物馆

南雄东方（大润发）广场规划建设项目用地位于南雄市浈江北岸，西接老 323 国道，南临浈江河岸，面积 459540 平方米。

炮台岭窑址

窑址位于韶关市南雄市雄州街道黎口村委会，俗称“炮台岭”。测绘基点 GPS 坐标 N25°7'、E144°19'，海拔 135 米。

窑址残存窑炉、作坊和窑具、次品形成的废弃堆积等遗迹，其他遗存无存。出土陶瓷残片数量众多，主要有青瓷器、酱黑釉瓷器和青黄釉瓷器等。可辨器形者有罐、盆、擂钵、器盖、壶、碗、碟以及罐耳、把手、管状流残件等，出土窑具类别、高矮、大小各异。

罐 12NP Ⅰ①：200，泥质灰色釉陶，敛口，尖唇，唇部外折，颈肩之间饰一道凹弦纹，弧肩，鼓腹，凹底，施酱色釉，内施全釉，外不及底。口径 9、腹径 16、底径 9.2、高 19 厘米。

盆 12NP Ⅰ①：224，泥质灰色釉陶，微敛口，

南雄东方（大润发）广场规划建设项目用地范围地貌

尖圆唇，宽折沿，微弧壁下内收，饼状足平底，施酱色釉，内施全釉，外不及底。口径 23、底径 12、高 8.8 厘米。

器盖 12NP Ⅱ ：47，泥质灰色釉陶，穹隆状，子母口，圆唇，饼状纽，纽面内凹，施酱色釉，外施全釉，内露胎。口径 14.5、纽径 4.8、通高 3.8 厘米。

烛台 12NP Ⅱ ：52，泥质灰色釉陶，口沿残缺，腹壁斜直下内收，葫芦状把，饼状底座，施酱色釉，外施釉至把，底座、内壁露胎，外腹部饰三道弦纹。把高 3、把径 4.5、底座径 6.6、底座厚 1、残高 8.5 厘米。

根据器物的特征和装叠烧方式判断，炮台岭窑址时代应为宋代。广东宋代窑址分布范围宽广，主要采用龙窑和阶级窑烧制陶瓷器，个别地区也采用馒头窑。粤北地区的韶关、始兴、南雄、仁化、乐昌、乳源均发现有这一时期的窑址，一般均烧青瓷和酱黑釉瓷。炮台岭窑址的窑炉类型、窑场规模等虽无法详考，但其发现为深入研究广东地区尤其是粤北地区宋代瓷器烧造技术提供了新的重要资料。

炮台岭窑址相对位置示意图

炮台岭窑址局部堆积情况

炮台岭窑址出土陶罐

炮台岭窑址出土陶罐

炮台岭窑址出土支座

炮台岭窑址出土陶灯

炮台岭窑址出土陶碗

炮台岭窑址出土陶盆

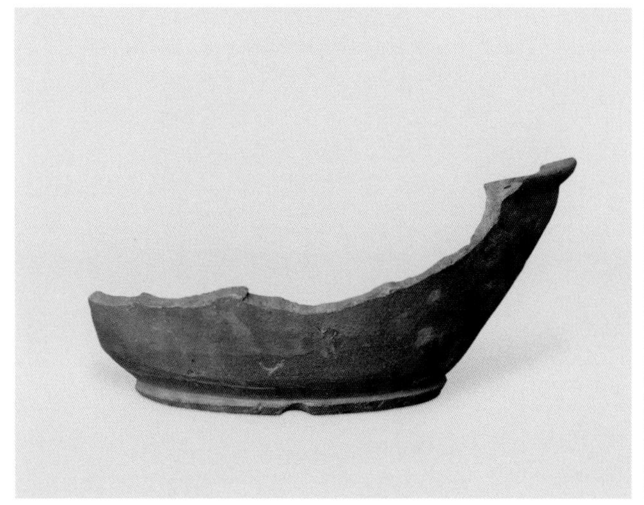

炮台岭窑址出土陶盆

炮台岭窑址出土支座

3.8 国电粤华韶关煤矸石发电项目

项目编号 GDKG–2012–026–DK25
实施时间 2013年4～5月
建设单位 深圳市粤华投资控股有限公司
配合单位 韶关市文化广电新闻出版局、韶关市博物馆

国电粤华韶关煤矸石发电项目厂址用地范围位于浈江区犁市镇东北面的新村农场附近，距犁市镇约4.6千米。厂区范围内主要为丘陵和冲积平原及洼地。项目拟建的茶山灰场位于浈江区花坪镇原红四矿旧矿区，北靠摩天岭，南依鸡公山，西部是小八井山。

一、遗址

紫金山宋、明时期遗址

遗址位于厂址用地范围的中东部，中心GPS坐标N24°56'、E113°33'，现存面积约1500平方米。

地面踏查采集到一定数量的宋、明时期陶瓷残片，可辨器形包括碗、盘、罐等。通过对自然断面的观察，在距地表50厘米处发现厚40～50厘米、长26.8米的宋代建筑废弃堆积，其包含物以泥质灰陶板瓦为主，并夹杂少量泥质灰砖和青瓷片。

紫金山遗址自然断面上的文化层

紫金山遗址自然断面上的遗物

紫金山遗址采集遗物

二、遗物点

卜姑岭宋代遗物点

遗物点位于韶关市浈江区犁市镇卜姑岭西南坡，GPS坐标N24°56'、E113°33'。采集少量宋代陶瓷残片，可辨器形有豆青釉莲花瓣瓷碗、青瓷盘、陶罐等。

卜姑岭遗物点采集标本

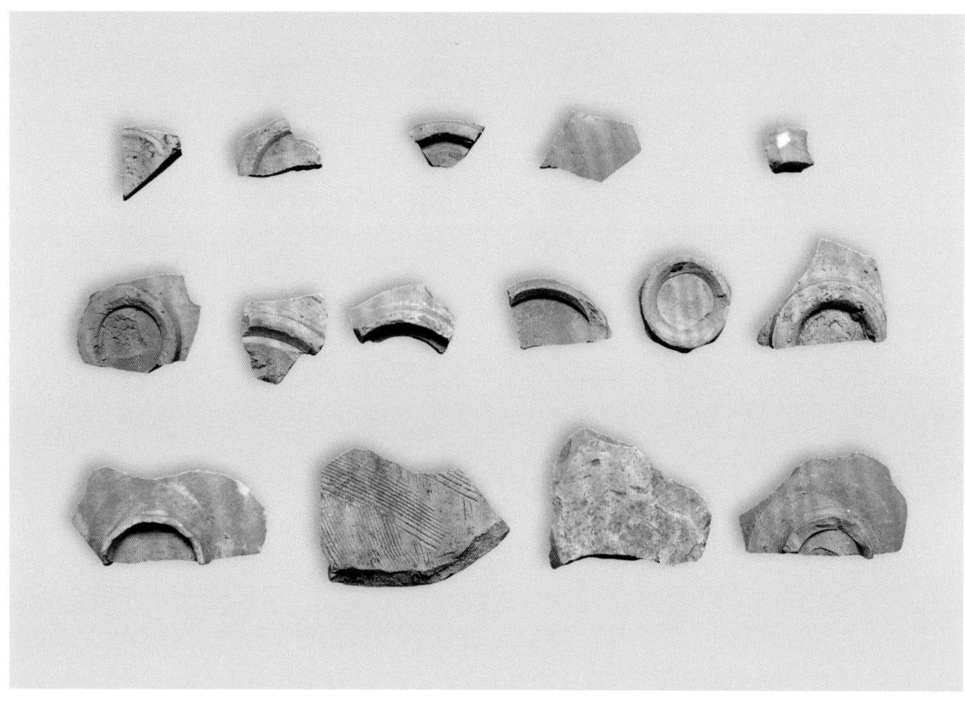

卜姑岭遗物点采集标本

第二节
抢救发掘类

3.9 肇庆市高要学宫考古发掘

项目编号 GDKG-2012-010-FJ01
实施时间 2012年7月～2013年9月
建设单位 肇庆市文化广电新闻出版局
配合单位 肇庆市文化广电新闻出版局、肇庆市博物馆

高要学宫位于广东省肇庆市端州区正东路，南距西江250米，北距北岭山约600米，1979年被公布为广东省文物保护单位。

文献记载高要学宫初为肇庆府学，始建于北宋崇宁初（约1102年），南宋绍兴年间扩建，元时加以修葺，元末毁于兵火。明洪武二年（1369年）重建，天顺年间迁至城中，嘉靖十年（1531年）迁原址复加扩建，后经隆庆至万历三十年重修、扩建至现有规模。清顺治至道光年间，学宫曾数次修葺；清末至民国，又屡遭损毁。

为配合肇庆市高要学宫二期修缮工程，广东省文物考古研究所对工程用地范围进行抢救性考古发掘，发掘面积近400平方米。发掘时，在学宫南端地表设置半永久性基点（0，0，0），GPS坐标为N23°2'、E112°27'，海拔18米。

高要学宫发掘区全景

泮池西部（东南—西北）

泮池北端状元桥（残存局部）

（一）地层堆积

以TN1E2西壁为例介绍如下：

第1层，厚0.1～0.6米，现代杂土层，夹杂较多残石板、碎砖块、碎瓦等，局部铺有水泥与瓷砖，该层分布于整个探方。

第2层，厚0.4～0.5米，黄褐色土，土质较疏松，夹杂较多残石板、碎砖块等，出土少量筒瓦、瓦当、滴水等建筑构件。

第3层，深0.7～1.2米，厚0.25～0.4米，棕黄色土，土质较疏松，包含少量碎砖瓦，出土少量陶瓷片。

第4层，深1～1.5米，厚0.2～0.3米，银灰色淤土，土质疏松，包含有少量瓦片及砂粒。

第5层，厚0.1～0.4米，灰色土，土质较疏松，出土少量青花瓷片与陶片。

第6层，黄色黏土，土质较致密，应为大成门第一期垫土层。该层保留未作发掘。

（二）遗迹

发现遗迹包括泮池1处和大成门建筑基础。

1. 泮池

泮池平面大致呈半圆形，仅余池壁，栏杆等无存，北部为直边，南部弧边，中部为南北向石拱桥（状元桥）。泮池东西长16.48米，南北宽9.9米，方向12.9°。地表至底部深度2.54米。池壁采用石条错缝叠砌，有顺有丁，直壁至底。泮池经历数次修葺、改建，与不同时期的大成门建筑遗迹及相关建筑设施存在对应关系。泮池内出土有青花瓷碗、陶罐、子弹、口哨、墨汁瓶、骨发簪、鸦片盒、油灯、铜锁等遗物。

2. 大成门建筑基础

根据地层关系和出土遗物，大成门建筑基础可划分早晚四组（编号F1～F4）。其中，大成门第二组（F2）的平面结构、砖铺地面及相关附属建筑保存最为完整。

F2开口于第4层下，被大成门第三组（F3）所叠压。F2建筑方向、尺寸、规格与大成门第一组（F1）相同，其台基包砖在原F1台基包砖之上加砌青砖，再加垫黄色垫土。北端台基包砖加砌2～3层砖，残高约0.6米，砖色青灰，部分规格较F1的略小，长 0.24 ～ 0.3、宽 0.1 ～ 0.12、厚 0.05 米。南端在 F1 包边砖基础上加高约 0.7 ～ 0.85 米，外侧墙面批荡白灰，包砖之上地表铺以阶条石。明间与东、西次间以青砖铺地，铺地砖长 0.26 ～ 0.3、宽 0.1 ～ 0.12、厚 0.05 米，横砖错缝铺砌，保存甚好，而东、西稍间与尽间未发现铺地砖。

F2 沿用 F1 柱网结构，南北 5 个柱位、东西 4 个柱位，进深 4 间。地面建筑基本无存，仅见部分磉石，未见柱础。柱位留矩形空缺，内垫白灰，其上未铺砖。依 F3 与 F4 结构推测 F2 面阔 7 间。

F2 明间与东、西次间台基中部南端下各有一组台阶，台阶以花岗岩石条铺设，分三级。明间外台阶每级长 2.19、宽 0.34、高 0.1 米，台阶下走道宽 2.55、长 2.73 米，走道中部为橙红色硬沙面，两侧各平铺两块石板，走道南端与状元桥相接。东、西次间外台阶每级长 1.82、宽 0.32、高 0.1 米，台阶东西两端侧立石板，台阶下为东西向砖铺走道，走道边缘以长短不一的石条为包边，走道外为砖铺地面，较走道低约 0.2 米。东、西次间外走道各向东、西延伸至东、西两侧稍间和尽间。走道至泮池东、西端处向南转折，呈“T”字形沿泮池东、西两侧延伸至泮池南端。

大成门第一组北端包边砖与磉墩（南—北）

大成门第一组南端包边砖与排水沟

大成门第二组砖铺地面（北—南）

大成门第二组局部（南—北）

大成门第三组局部暗埋墙体及部分磉石

大成门第四组南墙外局部石铺地面与沙井

（三）遗物

出土遗物以石质与陶质建筑构件为大宗，包括瓦当、滴水、瓦、瑞兽、望柱、柱础等。此外，尚出土明清至民国时期瓷器、陶器、金属器等各类文物40余件，器类有陶瓶、盏、器盖、高领罐、灯盏、壶、香炉，青花瓷碗、杯、盘和青瓷碗等。

出土的建筑构件

出土的建筑构件

出土的建筑构件

出土的建筑构件

出土的酱釉瓶

出土的器盖

出土的青花瓷碗

出土的青花瓷碗

（四）年代与性质

根据地层关系和出土遗物判断，泮池始建于明，至清代加以修补。大成门建筑第一组建于明代；第二组建于清代早期；第三组建于清代中晚期；第四组建于民国时期并沿用至新中国成立后。文献记载高要学宫始建于北宋，泮池与大成门的建成年代当晚于大成殿等主要建筑，其建成年代不早于明。

高要学宫不同时代的建筑遗迹与文献所载学宫修缮历史多有对应，地层与泮池堆积中出土了较多具有时代特征的遗物，从多个角度反映出明清至新中国成立后各个时期的历史事件与社会变迁。泮池与大成门建筑基址的结构布局保存较好，年代序列较为清晰，为研究中国古代学宫的建筑历史提供了很好的实例。

第四章

2013年度基建考古新发现

第一节
调查勘探类

4.1 兴宁至汕尾高速公路兴宁至五华段（含畲江、华阳支线）

项目编号 GDKG–2013–001–DK01

实施时间 2013年3～4月

建设单位 梅州市交通运输局

协作单位 梅州市文化广电新闻出版局、广东中国客家博物馆、兴宁市文化广电新闻出版局、兴宁市博物馆、五华县文化广电新闻出版局、五华县博物馆、梅州市梅县区文化广电新闻出版局、梅州市梅县区博物馆

汕尾至江西瑞金高速公路兴宁至五华安流段（含畲江、华阳支线），起于五华县转水镇，与平兴高速公路在梅河高速对接；终点在五华县安流镇，与五华安流至陆河段相接，涉及梅州及梅州市兴宁市、五华县和梅县区，总长89.610千米。

本次调查发现多处重要古代人类文化遗址和遗物点。这些遗存多分布在海拔较低的河流两岸山坡地带，时代以先秦时期为主，其中多为新石器时代晚期虎头埔文化遗存，少数属商周时期。

虎头埔文化遗址在韶关、河源、梅州、揭阳、汕尾、

汕尾至江西瑞金高速公路兴宁至五华安流段局部地理环境

潮州等地区都有发现，遗址分布范围广、文化特征明显。本次调查新发现的虎头埔文化遗存，为虎头埔文化的分布、分区和分期研究补充了资料。

一、遗址

1. 五华县覆船山新石器时代晚期遗址

遗址分布于梅州市五华县转水镇青西村及新民村内的 4 个连续山地，总面积约 4000 平方米。分为四区：Ⅰ区螳螂山，中心 GPS 坐标 N24°1'、E115°24'；Ⅱ区狗山，中心 GPS 坐标 N24°1'、E115°24'；Ⅲ区覆船山，中心 GPS 坐标 N24°1'、E115°24'；Ⅳ区甲子山，中心 GPS 坐标 N24°1'、E115°24'。

四区采集遗物相似，多为几何印纹陶片，纹饰为条纹、交错条纹、曲折纹、重圈凸点纹、附加堆纹、旋纹等。器形有矮圈足器、敞口罐等，狗山采集石锛 1 件，形体修长，平面呈梯形，单面凸弧刃残。文化面貌与虎头埔文化相同，时代为新石器时代晚期。

覆船山遗址 I 区（螳螂山）采集遗物

覆船山遗址 I 区（螳螂山）全景

覆船山遗址Ⅱ区（狗山）全景

覆船山遗址Ⅲ区（覆船山）全景

覆船山遗址Ⅳ区（甲子山）全景

覆船山遗址Ⅱ区（狗山）采集遗物

覆船山遗址Ⅱ区（狗山）采集石锛

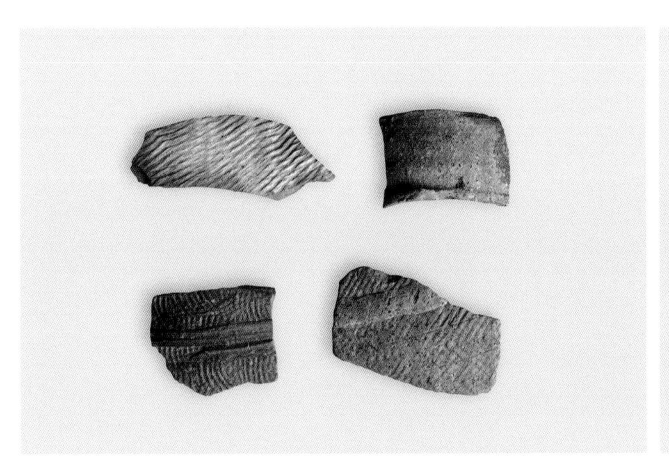

覆船山遗址Ⅲ区（覆船山）采集遗物

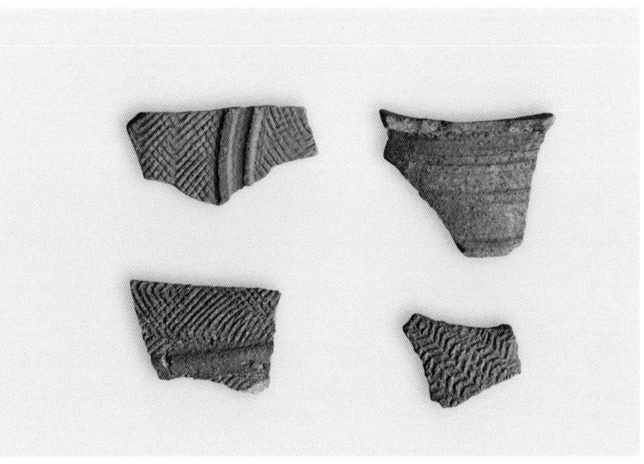

覆船山遗址Ⅳ区（甲子山）采集遗物

2. 五华县大面山新石器时代晚期遗址

遗址位于梅州市五华县转水镇新民村王岩墩和大面山两个连续山地，两山隔谷相望，分为两区：Ⅰ区为王岩墩，中心GPS坐标N24°1'、E115°24'，海拔155.1米，遗物分布面积约3000平方米；Ⅱ区

大面山遗址Ⅰ区（王岩墩）全景

大面山遗址Ⅰ区（王岩墩）地表采集遗物

大面山遗址Ⅰ区（王岩墩）采集石锛

大面山遗址Ⅱ区（大面山）全景

为大面山，中心 GPS 坐标 N24°1'、E115°24'，海拔 196.2 米，遗物分布面积约 2000 平方米。

两区地表采集遗物特征与时代相同，皆属新石器时代晚期的虎头埔文化。Ⅰ区地表采集曲折纹、交错条纹、附加堆纹陶片，夹砂圈足器残片和石锛等；Ⅱ区地表采集少量曲折纹、交错条纹、方格纹、梯格纹陶片等。

大面山遗址Ⅱ区（大面山）出土遗物

3. 五华县北坑里新石器时代晚期遗址

遗址位于梅州市五华县转水镇新华村北坑里北部，中心GPS坐标N24°0'、E115°25'，海拔194.3米。遗物分布面积约500平方米。

北坑里山北侧和西侧为比较宽阔的河谷地带，南侧为狭窄的山间谷地，东侧山地较高，其北、南、西三坡较陡，东坡较平缓。地表遍布角砾石。采集遗物有泥质灰色方格纹、条纹、菱格纹、附加堆纹陶片和高领罐口沿残片等，特征与虎头埔文化相同。

北坑里遗址采集遗物

4. 五华县鹰婆嘴新石器时代晚期遗址

遗址位于梅州市五华县安流镇学园村东部，中心GPS坐标N23°26'、E115°25'，海拔152米。遗物分布面积约1000平方米。

鹰婆嘴山东临河谷，北、西、南坡较陡，地表遍布角砾石。采集少量泥质灰色曲折纹、重圈凸点纹、菱格凸点纹、叶脉纹和条纹陶片，石镞2件，石环1件，并发现打制石片和石核等，属新石器时代晚期虎头埔文化遗址。

北坑里遗址全景

鹰婆嘴遗址全景

5. 五华县社岭背新石器时代晚期遗址

遗址位于梅州市五华县河东镇苑塘村东部，中心 GPS 坐标 N23°32'、E115°28'，海拔 154.8 米。遗址面积约 1000 平方米。

社岭背山北侧为较狭窄的山谷，西侧为稍宽阔的河谷地带，南侧为大吉坑水库，东侧为较低缓的山坡。该山南、北、西坡较陡，东坡较平缓。地表杂草、橡树、松树密布，且遍布角砾石，土壤发育较差。

采集遗物丰富，泥质条纹、曲折纹、叶脉纹陶片多见，另见少量夹砂灰陶，可辨器形有撇口罐、矮圈足罐、石锛等，属新石器时代晚期虎头埔文化遗址。

鹰婆嘴遗址采集遗物

社岭背遗址地表采集遗物

社岭背遗址全景

6. 兴宁市横石山春秋遗址

遗址位于梅州兴宁市水口镇英勤村横石寨东部，西临梅江，中心GPS坐标N23°34'、E115°31'，海拔127.8米，面积约800平方米。

横石山北、南为山间谷地，顶部呈东西向长条形，略为平坦。南、北、西坡较陡，东坡较缓，地表遍布风化角砾石和少量小河卵石。

采集陶片数量较少，纹饰有菱格纹、小方格纹、双线菱格凸点与夔纹组合纹，部分器物内壁有垫痕。

横石山遗址采集陶片（正、背面）

横石山遗址采集遗物

多泥质陶，胎色有灰、灰褐、红褐及灰白等，部分陶片施褐色或黑色陶衣。陶片个体较小，可辨器形仅有泥质灰白陶黑衣素面钵。依据陶片特征，其时代为春秋时期。

横石山遗址全景

7. 五华县赤泥岭新石器时代晚期遗址

遗址位于梅州市五华县安流镇梅林村西部，中心GPS坐标N23°23'、E115°21'，海拔175米，遗物分布面积约1000平方米。

赤泥岭为土山缓坡，东、北、南侧为较开阔的山间谷地，西侧为低缓山岭，山顶略平，四面坡度较缓。地表杂草丛生，种植有稀疏松树、樟树，土壤发育好。

采集遗物有泥质交错条纹、曲折纹、条纹、附加堆纹陶片和夹砂条纹、附加堆纹、旋纹灰陶片，可辨器形有夹细砂深灰陶旋纹杯，属新石器时代晚期虎头埔文化。

赤泥岭遗址采集遗物

赤泥岭遗址全景

二、遗物点

1. 五华县蛇形嘴新石器时代晚期遗物点

遗物点位于梅州市五华县转水镇新华村北蛇形嘴，GPS 坐标 N24°1'、E115°24'，海拔 155.1 米。地表零星分布少量曲折纹、交错条纹、附加堆纹陶片，时代为新石器时代晚期，属虎头埔文化。

蛇形嘴遗物点全景

蛇形嘴遗物点采集遗物

2. 五华县伯公坳新石器时代晚期遗物点

遗物点位于梅州市五华县转水镇新华村东南伯公坳，GPS 坐标 N24°0'、E115°25'，海拔 164 米。遗物分布处坡度较陡，有泥质灰色曲折纹、条纹、附加堆纹陶片，可辨器形有矮圈足罐等，时代为新石器时代晚期，属虎头埔文化。

伯公坳遗物点地表遗物

伯公坳遗物点全景

3. 五华县凹峰山新石器时代晚期遗物点

遗物点位于梅州市五华县转水镇蛇塘村北凹峰山，GPS 坐标 N23°35'、E115°25'，海拔 160 米。采集少量泥质灰陶曲折纹、叶脉纹、鱼鳞纹陶片和夹砂灰陶釜口沿残片等，时代为新石器时代晚期。

凹峰山遗物点采集遗物

凹峰山遗物点全景

4. 五华县双岗岭商周遗物点

遗物点位于梅州市五华县横陂镇华阁二桥东双岗岭，GPS坐标N23°30'、E115°26'，海拔155.1米。采集少量泥质灰色交错条纹和小方格纹陶片等，时代为商周时期，属后山类型。

双岗岭遗物点全景

双岗岭遗物点采集遗物

5. 五华县塘尾后山商周遗物点

遗物点位于梅州市五华县安流镇吉水村西塘尾后山，GPS坐标N23°24'、E115°24'，海拔184.9米。采集少量泥质灰色方格纹陶片等，时代为商周时期，属后山类型。

塘尾后山遗物点全景

塘尾后山遗物点采集遗物

鹅形山遗物点采集遗物

6. 五华县鹅形山新石器时代晚期遗物点

遗物点位于梅州市五华县安流镇半径村西鹅形山，GPS坐标N23°24'、E115°23'，海拔169米。采集少量泥质灰色曲折纹、条纹陶片，黄色曲折纹陶片等，时代为新石器时代晚期，属虎头埔文化。

鹅形山遗物点全景

7. 五华县冯山新石器时代晚期遗物点

遗物点位于梅州市五华县安流镇吉洞村东南冯山，GPS 坐标 N23°24'、E115°23'，海拔 194.5 米。采集少量新石器时代晚期泥质灰色梯格纹、曲折纹、条纹陶片等。

冯山遗物点采集遗物

冯山遗物点全景

8. 五华县双福山新石器时代晚期至商周遗物点

遗物点位于梅州市五华县安流镇双福村东北双福山，GPS 坐标 N23°24'、E115°23'，海拔 199.2 米。采集少量新石器时代晚期至商周时期的泥质灰色曲折纹、圆圈凸点纹、条纹、梯格纹、叶脉纹陶片和矮圈足器底等。

双福山遗物点全景

双福山遗物点采集遗物

4.2 汕头市潮汕二环及联络线高速公路

项目编号 GDKG–2013–002–DK02
实施时间 2013年6～7月
建设单位 广东省公路勘察规划设计院股份有限公司
协作单位 汕头市文化广电新闻出版局、汕头市博物馆、潮州市文化广电新闻出版局、潮安县文管办

汕头市潮汕二环及联络线高速公路工程项目位于汕头市区北、西、西南面，由二环线（全长53.901千米）和澄海连接线（全长7.834千米）、潮汕联络线（全长16.287千米）组成，经汕头市澄海区，潮州市潮安县，揭阳市揭东区，汕头市金平区、潮阳区、潮南区。

一、遗址

1. 潮阳区鸡笼山商周遗址

遗址位于汕头市潮阳区河溪镇南垅村曾厝岭下鸡笼山东坡台地，中心GPS坐标N23°17'、E116°32'，面积约36000平方米。

地表发现大量夹砂红褐色、黑褐色陶片和少量泥质灰陶片。夹砂陶器胎较厚，素面居多，交错条纹、粗条纹较少，能辨认的器形有釜、罐、尊、鼎和器座等；泥质陶器胎较薄，饰有粗条纹、交错条纹、方格纹、米字纹、篦点纹与旋纹组合纹、附加堆纹等，能辨认的器形有陶罐、陶盆、陶瓮等。上部地层出土夹砂陶片居多，泥质陶片较少，下部地层出土泥质陶片居多，夹砂较少，夹砂陶片和泥质陶片有明显量的变化。

遗址文化层分布范围广，堆积较厚，亦有早期遗迹现象发现，其时代为商周时期，对研究粤东地区先秦文化编年具有重要意义。

探沟地层堆积举例如下。

2013CJTG2，位于鸡笼山东坡台地的东南部，GPS坐标N23°17'、E116°32'。南北长5米，东西宽1米，正方向，分3层。

第1层：厚20～25厘米，黑灰色土，土质疏松，含有少量的商周时期陶片和近代碎瓷瓦片等。

第2层：厚25～30厘米，黄灰色胶泥状土，土质较硬，结构较紧，有褐色斑点，含零星的商周时期碎陶片、小石子、灰粒等，陶片为夹砂黑褐色，夹粗砂粒。

第2层叠压灰坑1个，打破第3层及生土层，编号H1。H1灰坑填土黑灰色，土质较疏松，含零星夹砂黑褐陶和炭屑，陶片残碎。坑口不规则，壁

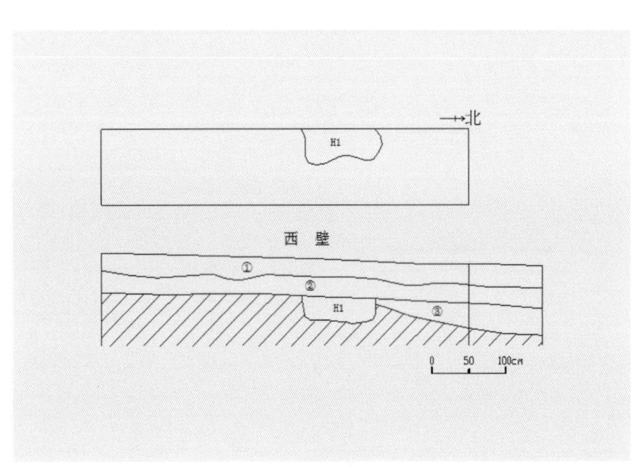

鸡笼山2013CJ TG2平、剖面图

鸡笼山遗址采集米字纹、条纹、方格纹陶片

斜内收，底较平，长110、宽50、深35厘米，时代为商周时期。

第3层：厚0～15厘米，灰褐色胶泥状土，土质较硬，结构较致密，有较多的褐色斑点，含少量商周时期夹砂和泥质陶片，可辨器形有夹砂陶釜、泥质陶罐。第3层仅分布于探沟北部，南薄北厚倾斜堆积。

第3层以下是黄色石粒自然堆积层。

鸡笼山遗址地貌

鸡笼山遗址采集陶瓮残片

2. 潮阳区七里山新石器时代晚期遗址

遗址位于汕头市潮阳区金浦街道寨外村七里山，中心GPS坐标N23°15'、E116°33'，遗址面积约20000平方米。

遗址文化层堆积虽不甚厚，但分布范围较广，除山南坡被取土毁掉外，北坡、东坡保存较好。出土方格纹泥质灰陶片，素面夹砂灰褐、红褐陶片，均为新石器时代晚期遗物，对研究粤东地区史前文化具有重要价值。

七里山遗址地貌

七里山遗址采集遗物

二、遗物点

1. 潮阳区牛埔山新石器时代晚期遗物点

遗物点位于汕头市潮阳区河溪镇东垅村牛埔山，GPS坐标N23°19'、E116°32'。地表采集少量新石器时代晚期素面灰褐色夹砂陶片。

牛埔山遗物点地貌

牛辅山遗物点采集遗物

2. 潮阳区九肚山新石器时代晚期遗物点

遗物点位于汕头市潮阳区金浦街道办三堡村管委会九肚山，GPS坐标N23°16'、E116°32'。地表采集新石器时代晚期交错条纹泥质灰陶片及素面黄褐色夹砂陶片。

九肚山遗物点地貌

九肚山遗物点采集遗物

3. 金平区蜘蛛山唐宋遗物点

遗物点位于汕头市金平区鮀莲街道莲塘村蜘蛛山，GPS坐标N23°25'、E116°35'。地表可见较多唐宋时期陶瓷片，但残碎严重，器形不辨。

蜘蛛山遗址地貌

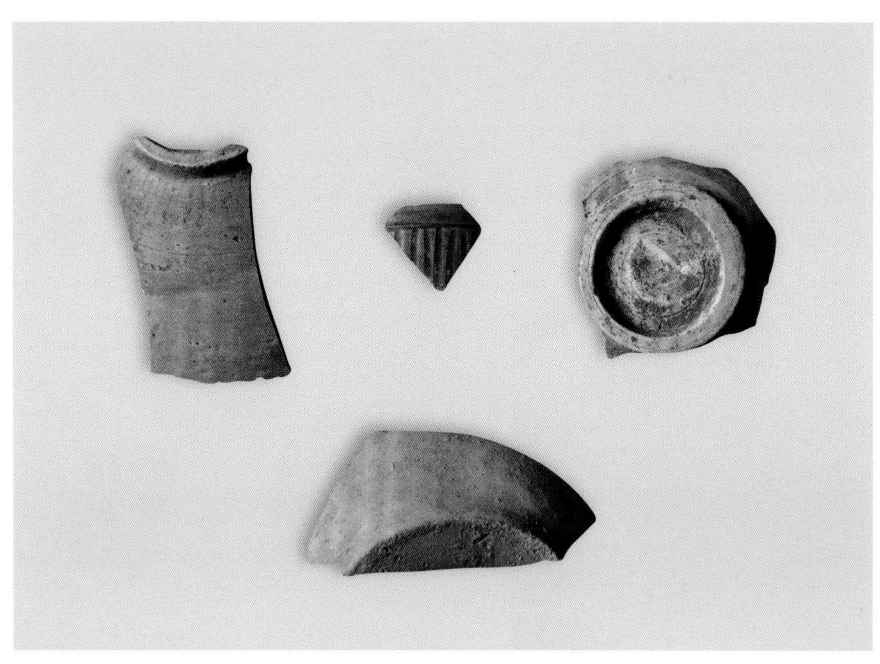
蜘蛛山遗址采集遗物

4.3 中国石化新疆煤制天然气外输管道工程（新粤浙管道）广东段

项目编号 GDKG–2013–003–DK03

实施时间 2013 年 3 ～ 5 月

建设单位 中国石化新疆煤制天然气外输管道有限责任公司

协作单位 韶关市文化广电新闻出版局、乐昌市博物馆、乳源瑶族自治县文体旅游局、乳源瑶族自治县民族博物馆

中国石化新疆煤制天然气外输管道工程（新粤浙管道）广东段工程起自韶关市乐昌市黄圃镇，止于韶关市浈江区市新韶镇，途经韶关市乐昌市、乳源瑶族自治县、浈江区 3 个县级行政区域，管道总长 137 千米。

一、遗址

浈江区内腾新石器时代遗址

遗址位于韶关市浈江区犁市镇内腾村东低缓山坡，中心 GPS 坐标 N24°57'、E113°30'，面积约为 160000 平方米。

地表遗物丰富，分布散乱。陶片多为泥质陶，夹砂褐陶次之；泥质陶纹饰有条纹、曲折纹、方格纹、曲折纹与附加堆纹组合纹；可辨器形有陶罐、纺轮等，另见磨制石锛。重探结果表明遗址文化层可分为早晚两期，早期文化层则含较多夹砂褐陶，晚期文化层以泥质印纹陶为主。该遗址时代为新石器时代晚期，属虎头埔文化。

二、遗物点

浈江区内腾唐宋遗物点

遗物点位于韶关市浈江区犁市镇内腾村东南，GPS 坐标 N24°57'、E113°30'。地表文化遗物较为丰富，主要有唐宋时期的青釉瓷片、酱釉瓷片、白釉瓷片及布纹板瓦等。

内腾新石器时代遗址地表遗物

4.4 包头至茂名国家高速公路粤境段

项目编号 GDKG–2013–007–DK06

实施时间 2013年4～7月

建设单位 广东省高速公路有限公司

协作单位 茂名市文化广电新闻出版局、茂名市博物馆、高州市文化广电新闻出版局、高州市博物馆、信宜市文化广电新闻出版局、信宜市博物馆

广东省高速公路有限公司包头至茂名国家高速公路粤境段项目工程（以下称“包茂高速”）考古调查勘探分信宜段、高州段和茂港至高新区段三个部分，总长度121.9千米。起点位于广东省信宜市朱砂镇与广西壮族自治区岑溪市水汶镇交界处的筋竹河隧道中部，终点位于广东省茂名市高新区七迳镇境内、沈海高速公路南2千米处。经过信宜市、高州市、茂港区、电白县和茂名市高新区等县（市、区）。

调查发现22处遗址，33处遗物点。这些遗址和遗物点多分布在海拔200米以下的低山，尤其集中在河流两岸较独立的山坡上。从地表采集到的文化遗物和勘探文化堆积来看，除个别地点为明清遗存外，其余皆为南朝至唐时期遗存，其陶器器形以罐和釜为主，纹饰有刻划水波纹、刻划水波纹和弦纹组合及戳印篦点纹等。这些遗存是反映粤西地区南朝至唐代社会历史状况及粤西地区俚人物质文化重要的实物材料。

磨盘岭遗址出土陶片

一、遗址

1. 信宜市磨盘岭南朝至唐代遗址

遗址位于茂名市信宜市池洞镇岭砥村委会公雷村小组磨盘岭和屋背岗两座相连的山冈，东距大波河约1000米，中心GPS坐标N22°25'、E110°57'，面积约68000平方米。

屋背岗与磨盘岭山顶平坦，西、北坡较陡。发现较多夹砂灰陶和泥质灰陶，以泥质灰陶居多，纹饰有水波纹、篦点纹、弦纹等，器形有罐、釜等，文化层厚60～90厘米，为南朝至唐时期的遗址。

2. 信宜市大岭岗南朝至唐代遗址

遗址位于茂名市信宜市丁堡镇山背村竹坡村大岭岗，中心GPS坐标N22°18'、E110°57'，面积约

63000 平方米。

大岭岗山顶较平坦，西北、东北和南面为三条平缓的山脊，植被稀疏。遗址分布大量夹砂灰陶和泥质灰陶，纹饰有弦纹、水波纹、篦点纹等，器形以罐和釜为主，另见钵和甑形器。文化层厚度为 20 ～ 80 厘米，为南朝至唐时期的遗址。

大岭岗遗址出土陶片

3. 信宜市马鞍岭南朝至唐代遗址

遗址位于茂名市信宜市丁堡镇大舍坡村委会垌尾村马鞍岭，中心 GPS 坐标 N22°17'、E110°56'，面积约 43000 平方米。

马鞍岭为两座南北相连的山地，四周较开阔，鞍部平坦，形似马鞍，两山顶部被人工整平。发现夹砂灰陶和泥质灰陶，纹饰有弦纹、水波纹、篦点

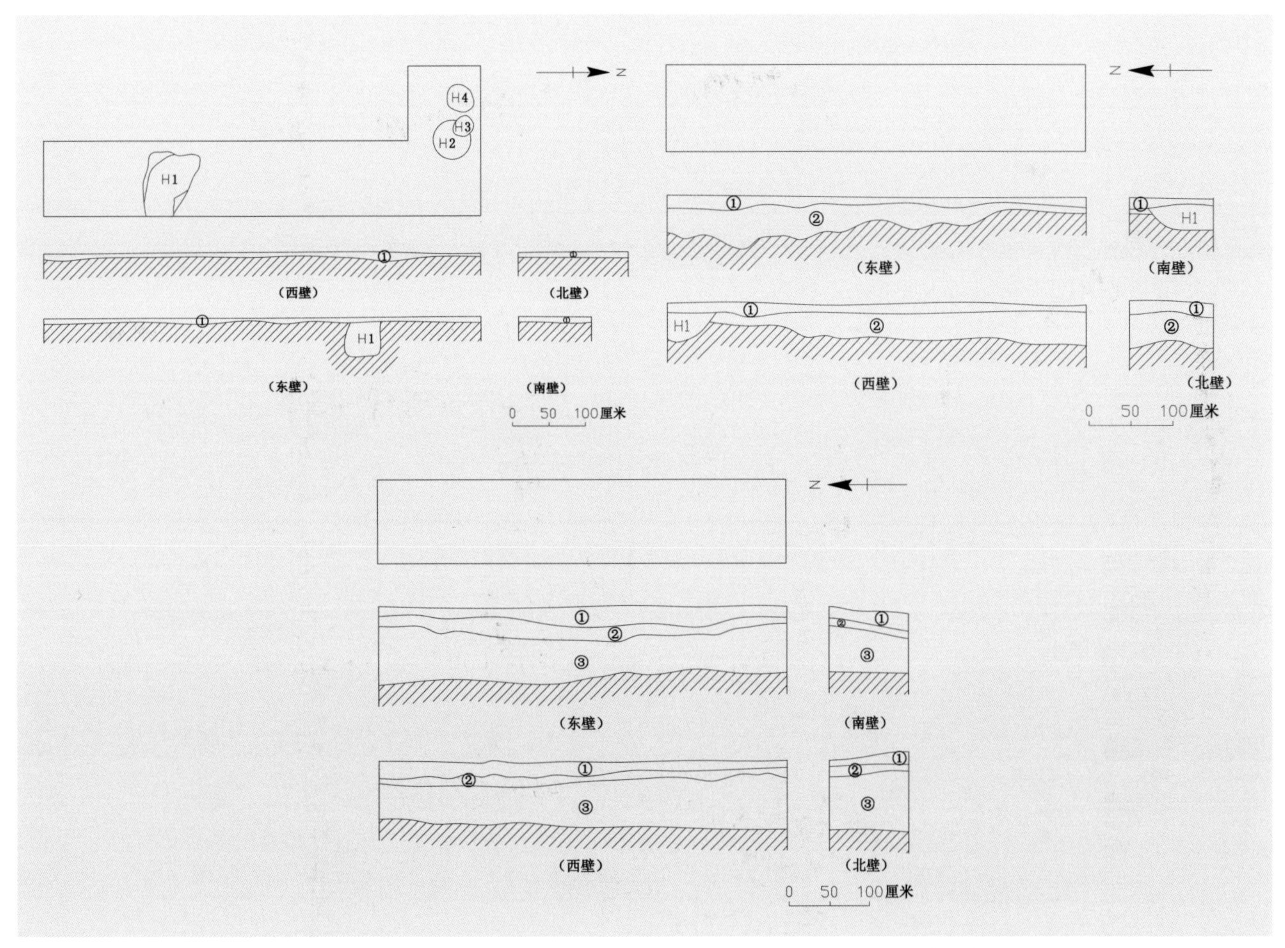

马鞍岭遗址 2013×DMALTG3 平、剖面图

马鞍岭遗址出土陶片

纹等，器形以罐和釜为主，另见残石器1件。北山文化层厚70～90厘米，南山发现袋状坑，为南朝至唐时期的遗址。堆积层位以探沟2013XDMALTG3为例说明如下。

2013XDMALTG3位于马鞍岭南山的中心部位。规格1米×6米，方向正南北，西南角GPS坐标N22°17'、E110°56'。

第1层，厚5～10厘米。灰色土，土质疏松，含大量植物根茎。采集少量陶片，陶片以泥质陶居多，常见纹饰有水波纹和弦纹，可辨器形有罐。

第1层下发现灰坑2个，编号分别为H1和H2。另见现代扰坑2个。

第1层以下为红色风化岩。

H1位于探沟南部，开口在第1层下，打破风化岩。平面形状为不规则长方形，填土为黄褐色，含有炭粒和大块风化岩。出土泥质灰陶罐等遗物。清理深度60厘米，未清理到底。

H2位于探沟北端。开口在第1层下，被现代扰坑打破，打破风化岩层，平面形状为圆形，直径52厘米。填土为黄褐色土和红色风化岩颗粒，含有少量炭粒，未清理。钻探显示其深度超过1.5米。

根据结构和出土遗物特征并参考洛湛铁路抢救发掘的相关材料，H1、H2时代概为南朝至唐，与俚人有关。现代扰坑为铺设电线杆所致。

4. 信宜市白坟岭南朝至唐代遗址

遗址位于茂名市信宜市水口镇水口村委会达任村白坟岭，中心GPS坐标N22°14'、E110°55'，面积约20000平方米。

白坟岭北、南坡为东西向平行的两条山脊，坡

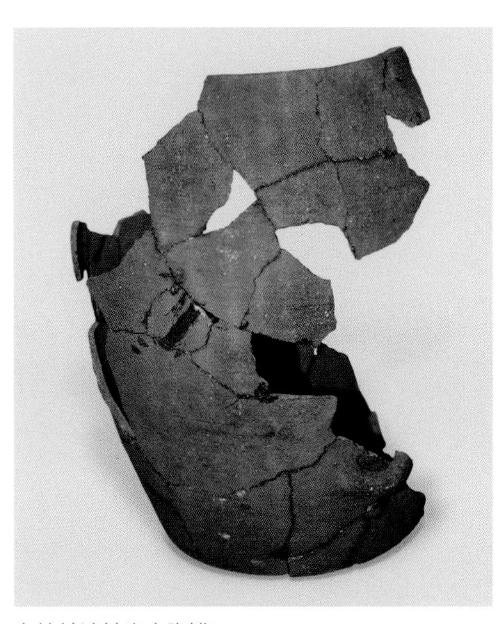
白坟岭遗址出土陶罐

白坟岭遗址出土陶片

顶平坦开阔，龙山河及其支流在北坡东面交汇。

发现大量素面或刻划水波纹泥质灰陶片，器形以罐和釜为主，文化层厚 60 ～ 90 厘米，遗址时代为南朝至唐。另见方格纹陶一片，时代可能早至汉代。

北京岭遗址出土陶片

5. 高州市北京岭南朝至唐代遗址

遗址位于茂名市高州市东岸镇东坡村委会北京岭村的北京岭和猴子塘，中心 GPS 坐标 N22°7'、E110°56'，面积约 30000 平方米。

北京岭和猴子塘两山南北相邻，均东西走向，北京岭山顶呈条状，西南坡较缓，地表遗物丰富。猴子塘海拔较低，坡顶平坦开阔。

采集遗物有泥质灰陶和夹砂灰陶，纹饰有水波纹、弦纹和篦点纹，器形以罐、钵和釜为主，文化层厚 10 ～ 50 厘米，遗迹主要为袋状坑，遗址时代为南朝至唐。

旺坑岭坪遗址出土陶片

6. 高州市旺坑岭坪南朝至唐代遗址

遗址位于茂名市高州市东岸镇旺坑村委会旺坑村旺坑岭坪和蜘蛛岭，中心 GPS 坐标 N22°5'、E110°56'，面积约 42000 平方米。

旺坑岭坪位于旺坑村委会东，山顶平整，面积较大，原为耕地，现已荒废。蜘蛛岭位于旺坑村委会东北，南与旺坑岭坪相连，北坡和西坡较陡，西南为旺坑村。

遗物主要为泥质灰陶和夹砂灰陶，纹饰有水波纹、弦纹纹等，器形以罐、钵和釜为主，文化层厚 30 ～ 75 厘米，遗址时代为南朝至唐。

上村岭遗址出土陶片

7. 高州市上村岭南朝至唐代遗址

遗址位于茂名市高州市曹江镇南山村委会上村的上村岭和庙背岭，中心 GPS 坐标 N22°0'、E110°55'，面积约 54000 平方米。

人头岭遗址采集陶片

二背岭遗址出土陶片

龟岭遗址出土陶片

上村岭位于上村东，坡顶平坦。庙背岭北与上村岭相邻，其南麓为南山社。

发现较多泥质灰陶和夹砂灰陶，纹饰以弦纹和水波纹为主，器形有罐、钵、釜和甑形器，探沟出土陶纺轮1件，文化层厚25～60厘米，遗址时代为南朝至唐。

8. 高州市人头岭南朝至唐代遗址

遗址位于茂名市高州市曹江镇甲子坡村委高坡村人头岭，北临高坡村和曹江河，中心GPS坐标N21°57'、E110°55'，面积约48000平方米。

人头岭山顶平坦开阔，发现较多泥质水波纹、弦纹灰陶和夹砂灰陶片，器形以罐、钵和釜为主，文化层厚10～50厘米，遗址时代为南朝至唐。

9. 信宜市二背岭南朝至唐代遗址

遗址位于茂名市信宜市池垌镇岭砥村梅子塘村二背岭，中心GPS坐标N22°24'、E110°57'，面积约16000平方米。

二背岭山顶平坦，种植有花生等农作物。遗址发现大量水波纹和弦纹泥质灰陶片，器形以罐和釜为主，文化层厚约60厘米，遗址时代为南朝至唐。

10. 信宜市龟岭南朝至唐代遗址

遗址位于茂名市信宜市东镇镇白坡村委会中间村龟岭，中心GPS坐标N22°23'、E110°58'，面积约60000平方米。

龟岭西坡较缓，山顶发现大量夹砂灰陶和泥质灰陶，饰弦纹、水波纹、篦点纹等，器形以罐和釜为主，文化层厚30～90厘米，遗址时代为南朝至唐。

11. 高州市庙背岭南朝至唐代遗址

遗址位于茂名市高州市东岸镇甘川管区黄榄村庙背岭，中心 GPS 坐标 N22°9'、E110°56'，面积 50000 平方米。

庙背岭山呈东西走向，南陡北缓，地表裸露风化岩土和红褐色沙土。陶片数量较多，常见泥质灰陶，纹饰有刻划水波纹和弦纹，器形以罐和釜为主，文化层厚 30 ～ 70 厘米，遗址时代为南朝至唐。

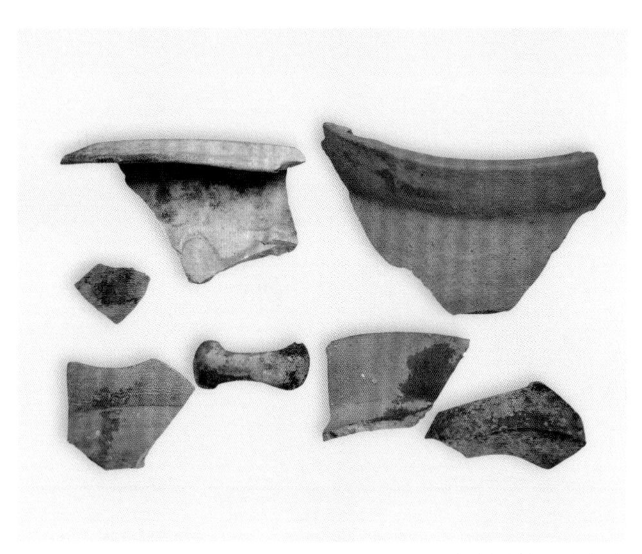

龟岭遗址采集陶片

12. 高州市老虎涌南朝至唐代遗址

遗址位于茂名市高州市东岸镇河朗坡村委会石壁村东岸河以东约 500 米的老虎涌，中心 GPS 坐标 N22°6'、E110°56'，海拔 78 米，面积约 16000 平方米。

老虎涌山坡较缓。遗址发现较多泥质灰陶和夹砂灰陶，纹饰以水波纹为主，器形有罐、钵和釜等，文化层厚 10 ～ 50 厘米，遗址时代为南朝至唐。

庙背岭遗址出土陶片

13. 高州市圆头岭南朝至唐代遗址

遗址位于茂名市高州市东岸镇双利村委会竹更塘村东圆头岭，中心 GPS 坐标 N22°3'、E110°55'，面积约 17000 平方米。

圆头岭山顶较平，面积较大。发现较多泥质灰陶和夹砂灰陶，器形以罐为主，文化层厚约 50 厘米，遗址时代为南朝至唐。

14. 高州市上高村岭唐宋遗址

遗址位于茂名市高州市曹江镇周坡村委会大垌村西北约 300 米的上高村岭，中心 GPS 坐标 N22°1'、E110°55'，面积约 60000 平方米。

上高村岭呈南北走向，南坡平缓，东、西坡较陡。遗物以泥质水波纹灰陶为主，另见泥质红陶、夹砂灰陶和瓷片，器形多为罐和碗，文化层厚 15 ～ 35

老虎涌遗址采集陶片

上高村岭遗址出土陶片

白土山遗址采集陶瓷片

高燕垌岗遗址出土陶片

厘米，遗址时代为唐宋。

15. 高州市白土山南朝至唐代遗址

遗址位于茂名市高州市分界镇南山村委会林垌坑村西南白土山，东南临黄坑河，中心 GPS 坐标 N21°48'、E110°58'，面积约 28000 平方米。

白土山平坦开阔，南坡被人工修整为梯田，山顶平坦。地表发现较多泥质水波纹灰陶和夹砂灰陶，器形以罐、钵和釜为主，文化层厚 10 ～ 50 厘米，遗址时代为南朝至唐。

16. 罗定市何木岭南朝至唐代遗址

遗址位于云浮市罗定市分界镇新坡村委会秦坑村何木岭，北、西临石陂河，中心 GPS 坐标 N21°47'、E110°59'，面积约 45000 平方米。

何木岭为孤峰，西南坡较缓，被修整为梯田，坡顶平坦。发现较多泥质水波纹灰陶和夹砂灰陶，以泥质灰陶为主，器形有罐、钵和釜，文化层厚 10 ～ 50 厘米，遗址时代为南朝至唐。

17. 信宜市高燕垌岗南朝至唐代遗址

遗址位于茂名市信宜市朱砂镇里五村委会龙胫村高燕垌岗，东临小河，中心 GPS 坐标 N22°31'、E110°57'，面积约 30000 平方米。

发现少量泥质水波纹灰陶，器形以罐和釜为主，文化层厚约 40 厘米，遗址时代为南朝至唐。

18. 信宜市大寨岗南朝至唐代遗址

遗址位于茂名市信宜市池洞镇大坡村大寨岗，中心 GPS 坐标 N22°24'、E110°58'，面积约 45000 平方米。

大寨岗与担腰山相连，山顶平坦开阔。发现较多泥质或夹砂灰陶，纹饰常见刻划水波纹，器形以罐、钵和釜为主，文化层厚20～80厘米，遗址时代为南朝至唐。

大寨岗遗址出土陶瓷片

19. 高州市屋背岭南朝至唐代遗址

遗址位于茂名市高州市东岸镇双利村委会旱田村以西屋背岭，中心GPS坐标N22°4'、E110°55'，面积约50000平方米。

屋背岭山势较陡，南北走向，山顶呈长条形，较平坦。发现较多泥质水波纹和弦纹灰陶及夹砂灰陶，器形以罐为主，文化层厚30～50厘米，遗址时代为南朝至唐。

20. 高州市圆山岭南朝至唐代遗址

遗址位于茂名市高州市东岸镇双利村委会百花塘村7组西南的圆山岭，中心GPS坐标N22°2'、E110°55'，面积约12000平方米。

圆山岭山北坡较陡，山顶平坦。发现较多泥质水波纹灰陶和夹砂灰陶，器形有罐、钵和釜等，文化层厚10～50厘米，遗址时代为南朝至唐。

圆山岭遗址出土陶片

21. 高州市猫岭南朝至唐代遗址

遗址位于茂名市高州市谢鸡镇义山村委会丹洒村猫岭，北距冯坑村约100米，往南100米为小溪，中心GPS坐标N22°55'、E110°55'，面积约35000平方米。

猫岭为孤峰，发现较多泥质灰陶和夹砂灰陶，以泥质灰陶居多，纹饰有水波纹、弦纹和篦点纹，器形有罐、钵和釜，文化层厚10～40厘米，遗址时代为南朝至唐。

猫岭遗址出土陶片

22. 高州市柴山南朝至唐代遗址

遗址位于茂名市高州市泗水镇塘华村委会凤尾圆村西北柴山，中心GPS坐标N21°51'、E110°56'，面积约18000平方米。

柴山呈南北走向，山坡平缓。发现少量泥质灰陶和夹砂灰陶，可辨器形有罐等，文化层厚约80厘米，遗址时代为南朝至唐。

二、遗物点

1. 信宜市大瓦岗南朝至唐代遗物点

遗物点位于茂名市信宜市朱砂镇大瓦岗，地表采集少量南朝至唐代泥质灰陶和夹砂灰陶，器形有罐和碗，罐耳间饰篦划纹和篦点菱形纹。

2. 信宜市穴离村南朝至唐代遗物点

遗物点位于茂名市信宜市朱砂镇穴离村东南山坡，GPS坐标N22°31'、E110°58'，采集少量南朝至唐代陶片。

3. 信宜市良家冲南朝至唐代遗物点

遗物点位于茂名市信宜市池洞镇大坡村良家冲，GPS坐标N22°24'、E110°58'，采集少量陶片，可辨器形有罐等，部分自然断面似有文化层残存，时代为南朝至唐。

4. 信宜市红螺后山南朝至唐代遗物点

遗物点位于茂名市信宜市东镇镇东城街道办事处漳坡村红螺后山，GPS坐标N22°22'、E110°58'，红螺后山山坡较缓，种植松树，发现南朝至唐代的泥质灰陶数片，其中一片饰弦纹。

5. 信宜市竹山岭南朝至唐代遗物点

遗物点位于茂名市信宜市丁堡镇湾统村委会君永山村竹山岭，GPS坐标N22°19'、E110°58'，发现南朝至唐代泥质灰陶和夹砂灰陶，可辨器形有钵。

竹山岭遗物点采集陶片

6. 信宜市湾统村南朝至唐代遗物点

遗物点位于茂名市信宜市丁堡镇湾统村，GPS坐标N22°19'、E110°58'。发现泥质灰陶，可辨器形有陶罐，时代为南朝至唐。

7. 信宜市水口互通南朝至唐代遗物点

遗物点位于茂名市信宜市水口互通出口，GPS坐标N22°15'、E110°55'，山顶海拔87.08米，杂草茂密。南坡断面发现少量泥质灰陶残片，时代为南朝至唐。

8. 信宜市水口村南朝至唐代遗物点

遗物点位于茂名市信宜市水口镇水口村后山，GPS坐标N22°15'、E110°55'，后山地形较平整，种植荔枝，发现少量陶片，时代为南朝至唐。

9. 信宜市大舍坡村南朝至唐代第一遗物点

遗物点位于茂名市信宜市水口镇水口服务区起点处山地，荔枝岗遗址东南，GPS坐标N22°17'、E110°56'，海拔100米。遗物点地表为红褐色沙土，植被以松树、竹子、灌木为主。山顶采集少量陶片，多泥质灰陶，除素面外，有方格纹、戳印篦点纹等纹饰，可辨器形有带耳罐等，时代为南朝至唐。

10. 信宜市大舍坡村南朝至唐代第二遗物点

遗物点位于茂名市信宜市水口镇水口服务区匝道右侧山地，大舍坡村南朝至唐代第一遗物点以南，GPS坐标N22°17'、E110°56'，海拔104米。遗物点地表为红褐色沙土，植被以松树、灌木和蕨类为主。坡顶和南坡均发现陶片，皆泥质灰陶，可辨器形有钵，时代为南朝至唐。

11. 信宜市柑子地南朝至唐代遗物点

遗物点位于茂名市信宜市水口镇水口互通水口村柑子地，GPS坐标N22°14'、E110°55'。柑子地表土为红褐色沙土，分布荔枝、桉树和灌木。南坡采集两块泥质素面灰陶，时代为南朝至唐。

12. 信宜市铜口南朝至唐代遗物点

遗物点位于茂名市信宜市水口镇水口村铜口加油站东面山地，西、南临县道684，GPS坐标N22°14'、E110°55'。遗物点表土为黄褐色沙土，植被有桉树、松树和灌木，采集两块陶片，时代为南朝至唐。

13. 高州市岗背岭南朝至唐代遗物点

遗物点位于茂名市高州市东岸镇石陂村官田村岗背岭，GPS坐标N22°10'、E110°56'。岗背岭山顶植被茂密，山坡被辟为梯田，种植橡胶，采集到水波纹陶片，时代为南朝至唐。

14. 高州市燕子岭南朝至唐代遗物点

遗物点位于茂名市高州市东岸镇旺坑村燕子岭东岸互通内，GPS坐标N22°6'、E110°56'。陶片数量较少，泥质灰陶居多，纹饰有水波纹、弦纹等，器形可见罐和釜，时代为南朝至唐。

15. 高州市乡利塘南朝至唐代遗物点

遗物点位于茂名市高州市东岸镇双利村乡利塘东北山地，GPS坐标N22°4'、E110°56'，海拔102米。山地南北走向，西、东、北坡较陡，种植荔枝，山顶西部和南部边沿发现少量陶片，陶胎坚硬厚重，可辨器形有甑形器等，时代为南朝至唐。

16. 高州市乐坑南朝至唐代遗物点

遗物点位于茂名市高州市东岸镇乐坑村，GPS坐标N22°3'、E110°55'。东北坡和南坡发现少量夹砂灰陶，纹饰有水波纹等，时代为南朝至唐。

17. 高州市山口南朝至唐代第一遗物点

遗物点位于茂名市高州市东岸镇双利村委山口村小组龟岭山，GPS坐标N22°3'、E110°55'，海拔104米。龟岭山顶狭窄，发现少量泥质水波纹、弦纹灰陶，器形有罐、釜等，时代为南朝至唐。

18. 高州市山口南朝至唐代第二遗物点

遗物点位于茂名市高州市东岸镇双利村委山口，GPS坐标N22°2'、E110°55'。发现少量陶片，以泥质灰陶居多，纹饰有水波纹、弦纹等，器形多为罐、釜，另采集残石器一件，时代为南朝至唐。

19. 高州市南山村南朝至唐代第一遗物点

遗物点位于茂名市高州市曹江镇上南山村委会南山村鸭婆帽山，GPS坐标N22°1'、E110°55'，海拔76米。鸭婆帽山西坡较缓，发现少量陶片，泥质灰陶居多，纹饰有刻划纹，器形多为罐、釜，时代为南朝至唐。

20. 高州市南山村南朝至唐代第二遗物点

遗物点位于茂名市高州市曹江镇上南山村委南山村小组亚车化山，GPS坐标N22°1'、E110°55'，海拔93米。亚车化山南坡较缓，发现少量泥质刻划纹灰陶，器形有罐、釜等，时代为南朝至唐。

21. 高州市高州停车区南朝至唐代遗物点

遗物点位于茂名市高州市曹江镇高州停车区内，GPS坐标N22°0'、E110°55'，海拔78米。遗物点发现少量陶片，可辨器形有罐等，时代为南朝至唐。

22. 高州市谭村南朝至唐代第一遗物点

遗物点位于茂名市高州市曹江镇上谭村村委会谭坑东面山地，GPS坐标N22°0'、E110°55'，海拔68米，发现少量南朝至唐代的泥质刻划纹灰陶，器形多为罐、釜。

23. 高州市荷垌村南朝至唐代遗物点

遗物点位于茂名市高州市曹江镇荷垌村东北淦江北岸，距现河道约1000米，GPS坐标N21°58'、E110°55'。遗物点地表裸露黄褐色风化岩，采集到少量泥质灰陶，纹饰有弦纹等，时代为南朝至唐。

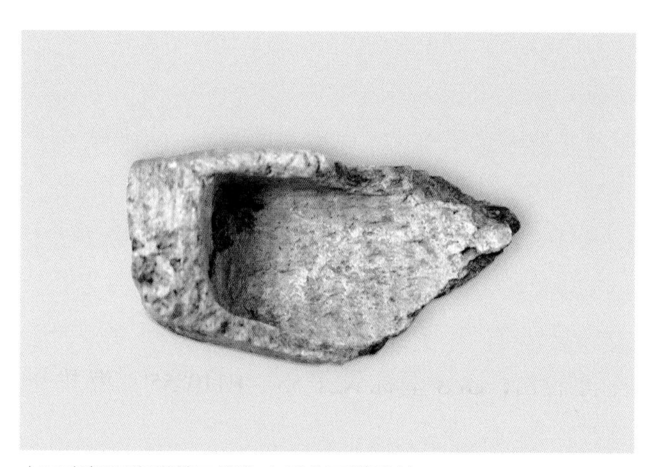

山口南朝至唐代第二遗物点采集石器残片

谭村南朝至唐代第一遗物点采集陶片

24. 高州市连理塘南朝至唐代遗物点

遗物点位于茂名市高州市曹江镇上甲子村委高坡村小组连理塘山，GPS坐标N21°57'、E110°55'，海拔79米。连理塘山顶平坦开阔，发现较多陶片，以泥质灰陶居多，纹饰有刻划纹，器形多为罐和釜，时代为南朝至唐。

25. 高州市高坡村南朝至唐代遗物点

遗物点位于茂名市高州市曹江镇上甲子村委高

坡村小组，GPS坐标N21°57'、E110°55'，海拔79米。遗物点发现较多陶片，以泥质灰陶居多，纹饰有刻划纹，器形多为罐、钵、釜，时代为南朝至唐。

26. 高州市冯坑南朝至唐代遗物点

遗物点位于茂名市高州市曹江镇凤坑村、冯坑村后山，GPS坐标N21°55'、E110°55'，海拔94米，后山北陡西缓，山上分布桉树和蕨类植物，表土为红褐色沙土，发现南朝至唐代的泥质灰陶钵残片。

27. 高州市西坑村南朝至唐代遗物点

遗物点位于茂名市高州市曹江镇西坑村西，GPS坐标N21°53'、E110°55'，采集少量陶片，时代为南朝至唐。

28. 信宜市水口服务区宋代遗物点

遗物点位于茂名市信宜市水口镇水口服务区主线西侧山地，洛湛铁路经过其西坡，GPS坐标N22°17'、E110°56'，发现宋代青瓷圈足碗等青瓷和青灰瓷片。青瓷碗胎色灰白，胎质细腻，釉色略泛青，釉有脱落；青灰瓷釉色较深，施釉较厚。

4.5 西气东输三线闽粤支干线广东段

项目编号 GDKG–2013–013–DK11

实施时间 2013年5～9月

建设单位 中国石油天然气股份有限公司西气东输管道分公司

协作单位 潮州市文化广电新闻出版局、潮州市博物馆、饶平县文化广电新闻出版局、饶平县博物馆、潮安县文化广电新闻出版局、潮安县博物馆、揭阳市文化广电新闻出版局、揭阳市博物馆、揭东区文化广电新闻出版局、揭东区博物馆、揭西县文化广电新闻出版局、揭西县博物馆、梅州市文化广电新闻出版局、广东中国客家博物馆、五华县文化广电新闻出版局、五华县博物馆、河源市文化广电新闻出版局、河源市博物馆、紫金县文化广电新闻出版局、紫金县博物馆、惠州市文化广电新闻出版局、惠州市博物馆、博罗县文体旅游局、博罗县博物馆、龙门县文化广电新闻出版局、龙门县博物馆、广州市文化广电新闻出版局、广州市文物考古研究所、增城区文体旅游局、增城区博物馆、从化区文化广电新闻出版局、从化区博物馆

西气东输三线闽粤支干线广东段由闽粤两省交界处开始，向西南经潮州、揭阳、河源、惠州等市后，到达广州分输压气站，线路总长482千米。

本次考古调查所涉区域较广，发现多处重要遗存。不同区域遗存的时代特征明显：五华、紫金等地多为新石器时代晚期遗址和遗物点，少数属商周时期；惠州、广州等地则多为东周至唐宋时期。调查所获成果，完善和丰富了广东史前和历史时期相关课题研究的认识。

一、遗址

1. 揭西县枫林山商周遗址

遗址位于揭阳市揭西县五云镇梅江村西南石陂村与山下村之间的枫林山，中心GPS坐标N23°27'、E115°45'，海拔88米。

枫林山为低缓山岗，东临开阔的山间盆地，有小河自北向南流过，其余三面环山。表土发育较好，现已抛荒。

地表发现泥质灰陶、黄陶，夹砂灰陶、红褐陶等遗物，常见纹饰有方格纹和菱格纹，可辨器形有器座、敞口罐和圈足器等，时代为商周时期。

枫林山遗址全景

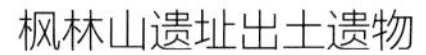

枫林山遗址出土遗物

枫林山遗址出土遗物

2. 五华县塘背岭新石器时代晚期遗址

遗址位于梅州市五华县梅林镇优河村东部塘背岭，中心 GPS 坐标 N23°37'、E115°36'，海拔 185 米。

塘背岭相对高度不大但坡度较陡，其北、西为琴江河谷地，南为山间谷地。表土发育较好，含较多粗砂粒。

采集石镞 1 件、石锛 2 件和少量陶片，陶片有泥质曲折纹灰陶和素面陶等，可辨器形有小口高领罐等。遗址时代为新石器时代晚期，属虎头埔文化。

塘背岭遗址采集遗物

塘背岭遗址全景

塘背岭遗址采集石镞

3. 五华县转岗海螺山新石器时代晚期遗址

遗址位于梅州市五华县华阳镇华阳村北海螺山，东临打石窝水库，中心GPS坐标N23°37'、E115°28'，海拔198米。

海螺山为低矮山岗，大致呈南北走向，东、西、南坡较陡，坡下为山间谷地，北与高山相连。遗址地表杂草丛生，树木茂密，土壤发育较好，含较多石英石块和粗砂粒。

采集遗物主要有泥质交错条纹、曲折纹、叶脉纹、圆圈凸点纹灰陶片及石镞、石矛各1件。遗址时代为新石器时代晚期，属虎头埔文化。

转岗海螺山遗址全景

转岗海螺山遗址采集遗物

4. 五华县王结塘山新石器时代晚期遗址

遗址位于梅州市五华县华阳镇华阳村北王结塘山，中心GPS坐标N23°37'、E115°28'，海拔202米。

王结塘山地理环境与海螺山相同。采集遗物包括少量泥质交错条纹灰陶、较多红烧土块及石镞2件，遗址时代为新石器时代晚期，属虎头埔文化。

王结塘遗址全景

王结塘山遗址采集遗物

5. 紫金县流顶岗东周遗址

遗址位于河源市紫金县紫城镇石陂村北的流顶岗，中心 GPS 坐标 N23°37'、E115°12'，海拔 195 米。

流顶岗山坡陡峭，西临秋江河谷平原，南、北岗底分布狭窄的山间谷地，东与高山相连。表土发育较好，土色黄褐，含较多粗砂粒。

文化层分布于山腰断崖处，厚约 1 米。采集遗物有泥质灰胎褐釉陶和黄褐色夹砂陶，纹饰仅见菱格纹，可辨器形有大敞口罐。遗址时代为东周。

流顶岗遗址全景

流顶岗遗址采集遗物

6. 紫金县井上山新石器时代晚期遗址

遗址位于河源市紫金县紫城镇上书村丘坑南部的井上山，西北约 400 米处为秋江河支流，中心 GPS 坐标 N23°38'、E115°13'，海拔 286 米。

井上山较为低缓，其北为山间谷地，南、西、东三侧为起伏的山地，土壤含粗砂粒较多。

地表采集到泥质和夹砂交错条纹、叶脉纹灰陶，夹砂长方格纹黄褐色陶和石镞 1 件。遗址时代为新石器时代晚期，属虎头埔文化。

井上山遗址位置全景

井上山遗址采集遗物

7. 紫金县对面山新石器时代晚期遗址

遗址位于河源市紫金县紫城镇上书村丘坑大屋西北对面山，东有小河流过，中心GPS坐标N23°38'、E115°13'，海拔265米。

对面山比较低缓，东为较开阔的河谷平原，北、南为山间谷地，多水田；西与山地相连。地表杂草、灌木丛生，土壤发育较好，含青黑色角砾石较多。

采集遗物有夹砂方格纹、长方格纹、素面灰陶和泥质叶脉纹灰陶，可辨器物有小口高领罐；另有石锛、砺石等石器3件。遗址西部发现较多打制石器毛坯，估计应是石器工场所在地。遗址时代为新石器时代晚期，属虎头埔文化。

对面山遗址位置全景

对面山遗址采集遗物

8. 紫金县山子下新石器时代晚期遗址

遗址位于河源市紫金县紫城镇上书村南山子下，中心GPS坐标N23°38'、E115°14'，海拔278米。

山子下山坡陡峭，其北、西为较开阔的河谷，有小河自东北向西南流过，多水田民居；南为较狭窄的山间谷地，东为海拔较高的山地。土壤发育较好，含较多粗砂粒。

地表采集遗物有夹砂条纹、交错条纹、叶脉纹灰陶和泥质曲折纹灰陶。遗址时代为新石器时代晚期，属虎头埔文化。

山子下遗址全景

山子下遗址采集遗物

9. 紫金县高浮顶新石器时代晚期遗址

遗址位于河源市紫金县紫城镇上书村南高浮顶，中心GPS坐标N23°38'、E115°14'，海拔304米。

高浮顶山坡较陡，北、西侧为较开阔的河谷平地，有小河自东北向西南流过，地表杂草、灌木丛生，并种植较多松树，土壤发育较好，含较多粗砂粒。

地表采集遗物有夹砂叶脉纹、素面灰陶和石锛1件，陶器可辨器形有敞口罐、高领小口罐。遗址时代为新石器时代晚期，属虎头埔文化。

高浮顶遗址全景

高浮顶遗址采集石锛

高浮顶遗址采集遗物

10. 龙门县留村岭东汉至宋代遗址

遗址位于惠州市龙门县龙江镇沈村东北留村岭，中心GPS坐标N23°32'、E114°16'，海拔71米，遗址面积约5000平方米。

留村岭比较低矮，北与山地相连，东、西、南临宽阔的河谷盆地。发现少量泥质方格纹或素面灰陶和冰裂纹青白釉瓷，可辨器形有陶罐、青瓷小圈足碗等，遗址时代为东汉至宋。

留村岭遗址全景

留村岭遗址采集遗物

11.增城区蛇尾岭东周遗址

遗址位于广州市增城区派潭镇田心围行政村瓦窑吓村东南蛇尾岭西坡，中心GPS坐标N23°28'、E113°45'，海拔40米。

蛇尾岭东与一小山岗相连，西临广河高速。地表采集到夔纹、云纹和绳纹陶片，遗址时代为春秋战国时期。

蛇尾岭遗址远景（北—南）

蛇尾岭遗址出土陶片

蛇尾岭遗址出土口沿

12.增城区后龙山东周遗址

遗址位于广州市增城区派潭镇大田围行政村落光岭村北后龙山南坡，GPS坐标N23°28'、E113°45'，海拔30米。

后龙山被增从高速公路（S29）支线派街高速公路至西向东一分为二，西气东输管道经过其北坡。地表发现大量绳纹、夔纹和云雷纹陶片，遗址时代为春秋战国时期。

后龙山遗址远景（南—北）

后龙山遗址采集陶片

二、遗物点

1. 揭东区竹仔蓝山新石器时代晚期遗物点

遗物点位于揭阳市揭东区埔田镇新岭村竹仔蓝山西山顶，GPS 坐标 N23°38'、E116°22'，海拔 76 米。采集泥质长方格纹、条纹、曲折纹灰陶，可辨器形有高领罐。遗物点时代为新石器时代晚期，属虎头埔文化。

竹仔蓝山遗物点全景

竹仔蓝山顶部采集遗物

2. 紫金县巽巳山新石器时代晚期遗物点

遗物点位于河源市紫金县中坝镇中心村水口自然村东南巽巳山，GPS 坐标 N23°41'、E115°20'，海拔 230 米。采集新石器时代晚期砺石、石料各 1 件。

巽巳山遗物点全景

巽巳山遗物点地表遗物（砺石）

3. 紫金县高峡山新石器时代晚期遗物点

遗物点位于河源市紫金县中坝镇塔坳村石楼下自然村东高峡山，GPS坐标N23°41'、E115°20'，海拔258米。采集新石器时代晚期磨制石锛1件。

高峡山遗物点全景

高峡山遗物点采集石锛

4. 紫金县车全排新石器时代晚期遗物点

遗物点位于河源市紫金县紫城镇林下村山下自然村西车全排山，GPS坐标N23°37'、E115°6'，海拔148米。发现少量泥质曲折纹灰陶。遗物点时代为新石器时代晚期，属虎头埔文化。

车全排山遗物点全景

车全排山遗物点采集遗物

5. 紫金县围顶坪新石器时代晚期遗物点

遗物点位于河源市紫金县义容镇南坑村西围顶坪，GPS 坐标 N23°33'、E114°57'，海拔 120 米。发现少量新石器时代晚期泥质条纹灰陶和叶脉纹黄褐陶，陶片火候较低、胎质酥软。

围顶坪遗物点位置全景

围顶坪遗物点采集遗物

屋背岭遗物点采集遗物

6. 紫金县屋背岭新石器时代晚期遗物点

遗物点位于河源市紫金县义容镇南坑村西屋背岭，GPS 坐标 N23°32'、E114°57'，海拔 145 米。发现少量泥质条纹黄褐陶和夹砂素面陶，石锛 1 件及少量石料和石片，陶片火候较低。遗物点时代为新石器时代晚期，属虎头埔文化。

屋背岭遗物点全景

屋背岭遗物点采集石锛

7. 增城区龟仙岭唐宋遗物点

遗物点位于广州市增城区派潭镇田心围行政村瓦窑吓村东北龟仙岭，GPS坐标N23°28'、E113°45'，海拔34米。发现宋代墓砖、红砂岩构件及唐宋时期陶片。

龟仙岭遗物点全景（南—北）

龟仙岭遗物点采集陶片

龟仙岭遗物点采集墓砖

8. 增城区竹园边东周遗物点

遗物点位于广州市增城区小楼镇庙潭村西竹园边，GPS坐标N23°15'、E113°29'，海拔22米。地表采集春秋战国时期的米字纹、方格纹陶片和釉陶片，陶片火候较高，胎质坚硬。

竹园边遗物点远景（北—南）

竹园边遗物点采集陶片

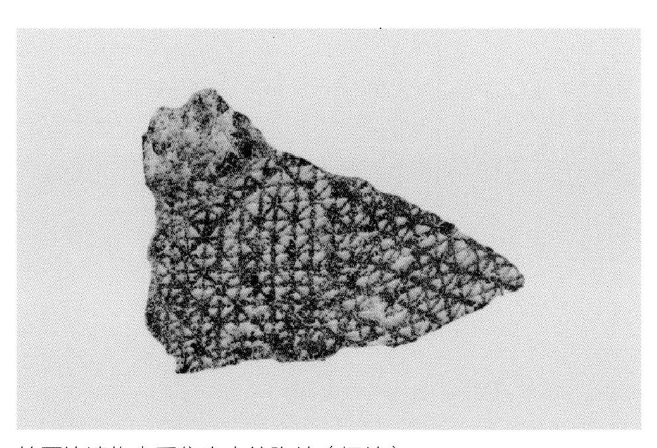

竹园边遗物点采集米字纹陶片（拓片）

9. 增城区耕寮唐宋遗物点

遗物点位于广州市增城区小楼镇耕寮村北部山岗的西北坡，GPS 坐标 N23°15'、E113°29'，海拔 15 米。地表发现少量唐宋时期的素面陶片，可辨器形有罐、钵等。

耕寮遗物点远景（东南—西北）

耕寮遗物点采集陶片

10. 增城区西冚唐宋遗物点

遗物点位于广州市增城区小楼镇西冚村东南的西冚，GPS 坐标 N23°15'、E113°28'，海拔 22 米。采集少量唐宋时期陶片。

西冚遗物点远景（东南—西北）

西冚遗物点采集陶片

11. 从化区竹园吓东周和唐宋遗物点

遗物点位于广州市从化区江埔街留田坑村西北竹园吓南坡，GPS 坐标 N23°20'、E113°23'，海拔 37 米。地表采集少量春秋战国时期的方格纹、米字纹陶片和唐宋时期陶片。

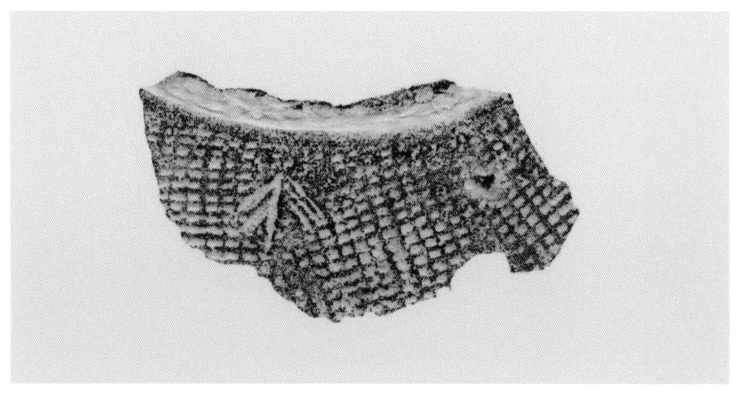

竹园吓遗物点采集陶片（拓片）

竹园吓遗物点远景（东南—西北）

竹园吓遗物点采集陶片

4.6 广东省天然气管网三期工程揭阳—梅州输气管道

项目编号 GDKG-2013-018-DK16

实施时间 2013年10～12月

建设单位 广东省天然气管网有限公司

协作单位 梅州市文化广电新闻出版局、广东中国客家博物馆、梅州市梅县区文化广电新闻出版局、北斗镇人民政府、丰顺县文化广电新闻出版局、丰顺县博物馆、揭阳市文化广电新闻出版局、揭阳市博物馆、普宁市文化广电新闻出版局、普宁市博物馆、汕头市文化广电新闻出版局、汕头市博物馆、汕头市潮阳区文化广电新闻出版局、汕头市潮阳区博物馆

揭阳—梅州输气管道项目总长约为152.3千米，沿线设置3座站场和7座阀室，包括A、B两段：A段为揭阳分输站—梅州末站段，该段自揭阳分输站始，由南向北经揭阳市揭东区玉湖镇，梅州市丰顺县汤南镇、汤西镇、汤坑镇、北斗镇、建桥镇，梅县区畲江镇、水车镇、梅南镇、程江镇，至梅州末站，长度约为89.4千米；B段为揭阳分输站—关埠清管站段，由西北向东南经揭阳市揭东区玉湖镇、龙尾镇，蓝城区霖磐镇、桂岭镇、龙尾镇、白塔镇，普宁市南溪镇、广太镇，汕头市潮阳区金灶镇、关埠镇，长度约为62.9千米。

一、遗址

1. 普宁市瓢靴山新石器时代晚期和宋代遗址

遗址位于揭阳市普宁市南溪镇南兜村瓢靴山，北距榕江南河3.7千米，其西有榕江南河支流流经，东距加兴村270米，西南距潮来港村580米，中心GPS坐标N23°29'、E116°15'，海拔27米，遗址局部已损，现存面积约20000平方米。

遗址地表遗物丰富，采集到大量印纹硬陶陶片，陶质可分为夹砂陶和泥质陶，陶色主要有黄褐陶和灰黑陶，纹饰包括曲折纹、方格纹、方格条线纹、圆圈戳印纹、附加堆纹等。

根据遗物大致可将瓢靴山遗存分为早晚两类。

瓢靴山早期遗存略由前后衔接的三种考古学文化（类型）构成。其第一种属于以曲折纹、附加堆纹为代表的虎头埔文化，此文化因最早发现于普宁市广太镇虎头埔遗址并因之而得名，年代大致为新石器时代晚期至商代；第二种属于以方格纹为代表的后山文化类型，年代大致为商代早期至商周之际；第三种则以方格条线纹为代表，其年代大致为西周晚期至春秋时期。

瓢靴山晚期文化遗存主要为地表发现的青瓷片，从釉色和形制观察，其时代为宋。

目前广东地区先秦时期文化谱系构建由于缺少足够的材料，尚无突破性认识，瓢靴山这一包含了新石器时代晚期至商周时期堆积层位的遗址显得尤为珍贵。其发现对研究普宁乃至广东地区先秦时期的文化谱系具有非常重要的价值。

瓢靴山遗址全景（西南—东北）

瓢靴山遗址采集陶片

2. 普宁市店前山新石器时代晚期至商周时期遗址

遗址位于揭阳市普宁市广太镇仁美村店前山，西北距仁美村300米，东距京狮池村400米，中心GPS坐标N23°27'、E116°16'，海拔24米，遗物分布面积约3000平方米。

店前山西部有滑坡现象，地表多被平整且满布树坑。地表采集到大量印纹硬陶陶片，陶质可分为夹砂陶和泥质陶，陶色主要有黄陶、褐陶和灰黑陶，纹饰包括曲折纹、条纹、方格纹、长方格纹、梯格纹、菱格纹、附加堆纹等。根据采集遗物，大致可将店前山遗存分为虎头埔文化和后山文化类型两类，其时代为新石器时代晚期至商周之际。

店前山遗址全景（西—东）

店前山遗址探沟出土陶片

3. 普宁市树篮山新石器时代晚期至秦汉时期遗址

遗址位于揭阳市普宁市广太镇京狮池村老寨树篮山，西北距京狮池村320米，东距南交村200米，中心GPS坐标N23°26'、E116°17'，海拔22米，遗物分布面积约为500平方米。

树篮山为低矮的山前台地，地表多被平整。采集少量印纹硬陶陶片，陶质主要为泥质陶，陶色有灰陶和黄褐陶，纹饰仅见交错条纹、细方格纹等。遗物分别属于新石器时代晚期的虎头埔文化和战国晚期至秦汉时期。粤东地区秦汉时期遗存所见不多，该遗址的发现填补了相关材料的空白。

树篮山遗址全景（西北—东南）

树篮山遗址地表采集陶片

4. 潮阳区禁头山新石器时代晚期遗址

遗址位于汕头市潮阳区金灶镇波头村禁头山，东北距波头村850米，北距234省道320米，西北为占仔山，东部有小溪流经，中心GPS坐标为N23°26'、E116°25'，海拔30米，遗址部分被山间道路破坏，现存面积约2000平方米。

地表采集到青石磨制石镞1件，陶片有泥质印纹硬陶，陶色仅有黄褐色，纹饰主要有曲折纹、条纹等。禁头山遗址的遗物较为单纯，时代为新石器时代晚期，属虎头埔文化。

禁头山遗址全景

禁头山遗址采集陶片

5. 潮阳区田中山新石器时代晚期遗址

遗址位于汕头市潮阳区金灶镇波头村田中山，西北距波头村760米，北距234省道530米，西为禁头山，中心GPS坐标N23°26'、E116°25'，海拔37米。

该遗址仅在山腰地表采集到长方格纹泥质灰陶一片，其纹饰具有典型的新石器时代晚期虎头埔文化特征。

田中山遗址全景（西—东）

田中山遗址采集陶片

二、遗物点

梅县区上屋山商周和明清时期遗物点

遗物点位于梅州市梅县区程江镇大塘村上屋山，西距大塘村500米，东距大和村750米，GPS坐标N24°14'、E116°4'，海拔132米。地表发现方格纹陶片和青花瓷片等，遗物较细碎，可辨器类有碗、碟等，根据方格纹陶片的形状和纹饰判断，应为粤东地区后山文化的圆腹罐或子口钵腹片，其时代为早商时期至商周之际。青花瓷片属明清时期。

上屋山遗物点所发现的遗物

4.7 宁（波）（东）莞高速公路粤闽界至潮州古巷段

项目编号 GDKG–2013–021–DK19

实施时间 2013年10月

建设单位 广东南粤交通投资建设有限公司

协作单位 潮州市文化广电新闻出版局、潮州市博物馆、饶平县文化广电新闻出版局、饶平县博物馆、潮州市潮安区文物管理委员会办公室

宁莞高速闽粤界至潮州古巷段项目位于粤东地区的潮州市境内，总体呈东北至西南走向，起点接福建省沈海高速复线漳州至诏安段，向西南经饶平县的东山、浮山、浮滨、樟溪，湘桥区的磷溪、意溪，潮安的文祠、归湖、古巷等镇，终点与潮惠高速相接，路线走廊带大致位于东经116°22′～117°11′，北纬23°28′～24°14′之间。调查总面积约167.18万平方米。

彩英坑遗址地貌

遗址

潮安区彩英坑新石器时代和明代遗址

遗址位于潮州市潮安区归湖镇凤东村东南彩英坑自然村北部小山东侧，中心GPS坐标N23°44′、E116°37′，遗址面积约10000平方米。

山冈东坡较缓，北及西坡较陡，北侧建有灌溉水渠。

遗址中心位于东侧缓坡及坡下的平地上，地表散落大量泥质灰陶片、瓦片，自然断面上可见青瓷碗残片及少量夹砂红陶片等，文化层保存厚度达50～70厘米。夹砂陶火候较低，时代为新石器时代；瓷碗残件及瓦片属明代。

彩英坑遗址遗物

4.8 汕昆高速公路龙川至怀集段

项目编号 GDKG–2013–022–DK20

实施时间 2013年10月～2014年2月

建设单位 广东省南粤交通投资建设有限公司

协作单位 河源市文化广电新闻出版局、清远市文化广电新闻出版局、肇庆市文化广电新闻出版局、韶关市文化广电新闻出版局、龙川县博物馆、东源县博物馆、连平县博物馆、翁源县博物馆、英德市博物馆、清新区博物馆、阳山县博物馆、怀集县博物馆、湛江市博物馆、五华县博物馆

项目东起河源市龙川县，西至肇庆市怀集县，途经河源市东源县、连平县，韶关市翁源县，清远市英德市、清新区及阳山县，路线涉及4个地级市、8个县（市），全长365.995千米。

一、遗址

1. 龙川县石子顶新石器时代晚期和春秋时期遗址

遗址位于河源市龙川县老隆镇涧洞村石子塘村南石子顶，北距东江约1000米，南距梅河高速约650米，中心GPS坐标N24°4'、E115°13'，海拔117米，相对高度约50米。遗址面积约5000平方米。

石子顶为东江南岸低山，南侧为山地，东、西两侧较为开阔，山东有溪流自南往北流过；北、东坡较陡，南、西坡较缓，红壤土发育较好，局部含有角砾石。

陶片分布于山顶、南坡和西北坡，皆为硬陶，多泥质灰陶，纹饰主要有曲折纹、附加堆纹、菱格纹及夔纹等，其中部分菱格纹、夔纹陶片胎较厚，内壁有凸点状垫痕，可辨器形有敞口宽折沿罐和矮圈足罐等。

石子顶遗址发现陶片数量较多，可分为早晚两组：第一组具备粤东地区新石器时期虎头埔文化的

石子顶遗址远景

石子顶遗址出土陶器

陶器风格特点，第二组则属于东周时期在广东地区分布较广的“夔纹陶文化”。

2. 英德市排下山新石器时代晚期遗址

遗址位于清远市英德市青塘镇马岭村北侧排下山东南坡，西距滃江支流约 2.5 千米，中心 GPS 坐标 N24°14'、E113°53'，海拔 115 米，山顶相对高度约 30 米，遗迹面积约 20000 平方米。

排下山为山前侵蚀台地，其东、北为低山，南临河谷，南坡平缓开阔，下部开垦为农田，地表较多杂草，局部暴露棕黄色黏土，南坡上部及山顶坡度稍陡。

遗址地表陶片较多，另发现数件残砺石与 1 件磨制石镞。陶片分泥质印纹硬陶和夹砂软陶，硬陶纹饰主要为条纹与交错条纹，少量重圈纹，部分陶片上可见附加堆纹。可辨器形有罐、釜与鼎。勘探显示遗址文化层保存较厚，并发现灰坑和墓葬等遗迹。

遗址采集与出土陶器具有明显的新石器时代晚期虎头埔文化器物特征，同时，出土的夹砂黑陶鼎足又暗示其与石峡文化存在密切联系。遗址文化遗物分布面积较大、文化遗存内涵丰富，是一处保存情况较好的新石器时代晚期遗址。

排下山遗址地表采集陶器

排下山遗址远景

3. 东源县龙尾排商时期墓地

墓地位于河源市东源县船塘镇凹头村龙尾小组南龙尾排，东距小河约1千米，中心GPS坐标N24°8'、E114°57'，海拔178米，相对高度约20米，分布面积约为5000平方米。

龙尾排为山前侵蚀台地，南侧与西侧为山地，其余两侧为开阔河谷地带，台地地势较为低平，顶部面积大而平缓，局部地表裸露小角砾与紫红色基岩风化壳。

坡顶北部地表采集到少量泥质方格纹灰陶，探沟出土较多方格纹陶片与残凹底罐1件，另发现长方形竖穴土坑墓1座，随葬方格纹凹底罐1件。墓葬出土的凹底罐属于后山文化典型器物。综合分析，龙尾排为保存情况较好的商时期墓地。

龙尾排墓地地表采集陶片

龙尾排墓地TG1M1出土陶凹底罐

龙尾排墓地远景

大旗山遗址远景

4. 连平县大旗山战国遗址

遗址位于河源市连平县忠信镇东升村北部大旗山南坡，西约 500 米处为小河，西南距忠信河约 3.5 千米，东北约 500 米处为县级文物保护单位牛栏坑遗址，中心 GPS 坐标 N24°13'、E114°45'，海拔 174 米，相对高度约 15 米，遗址面积约 30000 平方米。

大旗山为东江支流忠信河北岸低山，其南坡为大范围缓坡，地势低平，坡下为开阔平坦的河谷地带。

遗址地表暴露棕黄色黏土，所见陶片数量多，个体大，探沟文化层中亦出土较多陶片。陶片多数为泥质印纹硬陶，少量为夹砂黑陶，纹饰以方格纹与米字纹为主，另有方格纹加旋纹、篦点纹加旋纹与席纹等。可辨器形有罐、瓮、瓿与碗等。

大旗山遗址地表采集陶器

综合踏查与勘探结果，大旗山遗址是一处文化遗存数量多、面积大、内涵丰富、性质复杂且保存较好的战国时期遗址，其个别遗存的时代可能更早，对研究东江流域先秦考古学文化与岭南战国秦汉历史有重要意义。

5. 连平县八字山新石器时代和战国时期遗址

遗址位于河源市连平县油溪镇油东村北八字山，西南距忠信河约400米，中心GPS坐标N24°13'、E114°41'，海拔167米，相对高度约60米，遗物分布面积约30000平方米。

八字山为忠信河北岸的侵蚀台地，其西北为山地，南为河谷。八字山由东、西两组台地组成，中间为峡口，平面形状略呈八字形，故名。遗址主要分布在八字山西部相连的台地，其平面形状又略呈横“U”字形。遗址东坡相对较平缓，其余则相对较陡。地表部分区域裸露棕黄色黏土，局部散布较多小角砾石和大块砾石。

八字山遗址地表采集陶片

遗址地表多处发现相对集中分布的文化遗物。遗址南部山腰采集陶片与原始瓷片，陶片有泥质印纹硬陶和夹砂软陶，硬陶纹饰有米字纹、方格纹与水波纹等，软陶纹饰有绳纹等，可辨器形有陶罐、瓿和原始瓷碗。西部山顶采集少量泥质方格纹和雷纹陶片。北部山腰采集少量夹砂灰色方格纹、泥质黄色外雷纹内三角凸点纹、灰色旋纹和素面陶片，可辨器形有罐。

八字山遗址延续时间较长、文化遗存较为丰富、遗物分布面积较大，其时代最早可至新石器时代，最晚可至战国时期。

八字山遗址远景

6. 翁源县引子岽先秦时期遗址

遗址位于韶关市翁源县龙仙镇塘下村西引子岽，南浦河于其东、北约100米处蜿蜒而过，中心GPS坐标N24°23'、E114°11'，海拔192米，相对高度约70米，遗址面积约4000平方米。

引子岽为滃江上游南浦河南岸低山，地处狭长的河谷地带，四周多为低山或山前侵蚀台地，其北、南、东坡较陡，西坡较缓，地表散布有较多角砾石，土壤发育较差。

山顶西部较平坦处采集少量陶片，探沟出土陶片较多，并出土石矛、石矛毛坯、砺石与残石器各1件。陶片以泥质硬陶为主，部分夹砂软陶；硬陶纹饰种类繁多，有方格纹、条纹、叶脉纹、曲折纹、方格凸块纹与重圈纹等，可辨器形有罐与釜等。探沟文化层保存不理想，仅在南坡发现相对较厚的棕黄色黏土文化层堆积，其余多为基岩风化壳与角砾堆积。

引子岽遗址遗物数量较多，文化层和其他相关遗迹保存较差，其时代为先秦时期。

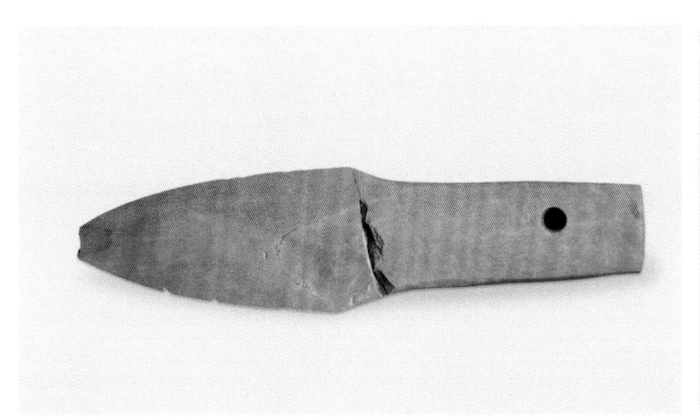
引子岽遗址探沟出土石矛

引子岽遗址探沟出土陶片

引子岽遗址远景

7. 龙川县桥头山先秦遗址

遗址位于河源市龙川县义都镇新潭村杠下自然村南桥头山，中心GPS坐标N24°8'、E115°9'，海拔202米，相对高度约50米。遗址分布面积较大，约15000平方米。

桥头山遗址地表采集陶器

桥头山为山前侵蚀台地，南依山地，东、西两侧为山间谷地，北为河谷平地，距北麓约50米处有小河自西向东流过。山坡稍陡，山顶、山坡遍布杂草，局部种植有茶树。棕红壤发育较好，土层较厚，含较多粗砂粒。

遗物分布较广，在山顶、东坡、北坡局部地表皆可见陶片。陶片分泥质硬陶与夹砂软陶两类，纹饰有方格纹、方格凸块纹、叶脉纹、曲折纹与附加堆纹等。陶片大多较残碎，可辨器形有罐，探沟文化层中出土陶纺轮1件与石锛2件，并发现较多红烧土块。

遗址文化层保存较厚，遗址时代为先秦时期。

桥头山遗址远景

8. 英德市山黄岭南朝至唐代墓地

墓地位于清远市英德市望埠镇同心村山黄岭北坡，西距东江约 7000 米，中心 GPS 坐标 N24°16'、E113°31'，海拔 54 米，相对高度约 10 米，面积约 3000 平方米。

山黄岭为河谷侵蚀台地，四周皆为低缓的侵蚀台地，东、南、北三方与山地相望，中、西部为河谷，部分地表暴露棕黄色黏土堆积。

北坡三处地表发现集中分布的墓砖与陶器残片。砖为长方形砖，饰有叶脉纹、方格纹、车轮纹或花卉纹；陶器有黑釉与青釉带耳陶罐，墓地时代为南朝至唐代。

山黄岭墓地地表采集墓砖

山黄岭墓地地表采集瓷片

山黄岭墓地远景

9. 英德市长白岭南朝至唐代墓地

墓地位于清远市英德市望埠镇望河村潘屋自然村西北长白岭南坡，西南距北江约5000米，中心GPS坐标N24°17'、E113°29'，海拔68米，相对高度约20米，面积约3000平方米。

长白岭为河谷侵蚀台地略呈东北-西南走向其东、西皆有多个台地相连，南、北则为开阔河谷平地。长白岭南坡相对比较平缓，棕黄土发育较好，土层深厚。

地表发现两处相对集中分布的墓砖，有长方形和刀形两种，砖上饰叶脉纹，墓地时代为南朝至唐代。

长白岭墓地地表采集墓砖

长白岭墓地远景

10. 英德市水尾背南朝至唐代墓地

墓地位于清远市英德市石灰铺镇石灰村第四伙自然村水尾背东坡，西北距小北江支流约2000米，中心GPS坐标N24°14'、E113°14'，海拔53米，相对高度约10米，面积约2000平方米。

水尾背位于小北江下游盆地，为山前侵蚀台地，地势低矮平缓，西、南坡相对较陡，北、东坡较缓，棕黄土发育较好，其四周多石灰岩低山。

地表发现少量泥质红色叶脉纹墓砖，现代沟壁上发现有砖室墓券顶露头，墓地时代为南朝至唐代。

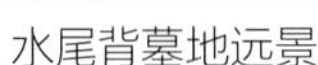

水尾背墓地远景

水尾背墓地地表采集墓砖

11. 英德市老虎窝南朝至唐代墓地

墓地位于清远市英德市西牛镇赤米管理区单竹径村北老虎窝，南距小河约500米，中心GPS坐标N24°10'、E113°4'，海拔63米，相对高度约30米，面积约3000平方米。

老虎窝为山前侵蚀台地，北为山地，其余三侧皆为台地，坡势较平缓，棕黄土发育良好，植被茂密。因开山垦地，老虎窝地表的原生堆积几乎被破坏殆尽。

南坡地表采集到少量黑釉陶片与青釉瓷碗残片，南坡中部断崖处发现残墓1座，墓地时代为南朝至唐代。

老虎窝墓地远景

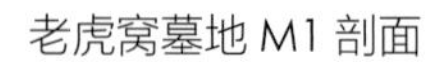
老虎窝墓地 M1 剖面

老虎窝墓地 M1 出土瓷罐

二、遗物点

1. 龙川县南山窝先秦遗物点

遗物点位于河源市龙川县义都镇新潭村新民自然村东南南山窝，GPS 坐标为 N24°8'、E115°9'，海拔 190 米，相对高度约 40 米。顶部地表采集泥质曲折纹灰陶 1 片与残石环 1 件，遗物点时代为先秦时期。

南山窝遗物点地表采集陶片与石环

南山窝遗物点远景

2. 东源县龙祖山先秦遗物点

遗物点位于船塘镇小水村大寨自然村北龙祖山，GPS 坐标 N24°10'、E114°51'，海拔 152 米，相对高度约 40 米。山顶采集先秦时期残石锛 1 件，未见陶片及其他文化遗物。

龙祖山遗物点远景

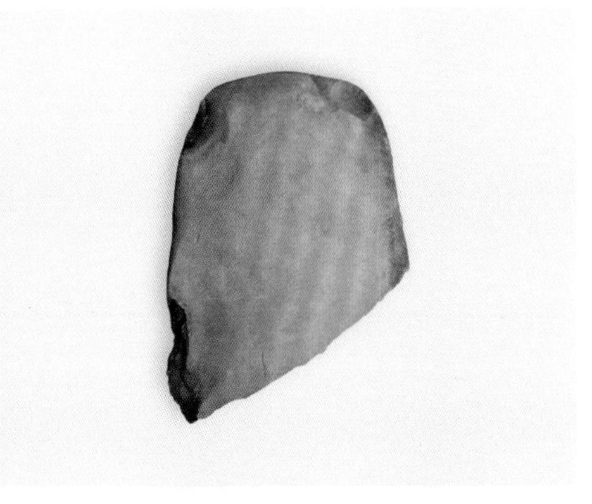
龙祖山遗物点地表采集石器

3. 连平县官山先秦遗物点

遗物点位于河源市连平县忠信镇曲塘村东北的官山，西北距县级文物保护单位矮山遗址约 800 米，GPS 坐标 N24°13'、E114°44'，海拔 163 米，相对高度约 15 米，遗物点地表采集先秦时期石锛 1 件和少量泥质条纹、交错条纹灰陶。

官山遗物点地表采集石锛与陶片

官山遗物点远景

4. 连平县垇头先秦遗物点

遗物点位于河源市连平县元善镇东联村陈皮合自然村西垇头东坡，GPS坐标N24°21'、E114°28'，海拔245米，相对高度约15米。垇头为山前侵蚀台地，采集少量夹砂交错条纹灰陶、泥质素面灰陶片和磨制石锛1件，遗物点时代为先秦时期。

垇头遗物点地表采集石器与陶片

垇头遗物点远景

5. 翁源县牛拨岭春秋时期遗物点

遗物点位于韶关市翁源县龙仙镇新饶村东南牛拨岭西坡，GPS坐标N24°17'、E114°2'，海拔125米，相对高度约20米。牛拨岭为滃江南岸二级阶地，发现少量春秋时期的夔纹和方格纹陶片。

牛拨岭遗物点地表采集陶片

牛拔岭遗物点远景

6. 英德市铺船岗新石器时代晚期遗物点

遗物点位于清远市英德市青塘镇新青村东北铺船岗东坡，GPS坐标N24°22'、E113°84'，海拔120米，相对约20米。铺船岗为山前侵蚀台地，东坡中部采集泥质硬陶片1块，为矮圈器底部，饰交错条纹，与虎头埔文化陶器的典型风格相同，时代为新石器时代晚期。

铺船岗遗物点地表采集陶器

铺船岗遗物点远景

7. 英德市蔗场先秦遗物点

遗物点位于清远市英德市东华镇石角梁村东南的蔗场北坡，GPS坐标N24°14'、E113°40'，海拔90米，相对高度约20米。蔗场为滃江北岸二级阶地，北坡中部地表采集少量泥质方格纹黄褐陶，器形不可辨，时代约为先秦时期。

蔗场遗物点地表采集陶片

蔗场遗物点远景

8. 英德市大岭窝先秦遗物点

遗物点位于清远市英德市望埠镇同心村大岭窝东北坡，GPS坐标N24°16'、E113°31'，海拔50米，相对高度约30米。大岭窝为山前侵蚀台地，东北坡中部地表采集残磨制石铲1件，时代约为先秦时期。

大岭窝遗物点地表采集石铲

大岭窝遗物点远景

9. 英德市谭屋唐代遗物点

遗物点位于清远市英德市望埠镇谭屋村西北的山前坡地，GPS 坐标 N24°16'、E113°30'，海拔 40 米，相对高度约 5 米，地表散见唐代泥质黑釉陶罐、青瓷饼足碗等残片。

谭屋遗物点地表采集陶片

谭屋遗物点远景

10. 英德市大蔗塘唐代遗物点

遗物点位于清远市英德市横石塘镇仙桥村北大蔗塘南坡，GPS坐标N24°17'、E113°29'，海拔43米，相对高度约6米。大蔗塘为侵蚀台地，地表采集少量唐代泥质黑釉陶片与青釉瓷片。

大蔗塘遗物点地表采集陶、瓷片

大蔗塘遗物点远景

11. 英德市塘鼓岭唐代遗物点

遗物点位于清远市英德市西牛镇赤米管理区单竹径村西北塘鼓岭北坡，东距老虎窝墓地约1200米，GPS坐标N24°10'、E113°3'，海拔61米，相对高度约30米，塘鼓岭为侵蚀台地，地表发现少量唐代泥质黑釉陶片。

塘鼓岭遗物点地表采集陶片

塘鼓岭遗物点远景

12. 怀集县小黎坳唐代遗物点

遗物点位于肇庆市怀集县怀城镇谭舍村西南小黎坳顶部，GPS 坐标 N24°6'、E112°52'，海拔 92 米，相对高度 20 米。小黎坳为侵蚀台地，地表采集少量唐代青瓷片和泥质黑釉陶片，可辨器形有碗等。

小黎坳遗物点远景

小黎坝遗物点地表采集陶、瓷片

上芒山遗物点地表采集陶片

13.怀集县上芒山唐代遗物点

遗物点位于肇庆市怀集县怀城镇谭勒村罗龙自然村北上芒山南坡，西南距绥江支流中洲河约1800米，GPS坐标N23°57'、E112°12'，海拔43米，相对高度10米。地表采集少量唐代泥质黑釉陶片，可辨器形有罐等。

上芒山遗物点远景

三、相关遗址及遗物点

1. 河源市岗头岭新石器时代晚期至战国遗址

遗址位于河源市龙川县义都镇新潭村背头自然村东岗头岭，与桥头山遗址隔河相望，南距桥头山约200米。中心GPS坐标N24°9'、E115°9'，海拔186米，相对高度约30米，遗址面积约4000平方米。

岗头岭为山前侵蚀台地，东北临东江支流，北、东、南侧为山间河谷，地势相对较缓，地形较为开阔，顶部尤为平缓。山顶遍布杂草，部分区域地表裸露，棕红壤土发育较好，含有较多砂粒。

山顶北部与中部地表散落大量陶片。陶片主要是泥质硬陶，少量为泥质与夹砂软陶，纹饰有菱格纹、小方格纹、席纹、雷纹、水波纹与三角格纹等，另有部分素面陶，个别陶器底部可见刻划符号。可辨器形有釜、罐、碗与器座等。

岗头岭遗址遗物数量较多、器类丰富、纹饰复杂、延续时间较长，其时代为新石器时代晚期至战国时期，是研究河源地区乃至整个东江流域先秦文明的重要遗址。

岗头岭遗址地表采集陶器

岗头岭遗址远景

2. 连平县烟子坪新石器时代晚期遗址

遗址位于河源市连平县元善镇密溪村河背自然村北烟子坪顶部，中心GPS坐标N24°22'、E114°27'，海拔292米，相对高度约40米，遗址面积约3000平方米。

烟子坪为河谷低山，西靠狭长河谷，东为海拔相对较高的山地，其余两侧皆为低山。烟子坪坡度较陡，顶部较为平坦，棕黄土发育较好，地表散落少量角砾石。

地表可见少量陶片，另采集到磨制残石镞1件。探沟出土石镞1件与少量陶片。陶片主要为泥质硬陶，少量为夹砂软陶。纹饰有交错条纹、曲折纹与附加堆纹等。可辨器形有罐。遗址时代为新石器时代晚期。

烟子坪遗址探沟出土陶器

烟子坪遗址远景

3. 清新区旗山冲南朝至唐代墓地

墓地位于清远市清新区浸潭镇禾联村二队东北旗山冲，西南距北江支流滨江约 800 米，中心 GPS 坐标 N24°10'、E113°4'，海拔 78 米，相对高度 20 米，面积约 2000 平方米。

旗山冲为山前缓坡，北依山地，南为开阔的河谷地带。地表散落较多泥质黄红色墓砖和少量泥质灰胎黑釉陶，砖饰叶脉纹和绳纹，墓地时代为南朝至唐代。

旗山冲墓地远景

4. 东源县长岗岭先秦遗物点

遗物点位于河源市东源县船塘镇许村南长岗岭坡顶西部，GPS 坐标 N24°9'、E114°58'，海拔 180 米，相对高度 20 米。长岭岗为东北—西南向的狭长形山前土岗，顶部平缓，采集少量泥质方格纹灰陶和残石锛 1 件，时代约为先秦时期，可能与龙尾排墓地关系密切。

长岗岭遗物点远景

长岗岭遗物点地表采集陶片

4.9 武（汉）深（圳）高速公路仁化至博罗段

项目编号 GDKG–2013–023–DK21

实施时间 2013年10～12月

建设单位 广东省南粤交通投资建设有限公司

协作单位 韶关市文化广电新闻出版局、韶关市博物馆、惠州市文化广电新闻出版局、惠州市博物馆、仁化县文化广电新闻出版局、仁化县博物馆、始兴县文化广电新闻出版局、始兴县博物馆、翁源县文化广电新闻出版局、翁源县博物馆、新丰县文化广电新闻出版局、新丰县博物馆、龙门县文化广电新闻出版局、龙门县博物馆、博罗县文体旅游局、博罗县博物馆

武（汉）深（圳）高速公路仁化至博罗段北起湘粤省界仁化县大麻溪，路线走向整体呈北南向，途经仁化县、始兴县、翁源县、连平县、新丰县、龙门县和博罗县，线路总长268千米。

一、遗址

1. 仁化县黄岭坪先秦遗址和南朝墓地

遗址及墓地位于韶关市仁化县城口镇东光管理区水东村锦江以东的黄岭坪，西距井口自然村约700米，中心GPS坐标为N25°15'、E113°44'，海拔170米，分布面积约5000平方米。

黄岭坪地表多被平整，南部被毁。采集少量泥质灰色硬陶，纹饰主要为方格纹，广东地区饰有这种纹饰的陶片，在商周直至秦汉时期的遗址中均有发现；另见少量青瓷碗残片和叶脉纹墓砖。田坎可见砖室墓露头，周边散落大量叶脉纹墓砖和青瓷假

黄岭坪发现墓砖

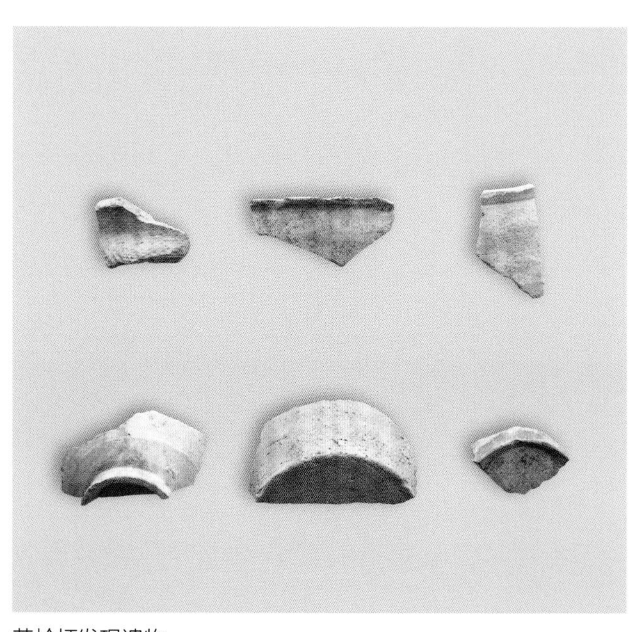

黄岭坪发现遗物

圈足碗、青釉罐残片等随葬器物。综合看来，以泥质方格纹硬陶为代表的早期遗存分布面积较小，保存欠佳，文化内涵甚为不详；而南朝墓葬分布较广，保存较好，是其主要部分。

长岭墓地墓葬暴露情况

2. 仁化县长岭南朝墓地

墓地位于韶关市仁化县黄坑镇自然头村长岭和井口山。

长岭位于锦江以南，北距自然头村约780米，墓地中心GPS坐标N25°2'、E113°48'，海拔110米，分布面积约180平方米。地表散落大量叶脉纹墓砖，并采集到青瓷碗、盘和青釉罐残片。

井口山墓地南距长岭墓地约191米，中心GPS坐标N25°2'、E113°48'，海拔104米，分布面积约1000平方米，地表发现少量南朝墓砖，未见其他相关遗物。从墓砖形制以及墓地相对位置关系推测，长岭和井口山应是同一南朝墓地的两区。

长岭墓地采集遗物

3. 龙门县李屋春秋至战国时期遗址

遗址位于惠州市龙门县龙田镇李屋村东，白沙河东南，西距李屋自然村约570米，中心GPS坐标N23°47'、E114°16'，海拔97米，分布面积约2000平方米。

遗址地表采集大量泥质印纹硬陶，纹饰主要有米字纹、方格纹及夔纹，时代应为春秋战国时期。

4. 龙门县河田战国遗址

遗址位于惠州市龙门县龙城街道办江夏村河田自然村，北距江夏村550米，南距河田村约200米，中心GPS坐标N23°43'、E114°17'，海拔93米，分布面积约1000平方米。

地表采集大量陶片及1件完整石锛，陶片多为印纹硬陶，纹饰主要为方格纹和米字纹，遗址时代为战国时期。

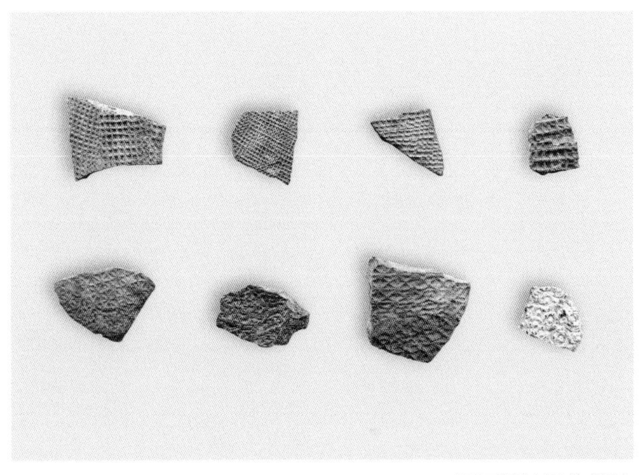
河田遗址采集遗物

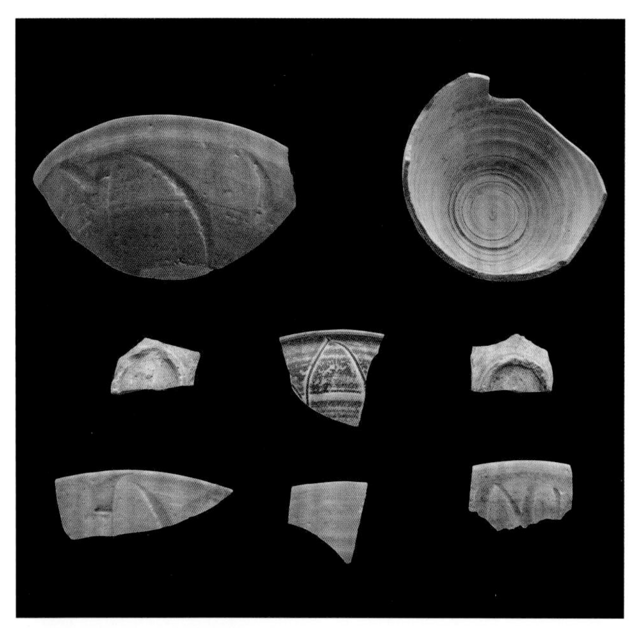
黄田村背遗物点采集遗物

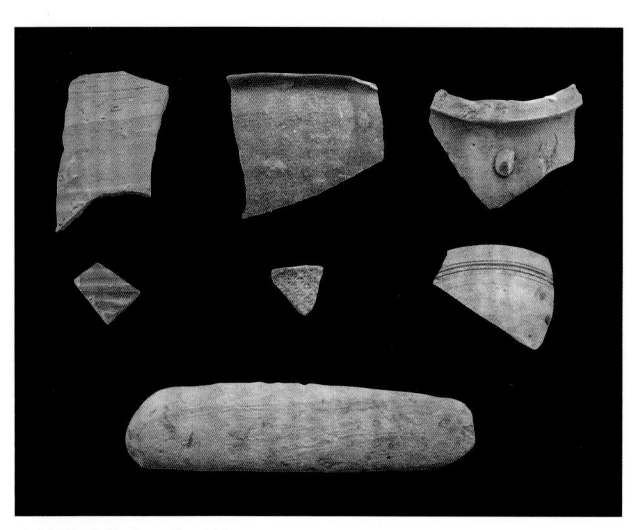
高扶岭遗物点采集遗物

山塘背遗物点采集墓砖

二、遗物点

1. 仁化县黄田村背宋代遗物点

遗物点位于韶关市仁化县丹霞街道管理区黄田村西约116米的柑橘园内，GPS坐标25°8'、E113°46'，海拔116米，采集少量宋代陶瓷残片。陶片主要为泥质素面灰陶，有罐、钵等；釉陶多施酱釉，可辨器形为碗；瓷器可辨器形主要为刻花青瓷碗。

2. 仁化县高扶岭战国和宋代遗物点

遗物点位于韶关市仁化县黄坑镇高扶村高扶岭，县道320以北，南距井口自然村约630米，GPS坐标N25°3'、E113°48'，海拔89米。地表采集少量陶瓷残片和石器。陶片有泥质米字纹印纹硬陶，时代应为战国时期；泥质灰陶素面罐、四系罐等则为宋代遗物。

3. 仁化县山塘背南朝遗物点

遗物点位于韶关市仁化县周田镇台滩管理区山塘背，韶赣高速S10以北，南距浈江约980米，GPS坐标N24°59'、E113°51'，海拔91米。地表采集南朝时期的叶脉纹、菱格纹墓砖，墓葬无存。

4. 始兴县麦屋明代遗物点

遗物点位于韶关市始兴县沈所镇麦屋村西南，距丰园自然村约280米，GPS坐标N24°54'、E114°0'，海拔136米。地表采集少量明代青花瓷片，可辨器形有碗等。

5. 翁源县桐子坪宋代遗物点

遗物点位于韶关市翁源县坝仔镇毛屋村西南桐

桐子坪遗物点采集遗物

大窝顶遗物点采集陶片

子坪水库东边山坡，距毛屋自然村约 260 米，GPS 坐标 N24°32'、E114°4'，海拔 269 米。地表采集少量宋代青瓷和白瓷片，可辨器形有圈足碗等。

6. 龙门县大窝顶东周遗物点

遗物点位于惠州市龙门县龙田镇寺前村北、白沙河东约 30 米的大窝顶山，西距林屋自然村约 730 米，南距寺前自然村约 580 米，GPS 坐标 N23°47'、E114°16'，海拔 86 米。地表采集少量陶片和 2 件较完整石锛。陶片有泥质米字纹和方格纹印纹硬陶，罐口沿、腹部残片居多，时代为春秋战国时期。

7. 龙门县甘坑宋代遗物点

遗物点位于惠州市龙门县路溪镇蒲田村南山坡广河高速公路旁，GPS 坐标 N23°33'、E114°17'。采集少量宋代青瓷和白瓷片，可辨器形有碗、罐等。

大窝顶遗物点采集石器

甘坑遗物点采集遗物

第二节
抢救发掘类

4.10 广东省潮州至惠州高速公路

项目编号 GDKG-2013-006-FJ01

实施时间 2013年5月～2014年1月

建设单位 广东潮惠高速公路有限公司

协作单位 揭阳市文化广电新闻出版局、揭阳市博物馆、揭西县文化广电新闻出版局、揭西县博物馆、汕尾市文化广电新闻出版局、海丰县博物馆、普宁市文化广电新闻出版局、普宁市博物馆

1. 揭西县宫墩村清代窑址

1）金斗科凹窑

窑址位于揭阳市揭西县河婆镇宫墩村金斗科凹，测绘基点GPS坐标N23°24'、E115°50'，发掘面积700平方米。

发掘龙窑1座，编号为金斗科凹1号窑。该窑为依山而建的长条形砖砌斜坡式龙窑，窑内废品堆积如山，出土大量清晚期青花瓷碗和窑具残片，瓷器胎质细腻坚硬，胎色灰白或白色。施釉均匀，胎釉结合较好，火候较高。常见因釉的流动、窑具倒塌、间隔不匀等而形成的器物黏结及器物与窑具粘黏现象。器物成型以轮制为主，烧制工艺多为正置叠烧。主要可辨器形有敞口圈足碗。窑具有漏斗形匣钵、瓷垫饼等。

金斗科凹窑出土瓷碗

2）旱坑窑

窑址位于揭阳市揭西县河婆镇宫墩村旱坑，测绘基点GPS坐标N23°24'、E115°50'，发掘面积500平方米。

发掘龙窑1座，编号为旱坑1号窑。该窑为长条形砖砌龙窑，依山势建筑，前半段是阶级式，后段为斜坡式。由于损毁严重，窑内无遗物出土。窑外废品堆积保存较好，均为清晚期青花瓷碗和窑具残片。

金斗科凹窑和旱坑窑均为结构比较复杂的龙窑，窑床坡度科学，保存比较完整，承载的研究信息较为丰富，为研究岭南乃至我国明清瓷器的成型技术、装烧工艺、窑炉水平及产品特征等提供了宝贵资料。

金斗科凹窑发掘后

旱坑1号窑址发掘后

乌崇岭遗址发掘后全貌

2. 揭西县乌崇岭新石器时代晚期遗址

遗址位于揭阳市揭西县河婆镇回澜寨村乌崇岭，测绘基点GPS坐标N23°24'、E115°50'，发掘面积1070平方米。

乌崇岭为莲花山脉的山前侵蚀台地，其原生堆积主要为红褐色黏土，含较多砂粒，底部为杂色基岩风化土。因水土流失等因素，山顶文化层堆积较薄，山下文化层渐厚。山顶中部因现代修建蓄水池和战壕，文化层局部被毁。

遗址性质比较单纯，发现新石器时代晚期灰坑11个，用火遗迹2个。文化层出土陶片以泥质硬陶、泥质软陶、夹砂陶为主，纹饰有条纹、交错条纹、长方格纹、重圈纹、附加堆纹、叶脉纹、梯格纹及多种组合纹饰，可辨器形有圜底釜、矮圈足罐和器座等；石器主要有镞、锛和砺石等；另出土大量打击石片。

遗址出土遗物特征与普宁虎头埔窑址一致。遗址发现的各类石器、用火遗迹、大量烧土块和炭粒，对其聚落形态的研究提供了依据。

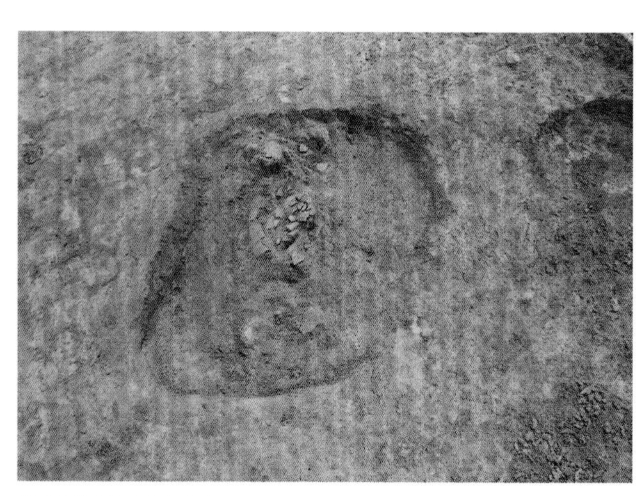

乌崇岭遗址H5特写

3. 普宁市葫芦山新石器时代晚期遗址

遗址位于揭阳市普宁市广太镇寨山头村葫芦山，测绘基点 GPS 坐标 N23°28'、E116°16'，发掘面积 1120 平方米。

葫芦山属于山前侵蚀台地，四周是干涸的古代河道，其原生堆积主要为红褐色黏土，含较多砂砾，底部堆积为杂色基岩风化土。因水土流失、种植作业等，发掘区内遍布现代树坑、排水沟及梯田，地层堆积部分被扰乱。

共清理新石器时代晚期灰坑 13 个，出土石器、陶器、瓷器和铁器等 90 余件。陶片数量和种类都比较丰富，有泥质硬陶、泥质软陶、夹砂陶等，纹饰有条纹、交错条纹、曲折纹、重圈纹、附加堆纹和组合纹。器类多样，有陶器座、纺轮、陶球、矮圈足罐、圜底釜和石镞、石锛、砺石、石球等。

此外，还清理唐代墓葬 1 座，出土青瓷双系壶等遗物。

遗址时代为新石器时代晚期，属虎头埔文化。

葫芦山遗址 H5

葫芦山遗址发掘后

4. 普宁市平宝山新石器时代晚期至商周时期遗址

遗址位于揭阳市普宁市广太镇平宝山村平宝山和后畔顶，测绘基点GPS坐标N23°28'、E116°16'，发掘面积1000平方米。

平宝山遗址清理新石器时代晚期至商周时期灰坑8个，墓葬5座，出土石器、陶器近130件。陶片有泥质硬陶、泥质软陶、夹砂陶、釉陶等，纹饰有夔纹、小方格纹、条纹、交错条纹、曲折纹、重圈纹、附加堆纹和组合纹。陶器有大口尊、凹底罐、器座、纺轮、矮圈足罐、圜底釜等；石器有石戈、石璋、石镞、砺石、石锛、石环等。

遗址包含了虎头埔文化、后山文化和浮滨文化(类型)等不同时期文化或文化类型的因素，延续时间较长。

平宝山遗址H5清理后

平宝山遗址远景

平宝山遗址发掘后远景

4.11 大庆至广州高速公路粤境连平、新丰和龙门段

项目编号 GDKG–2013–012–FJ02
实施时间 2013 年 7 ～ 12 月
建设单位 广州大广高速公路有限公司
协作单位 连平县文化广电新闻出版局、连平县博物馆

1. 连平县坳顶新石器时代晚期遗址

遗址位于河源市连平县溪山镇北百高村坳顶山岗顶，测绘基点 GPS 坐标 N24°16'、E114°25'，海拔 201 米，发掘面积 500 平方米。

出土新石器时代晚期陶器和石器等文化遗物。陶器较为残碎，陶质多为泥质，陶色可分为灰、橙黄、灰白等；器表纹饰丰富多样，主要有曲折纹、条纹、弦纹、附加堆纹、圆圈凸点纹、组合纹等；可辨器形有罐、圈足罐、缽等。石器主要为石锛和残石器。

遗址时代为新石器时代晚期，属虎头埔文化。

坳顶遗址清理地表后

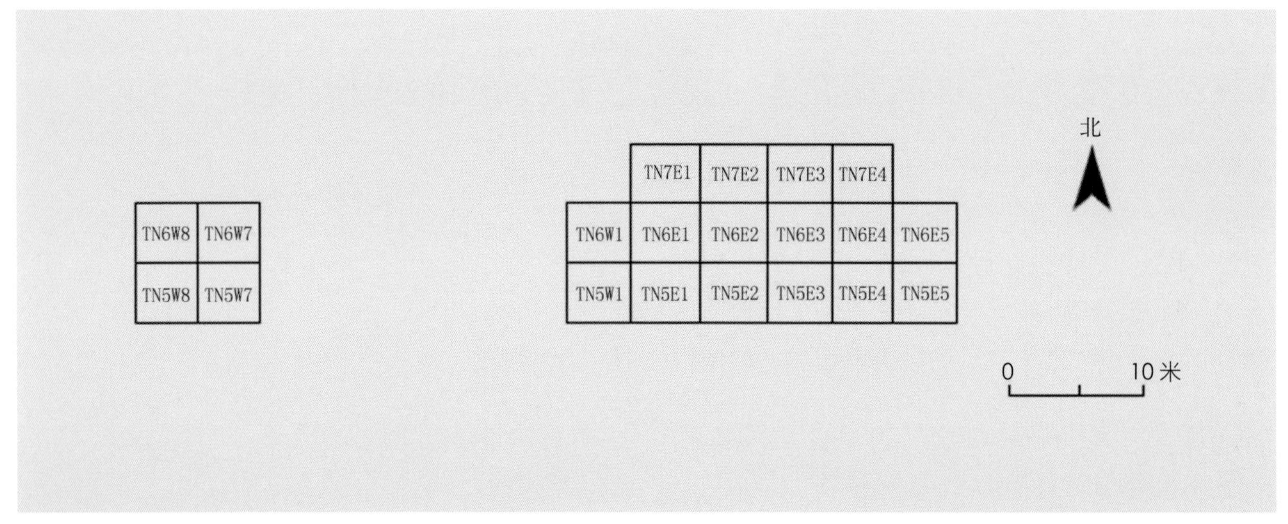

坳顶遗址探方位置分布图

坳顶遗址发掘后

坳顶遗址出土陶片

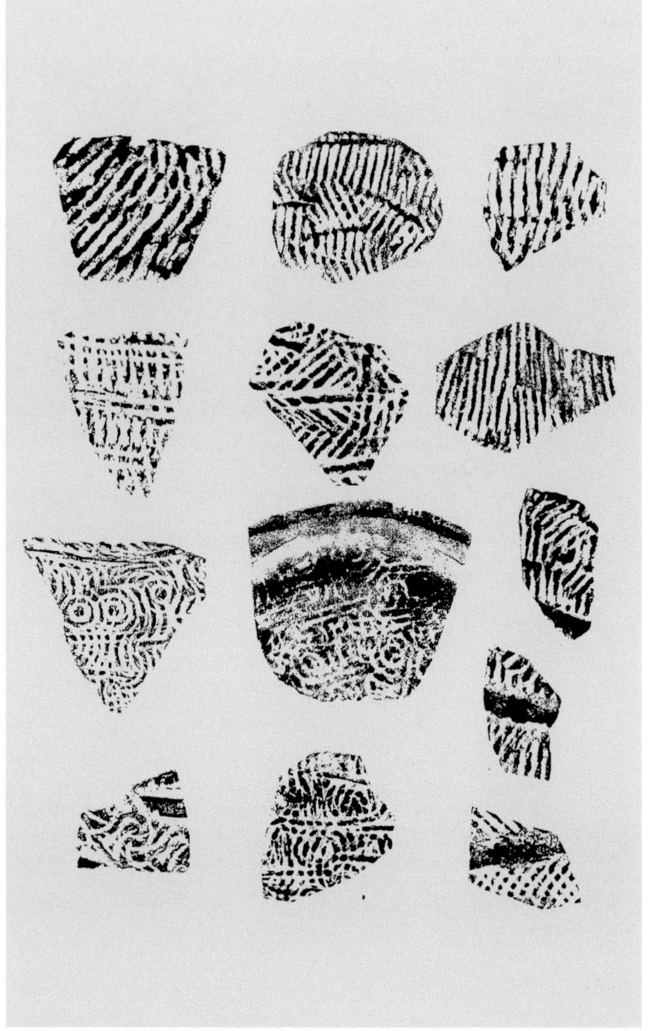

坳顶遗址出土陶器纹饰拓片

2. 连平县黄田埂商时期遗址

遗址位于河源市连平县元善镇东河村东北黄田埂，测绘基点 GPS 坐标 N24°22'、E114°30'，海拔 229 米，发掘面积 2000 平方米。

黄田埂为两条冲沟之间的山前侵蚀台地，地势平坦开阔，整体地势东高西低。东侧为九连山脉的东山，山势较陡，南北两侧为冲沟侵蚀切割的低山坡地。

遗址出土陶片以泥质灰色硬陶为主，橙红色、橙黄色软陶次之，夹砂陶极少；纹饰以细方格纹和条纹的组合纹饰占大多数，器肩以上饰方格纹，以下饰条纹；另有少量粗弦纹、细弦纹、弦纹与水波纹组合纹和零星的长方格、曲折纹和复线方格纹等。陶片残碎，可辨器形有罐、豆、盆、杯、器座和纺轮。石器主要有锛、镞、环、戈、凿、斧、石饼和砺石等。

黄田埂遗址是粤北地区晚商时期的一处重要遗址，其陶罐的某些器形特征在岭南地区同时期遗址中比较少见，而长方格纹、复线方格纹和菱格凸点纹等则常见于珠三角地区，显示其文化因素可能比较复杂。

黄田埂遗址出土陶罐口沿

黄田埂遗址发掘完成后

黄田埂遗址陶片纹饰拓片

4.12　广东省信宜（桂粤界）至茂名公路

项目编号　GDKG–2013–024–FJ03

实施时间　2013 年 11 月～ 2014 年 3 月

建设单位　广东包茂高速公路有限公司

协作单位　茂名市文化广电新闻出版局、茂名市博物馆、高州市文化广电新闻出版局、高州市博物馆、信宜市文化广电新闻出版局、信宜市博物馆、江门市博物馆、遂溪县博物馆、东莞市博物馆

1. 信宜市屋背山唐代遗址

遗址位于茂名市信宜市池洞镇岭砥村屋背山山脊，西距鉴江上游支流东江（池洞镇段）约 2 千米，东为东江支流大波河，测绘基点 GPS 坐标 N22°25'、E110°58'，海拔 150 ～ 170 米，相对高度 50 ～ 70 米，发掘面积 1100 平方米。

屋背山基本呈南北走向，其山脊北与磨盘顶山脊相连，地形平坦，发现唐代中晚期灰坑 14 个，其中袋状坑 12 个。袋状坑多数坑口已垮塌。出土大量陶器残片，另有少量青瓷碗残片、石锛、砺石及滑石器残片。出土陶片多为泥质灰陶，少量夹砂。纹饰有素面、水波纹、细凹弦纹、凸弦纹、戳点纹、多线条菱形纹等。可辨器形主要有陶纺轮、内耳夹砂陶釜、宽沿大口陶尊形器、带鋬陶盘或陶钵、陶罐、陶提梁壶等。遗址时代为唐代中晚期。

屋背山遗址灰坑内陶器出土状况

屋背山遗址出土陶大口尊形罐

屋背山遗址发掘全景

2. 信宜市大岭岗唐代遗址

遗址位于茂名市信宜市丁堡镇山背村村委会竹坡村东大岭岗岗顶及与其相连的亚王二坡坡顶，西距鉴江上游支流东江（丁堡镇段）约2千米，以东200米为东江支流小水河，测绘基点GPS坐标N22°18'、E110°57'，发掘面积700平方米。

大岭岗海拔132米，相对高度约50米，岗顶近圆形，地形平坦。亚王二坡海拔112米，相对高度约30米，地形亦比较平坦。

清理灰坑13个（其中袋状坑10个）、灰沟2条和灶1个。袋状坑多数坑口垮塌或上部被毁，出土大量陶器残片和少量石器。可辨器形主要有内耳夹砂陶釜，泥质陶罐、钵、带鋬钵、纺轮等，石器有锛、砺石等。遗址时代初步判断为唐代中晚期。

3. 信宜市马鞍岭唐代遗址

遗址位于茂名市信宜市丁堡镇大舍坡村村委会石龟湾村东北马鞍岭山脊，西距鉴江上游支流东江（丁堡镇段）约0.6千米，东南为东江支流小水河，测绘基点GPS坐标N22°17'、E110°56'，海拔80～114米，相对高度25～35米，发掘面积800平方米。

马鞍岭呈东北—西南走向，形似马鞍，山顶地形平坦，鞍部坡度较缓。

发掘灰坑21个，其中袋状坑18个，坑口或上部多已塌毁。以H5为例说明如下。

H5开口于第2层下，打破生土。坑口平面呈椭圆形，坑壁外弧，坑底平面呈圆形，坑口小底大，剖面呈袋形。坑壁中上部加工粗糙，有倒塌现

马鞍岭遗址全景

象，下部及底保存较好，坑底较光滑。填土分层，上层为灰褐色沙质土，内含大量炭粒、石块、陶片；中下层为黄褐色沙质土夹少量杂色风化岩土，含大量炭粒、石块、陶片。出土陶片以泥质灰陶为主，少量夹砂陶和泥质软陶；素面为主，常见纹饰有水波纹、弦纹和戳印纹；可辨器形有罐、釜、钵等。坑口东西短径120、南北长径175、底径165、深194厘米。

马鞍岭遗址出土遗物以陶器为主，另有少量青瓷器和石器。可辨器形有陶罐、瓮、钵、器盖、釜、尊形器，青瓷饼足碗、假圈足器和滑石珠等。青瓷饼足碗时代可早至南朝初唐，青瓷假圈足碗则常见于唐代中晚期。总体而言，遗址的时代主要为唐代，但部分文化因素稍早。

马鞍岭遗址探方遗迹分布状况

马鞍岭遗址出土陶器

4. 信宜市白坟岭唐代遗址

遗址位于茂名市信宜市水口镇简坡村村委会达仁村南侧白坟岭（又称“白坟坡”）山脊，西距鉴江上游支流东江约 1.5 千米，东北临东江支流龙山河，测绘基点 GPS 坐标 N22°14'、E110°55'，海拔 75 ～ 100 米，相对高度 30 ～ 40 米，发掘面积 1500 平方米。

白坟岭基本呈东北—西南向，地形平坦。发掘遗迹 25 处，其中灰坑 19 个（袋状坑为主），灰沟 2 条，墓葬 2 座，路面 1 条，窑 1 座。以 G2 为例说明如下。

G2 位于 TN2E2，开口于第 2 层下，北段打破岩石生土层，南段打破第 3 层。揭露长度约 7 米。平面形状为长条状，沟壁斜壁内收，沟底较平。填土红褐色，土质较疏松，包含物有石块、陶片等。出土陶片以泥质灰陶为主，少量泥质软陶和夹砂陶；可辨器形有钵、尊、带耳罐（内耳罐、外耳罐）、甑、罐等；纹饰有水波纹、戳印篦点纹、弦纹等，戳印篦点纹多见于陶尊的口沿上。较多陶片器壁及器底有火烧痕迹。沟口宽 81 ～ 132、底宽 26 ～ 66 厘米，残深 79 厘米。

白坟岭遗址出土陶器

白坟岭遗址航拍照片

白坟岭遗址出土遗物以陶片为主，另有少量青瓷碗残片、石砚台、石锛、砺石、滑石器、铁刀和铜钱。陶器可复原数量多达数十件，有纺轮、三足灯、内耳夹砂釜、宽沿大口尊形器、带鋬盘、钵、罐、提梁壶等，其时代为唐代中晚期。

5. 高州市岭坪隋唐遗址

遗址位于茂名市高州市东岸镇旺坑村村委会下旺坑和油甲村之间的岭坪及与其相连的蜘蛛岭，西北约200米为东岸河支流。岭坪及蜘蛛岭基本呈南北走向，山顶平坦，测绘基点GPS坐标N22°58'、E110°56'，海拔85～103米，相对高度30～50米，发掘面积1300平方米。

发掘遗迹39处，其中灰坑28个，灰沟8条，窑1座，灶1座，疑似房屋地面1处。以H7为例说明如下。

H7开口于第2层下，打破生土。坑口平面呈椭圆形，坑壁外弧，坑底平面呈圆形，坑口小底大，剖面呈袋形。坑壁较规整，坑底较平。坑口东西短径120、南北长径145、底径240、深360厘米。坑内堆积分7层。

第1层：厚约50厘米，灰褐色沙质黏土，土质疏松，含较多炭粒、陶片及碎石。出土陶片以夹砂陶和泥质灰陶为主，可辨器形多为内耳釜、泥质灰陶罐等。

岭坪遗址出土内耳夹砂陶釜

第2层：厚约110厘米，褐色花土，土质较致密，有黏性，含少量炭粒、陶片。陶片以夹砂陶和泥质灰陶为主。

第3层：厚约15厘米，灰褐色砂质土，土质较疏松，含较多炭粒、陶片。陶片以夹砂陶和泥质灰陶为主，可辨器形有内耳釜、泥质灰陶尊等，尊口饰篦点纹。

第4层：厚约80厘米，褐色花土，土质较致密，有黏性，含少量炭粒。

第5层：厚约20厘米，灰褐色沙质黏土，土质疏松，含较多炭粒、陶片及石块。陶片以夹砂陶和泥质灰陶为主，可辨器形多为内耳釜、泥质灰陶罐等。

第6层：厚40～50厘米，为黄色风化岩土，土质较致密，有黏性，含少量炭粒。

第7层：厚约50厘米，灰褐色沙质黏土，土质疏松，含较多炭粒、陶片及少量石块。陶片以夹砂陶为主，可辨器形多为内耳釜、泥质灰陶罐等。

岭坪遗址出土遗物以陶器为主，包括夹砂陶和泥质陶，泥质陶居多，可辨器形包括夹砂内耳釜、钵，泥质陶罐、瓮、钵、器盖和纺轮等；青瓷器仅见碗一类，釉层不均匀，剥落严重；石器有锛、斧、砺石等，另见少量滑石珠等。

岭坪遗址遗迹多样，遗物丰富，面貌繁荣，内涵复杂，除个别因素可早至南朝外，其主要时代为隋至唐代。

6. 高州市屋背岭唐代遗址

遗址位于茂名市高州市东岸镇双利村委会白花塘村西屋背岭山脊，东约100米为鉴江支流曹江河的小支流，测绘基点GPS坐标N22°2'、E110°55'，海拔77米，相对高度20米，发掘面积400平方米。

屋背岭基本呈南北走向，地形平坦。

清理灰坑1个。出土陶器以泥质陶为主，另见

上村岭遗址航拍照片

少量夹砂陶和石器。可辨器形包括夹砂陶内耳釜、钵，泥质陶罐、钵和砺石、穿孔滑石珠等，遗址时代为唐代中晚期。

7. 高州市上村岭唐代遗址

遗址位于茂名市高州市曹江镇谭村村委会上村东南上村岭山脊，西距鉴江支流曹江河的小支流约200米，测绘基点GPS坐标N22°0'、E110°55'，海拔75米，相对高度25米，发掘面积2000平方米。

发掘遗迹24处，其中灰坑17个，灶（火塘）1个，瓮棺葬6座。出土遗物有夹砂陶内耳釜、钵，泥质陶罐、瓮、壶、钵、器盖、纺轮，石锛、斧、砺石以及穿孔滑石珠等，以泥质陶为大宗。

石锛、石斧和砺石等遗物的时代早至先秦，但未发现与之相关的堆积单位。综合看来，上村岭遗址主要遗存的时代应为南朝至唐，并以唐代为主，其延续时间较长，内涵比较复杂。

8. 高州市人头岭唐代遗址

遗址位于茂名市高州市曹江镇甲子坡村委会高坡村南人头岭山顶，北距鉴江中游支流曹江河约150米。北距省道S280约100米，测绘基点GPS坐标N21°57'、E110°55'，海拔84米，相对高度47米，发掘面积900平方米。

人头岭平面近圆形，南北长约300米，山坡较陡，山顶平坦。清理遗迹33处，其中灰坑25个，灰沟8条。出土遗物以陶器为主，泥质陶居多，可辨器形有夹砂陶釜、钵，泥质陶罐、瓮、提梁壶、钵、盆、器盖、纺轮等；另见少量青瓷碗残片、穿孔滑石珠和砺石等。遗址时代为唐代。

第五章

2014年度基建考古新发现

第一节
调查勘探类

5.1 雷州半岛环岛一级公路南线

项目编号 GDKG-2014-006-DK06
实施时间 2014年6～7月
建设单位 湛江市交通运输局
配合单位 湛江市文化广电新闻出版局、湛江市博物馆、雷州市文化广电新闻出版局、雷州市博物馆、徐闻县文体局、徐闻县博物馆

雷州半岛环岛一级公路南线工程起于迈陈镇迈汶村，顺接雷州半岛环岛一级公路西线工程，并与省道S376相交，路线向东南至龙塘镇南，转向东北至前山镇、下洋镇西，再转向西北至锦和镇，终于调风镇北，与雷州半岛环岛一级公路东线工程和省道S289相接，路线全长105.772千米。

项目主要位于雷州半岛南部滨海地带，调查发现新石器时代晚期至南朝时期遗址、遗物点达14处之多，尤以汉代遗存为主。徐闻地区汉代遗存素来特别丰富，仅20世纪70年代清理的东汉墓葬就多达51座，其文化面貌和广州汉墓相近。1993年发掘的汉代五里乡遗址，发现房屋、水井、墓葬、灰坑等多种遗迹。墓葬为长方形土坑墓，部分墓边石块砌筑，个别墓有二层台，台下埋有一大陶盆，有明显的南越族埋葬习俗。房屋为干栏式建筑，地面用黄色黏土铺垫，柱洞不规则，不见房基。水井平面呈圆形，井内出土大量筒瓦、板瓦、“万岁”瓦当和少量陶罐、陶盆、陶纺轮；筒瓦等建筑材料以红陶为主，灰陶较少，背面有布纹或乳钉纹。陶器纹饰则以弦纹、水波纹、方格纹为主。遗址年代大约在汉武帝时期前后。

综合近年来的考古工作，汉代遗存星罗棋布的徐闻前山镇红坎村至北部湾滨海一带当时人口应相当密集，这为汉代徐闻县治和汉代徐闻港的确定以及汉代海上丝绸之路相关研究，提供了重要资料。

徐闻地区汉代遗存普遍具有地表遗物丰富、文化层保存情况较差的特点，这可能与雷州半岛特殊的地质条件有关。雷州半岛位于我国东南沿海地震带上，在更新世经历了两次火山期，喷发的玄武岩广泛分布于整个半岛。在热带季风气候影响下，玄武岩快速风化分解形成残积红土，这种红土抗水性差，表层水土流失严重，对遗址的保存极为不利。

徐闻汉墓墓砖小而薄，胎轻质脆，烧制火候较低，绝大多数呈红色、橙红色，与广州、始兴、佛山甚至广西昭平等地区汉墓墓砖相比，尺寸偏小，质量较差。墓砖质量较差可能与原料有关。雷州半岛遍布黏性较差的玄武岩风化土，其他适宜制砖的黏土矿殊为难求，为弥补黏土砖的不足，徐闻部分汉墓使用了珊瑚石砌筑。地质研究表明，在距今约8000年前，徐闻曾发生海侵，珊瑚生长茂盛，为珊瑚石的使用提供了得天独厚的条件，也成为其汉墓的特色。

一、遗址

1. 徐闻岭凸仔汉代墓地

墓地位于湛江市徐闻县南山镇县级文物保护单位二桥仕尾汉唐遗址附近二桥管理区北部，中心GPS坐标N20°15'、E110°7'，海拔9米。

墓葬分布西起那涧村后山湖，经那涧堰闸东坡，东至东屯村岭凸仔山岗的多个连续山冈，其中那涧堰闸东坡在20世纪60年代修建水渠时就发现有分布密集的汉墓。

岭凸仔、后山湖地表发现大量红色墓砖以及少量陶片。墓砖个体较小，火候较低。陶片以泥质灰陶、泥质红褐陶为主，表面多饰方格纹、菱格纹、弦纹，可辨器形有壶、罐、盆等。岭凸仔山冈东侧断崖处暴露3座砖室券顶墓，已进行了抢救清理。岭凸仔墓地时代为汉，规模较大，因生产建设，墓地有一定程度的破坏。

以岭凸仔M1为例举例说明如下。

M1位于岗地前沿，西北部破坏严重，南半部保存较好。为甲字形券顶砖室墓，墓圹南北长675、东西宽320、距地表30厘米，方向215°。墓室分前、后两室，后室为棺室，墓室券顶塌陷。墓道位于墓门正中，宽140厘米，由于未全部清理，长度未知。随葬器物多置于前室，陶器为主，器形有罐、盆、鼎、灶、井、仓、熏炉等，另有铜器、铁器、玛瑙等共30余件，器物组合在岭南东汉墓葬中比较常见，其年代为东汉晚期。

岭凸仔墓地断崖处墓葬

岭凸仔墓地采集遗物

2. 徐闻坑仔山新石器时代至汉代遗址

遗址位于湛江市徐闻县龙塘镇木棉管理区那泗村西南，中心GPS坐标N20°16'、E110°16'，海拔20米。因现代耕种与水土流失，遗址有一定程度的破坏，遗物分布面积约2万平方米。

坑仔山地形平缓，西临小河。地表采集大量陶片和2件凹石。陶片以夹砂灰陶、泥质灰陶、泥质红褐陶为主。泥质陶片多饰方格纹、水波纹、弦纹、戳印纹等，可辨器形有罐、盆等。另采集有一件残算珠形纺轮。遗址时代为新石器时代晚期至汉代。

坑仔山遗址全景

坑仔山遗址采集遗物

坑仔山遗址采集遗物

3. 徐闻后茅园南朝遗址

遗址位于湛江市徐闻县龙塘镇龙塘管理区那板村南的山冈缓坡，中心GPS坐标N20°18'、E110°20'，海拔31米，遗物分布面积约25000平方米。

地表采集大量泥质灰陶陶片，表面饰水波纹、弦纹等，可辨器形有罐、盆等；另采集到零星红色墓砖残件。探沟出土遗物与采集性质相同，遗址时代为南朝。

后茅园遗址全景

后茅园遗址地表遗物

后茅园遗址采集遗物

4. 徐闻桥头战国和唐宋遗址

遗址位于湛江市徐闻县南山镇二桥管理区二桥村东的平缓土岗，北临小河，西北为岭凸仔汉墓群，东约800米为粤海铁路，中心GPS坐标N20°15'、E110°7'，海拔6米，遗物分布面积约20000平方米。

地表采集较多绳纹瓦、陶片和瓷片。陶片以泥质灰陶、泥质红褐陶为主，表面饰弦纹、米字纹、方格纹等，可辨器形有罐、钵等。瓷片多碗底，以青瓷为主，部分刻花，少量饼足碗底。遗存时代早晚不同，早期遗存属战国时期，晚期遗存为唐宋时期。

桥头遗址全景

桥头遗址采集遗物

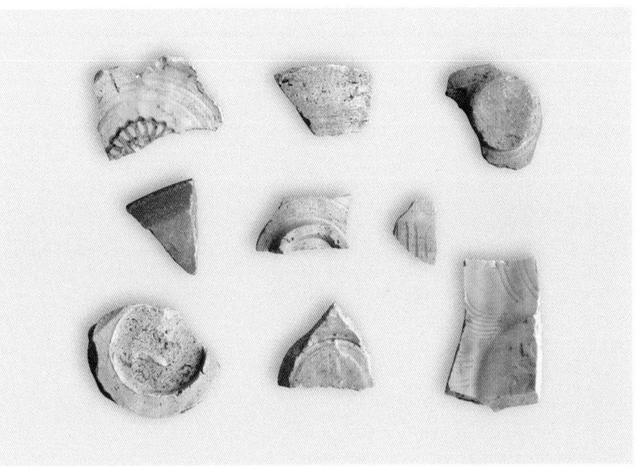
桥头遗址采集遗物

5. 徐闻木棉战国至汉代遗址

遗址位于湛江市徐闻县龙塘镇木棉管理区木棉村东南的平缓土岗，中心GPS坐标N20°16'、E110°17'，海拔24米。

地表采集少量陶片，有夹砂灰陶、泥质灰陶和泥质红褐陶等，表面饰方格纹、米字纹及弦纹与篦点纹的组合纹饰等，可辨器形有罐、盆等，遗址时代为战国至汉。

木棉遗址全景

木棉遗址采集遗物

6. 徐闻上洋汉至唐代遗址

遗址位于湛江市徐闻县龙塘镇赤农村委会昌发村东北的平缓土岗，中心GPS坐标N20°19'、E110°22'，海拔19米。

地表采集少量陶瓷片，陶片有夹砂陶、泥质灰陶，表面饰弦纹、水波纹等，可辨器形有罐、盆、碟等。瓷片可见刻花青瓷及饼足碗底。遗址时代为汉至唐代。

上洋遗址采集遗物

上洋遗址采集遗物

上洋遗址全景

二、遗物点

1. 徐闻华丰岭汉代遗物点

遗物点位于湛江市徐闻县迈陈镇华丰村西北的华丰岭，南临琼州海峡，GPS 坐标 N20°18'、E110°3'，海拔约 60 米。地表采集少量陶片和石器，陶片为泥质红褐陶，表面饰方格纹、方格戳印纹及粗弦纹等，可辨器形有碗、罐、盆。石器有锛、环等。值得注意的是，华丰岭上还有县级文物保护单位华丰岭汉代墓葬群和华丰岭新石器时代遗址，遗物点的发现使华丰岭的遗存信息更加丰富。

华丰岭遗物点全景

华丰岭遗物点采集遗物

2. 徐闻东岭岗汉代遗物点

遗物点位于湛江市徐闻县南山镇海港管理区海港村东岭岗，GPS坐标N20°17'、E110°4'，海拔10米。地表采集少量汉代陶片，有泥质灰陶和泥质红褐陶，表面饰方格纹、水波纹，可辨器形有罐、盆等。

东岭岗遗物点全景

东岭岗遗物点采集遗物

3. 徐闻陆内地战国至汉代遗物点

遗物点位于湛江市徐闻县龙塘镇木棉管理区埚仔村南陆内地，GPS坐标N20°17'、E110°19'，海拔28米。地表采集少量战国至汉代陶片和石器，陶片有夹砂灰陶、泥质灰陶、泥质红褐陶等，表面饰方格纹、水波纹、弦纹、米字纹等，可辨器形有罐、盆等。

陆内地遗物点全景

陆内地遗物点采集遗物

4. 徐闻下埚地汉代遗物点

遗物点位于湛江市徐闻县龙塘镇大塘管理区埚仔村东下埚地岗顶，GPS坐标N20°18'、E110°19'，海拔27米。地表采集少量汉代陶片，以泥质灰陶、泥质红陶为主，表面饰方格纹、水波纹、弦纹等，可辨器形主要有罐。

下埚地遗物点全景

下埚地遗物点采集遗物

5. 徐闻樟树园汉代遗物点

遗物点位于湛江市徐闻县龙塘镇西洋管理区田蟹钳村北平缓的土岗，GPS坐标N20°21'、E110°25'，海拔13米。地表采集少量汉代泥质灰陶片，饰水波纹、弦纹等，可辨器形有瓮、罐等。

樟树园遗物点全景

樟树园遗物点采集遗物

6. 徐闻边岭汉至唐代遗物点

遗物点位于湛江市徐闻县南山镇海港管理区海港村西北的平缓土岗，GPS坐标N20°15'、E110°7'，海拔11米。地表采集少量汉唐时期陶瓷片，陶片有泥质灰陶和泥质红褐陶，饰方格纹、水波纹、弦纹等，可辨器形有罐、盆；另有个别青绿釉陶片，瓷片主要为青瓷。

边岭遗物点全景

边岭遗物点采集遗物

7. 徐闻宫井汉至唐代遗物点

遗物点位于湛江市徐闻县南山镇竹山村北宫井岗，GPS坐标N20°15'、E110°8'，海拔19米。地表发现少量汉唐陶瓷片，陶片有泥质灰陶和泥质红褐陶，个别施青绿釉，纹饰有水波纹、弦纹，可辨器形有罐、瓮、钵等。瓷片可见饼足碗底。

宫井遗物点全景

宫井遗物点采集遗物

8. 徐闻塘边汉至唐代遗物点

遗物点位于湛江市徐闻县前山镇曹家管理区红坎上村北，GPS坐标N20°22'、E110°26'，海拔18米。地表采集少量汉唐时期的陶瓷片，陶片有夹砂陶和泥质灰陶，泥质陶饰弦纹、水波纹等，可辨器形有碗、瓮等。瓷片均为青瓷。

塘边遗物点全景

塘边遗物点采集遗物

5.2 雷州半岛环岛一级公路西线

项目编号 GDKG–2014–007–DK07

实施时间 2014年7～9月

建设单位 湛江市交通运输局

配合单位 湛江市文化广电新闻出版局、湛江市博物馆、廉江市文化广电新闻出版局、廉江市博物馆、遂溪县文化广电新闻出版局、遂溪县博物馆、雷州市文化广电新闻出版局、雷州市博物馆、徐闻县文化体育局、徐闻县博物馆

雷州半岛环岛一级公路西线方案起点位于廉江市安铺镇晨光农场，经安铺镇、界炮镇、杨柑镇、港门镇、江洪镇、企水镇、乌石镇和覃斗镇，在迈陈镇与雷州半岛环岛一级公路南线工程相接，线路全长161.94千米。

项目主要位于濒临北部湾的雷州半岛西北海岸，发现遗址及墓地5处、遗物点8处。与南部沿海地带相比，除以红色墓砖和方格纹、戳印纹陶片为代表的汉代遗存外，以刻划水波纹、弦纹，烧制火候较高，质地坚硬而呈青灰色的陶片为代表的南朝至唐时期遗存数量明显增多。近年来，后一类遗存在茂名地区基建考古中屡见不鲜，其遗迹以数量众多、大小不一的袋状灰坑为特色，常见器物则为陶提梁壶、窄沿内耳平底釜、宽折沿平底釜、水波纹四系罐、甑形器、尊、钵和碗等，并共存少量青瓷器。研究者普遍认为这类遗存和东汉至唐代活跃于粤西桂南的俚人有关。俚人主要活动于古高凉地区，包括现江门、阳江、茂名和湛江四市，因其著名领袖冼夫人之故，今电白、高州一带的茂名地区，大抵成为南朝至隋唐时期俚人的活动中心。雷州半岛发现的上述南朝至唐时期遗存，估计同样与俚人有关。茂名地区常见的内耳釜、尊、甑形器等并不见于雷州半岛，可见同属于俚人的遗存，仍存在地域性差别。

木棉子墓地断崖墓葬（珊瑚墓）

一、遗址

1. 徐闻木棉子汉代墓地

墓地位于湛江市徐闻县迈陈镇龙潭管理区龙潭村西北木棉子，西靠海湾，中心GPS坐标N20°24'、E110°0'，海拔11米，遗物分布面积约30000平方米。

地表发现多处散落的墓砖，墓砖为红褐色，胎薄而疏松。山坡西侧断崖处发现1座由珊瑚石砌筑的墓葬。采集少量陶片和石器。陶片以泥质灰陶、泥质红陶及夹砂陶为主，泥质陶饰弦纹、方格纹及方格纹与戳印纹的组合纹饰，可辨器形有罐、器盖等。采集石器2件，均为凹石。探沟早期地层中出土大量夹砂灰陶和红陶。墓地时代为汉代。

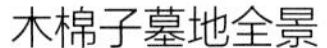
木棉子墓地全景

木棉子墓地采集陶片（五铢戳印纹）

木棉子墓地采集遗物

木棉子墓地采集遗物

2. 雷州潭葛岭汉代遗址

遗址位于湛江市雷州市北和镇潭葛村委会潭葛南村东潭葛岭，西部靠近潭葛南村，北部距海康港约 3.3 千米，中心 GPS 坐标 N20°39'、E109°47'，海拔 60 米，相对高度约 30 米。遗物分布面积约 5000 平方米。

潭葛岭为低矮丘陵，东南部坡度较缓。地表采集大量陶片和石器，陶片以夹砂灰陶为主，其次为泥质灰陶，泥质灰陶饰方格纹、弦纹、水波纹等，可辨器形有罐、瓮等；另采集有陶网坠、凹石、石饼等。探沟出土遗物与地表遗物性质相同，遗址时代为汉代。

遗物举例如下。

石饼　采：2，残，灰褐粗砂岩质。直径 6.3、厚 1.4 ～ 1.9 厘米。

网坠　采：3，夹砂灰陶，近球状，四周有因捆绑形成的纵、横向凹槽。长 3.45、残宽 3、厚 1.5 厘米。

潭葛岭遗址全景

潭葛岭遗址采集遗物

潭葛岭遗址采集石饼

潭葛岭遗址采集陶网坠

3. 雷州红仔园战国至汉代遗址

遗址位于湛江市雷州市英利镇红湖村委会后寮村东红仔园，中心 GPS 坐标 N20°29'、E109°59'，海拔 28 米，遗物分布面积约 5000 平方米。

地表采集大量陶片和石器，陶片有泥质灰陶、夹砂褐陶等，泥质陶饰方格纹、弦纹、菱格纹及米字纹，可辨器形有釜、罐、碗等。夹砂陶较残碎，素面，个体较小，器形不可辨。石器有凹石、石料各 1 件。探沟出土陶片以夹砂陶为主，特征与采集夹砂陶相同。遗址时代为战国至汉代。

红仔园遗址全景

红仔园遗址地表遗物

4. 徐闻村后汉代遗址

遗址位于湛江市徐闻县迈陈镇龙潭管理区讨泗村北部，东为龙潭村，西临八角村，南近讨泗村，中心GPS坐标N20°23'、E110°0'，海拔17米，遗物分布面积约5000平方米。

地表采集少量陶片及石器，陶片有泥质灰陶、红褐陶，饰方格纹、水波纹、弦纹、刻划纹等，可辨器形有罐、瓮。石器有石饼和网坠。结合地面踏查和勘探结果，村后应为一处汉代居住遗址。现代耕种和水土流失对遗址造成一定程度的破坏。

遗物举例如下。

网坠　采：2，灰色粗砂岩质，呈椭圆状，器身中部有一周凹槽。长5.6、宽4.4、厚3.7～4.7厘米。

村后遗址全景

村后遗址采集网坠

村后遗址采集遗物

5. 徐闻大园坡战国至汉代遗址

遗址位于湛江市徐闻县迈陈镇那宋村委会那宋村西大园坡，东近那宋村，西靠迈陈港海湾，中心GPS坐标N20°22'、E109°59'，海拔20米，遗物分布面积约35000平方米。

地表采集大量陶片，有泥质灰陶、泥质红褐陶及夹砂陶等，泥质陶饰方格纹、米字纹、水波纹、弦纹及方格纹与戳印纹的组合纹饰等，可辨器形有碗、罐、瓮。夹砂陶片较碎，个体较小，器形不可辨认，同时发现1件石锛。探沟出土陶片以夹砂陶为主，与采集遗物特征相同，文化堆积保存情况较好。大园坡应为战国至汉代的居住遗址。

大园坡遗址全景

大园坡遗址采集遗物

大园坡遗址采集遗物

二、遗物点

1. 遂溪挖尾山南朝遗物点

遗物点位于湛江市遂溪县乐民镇盐仓村东挖尾山东坡，北临乐民港，西靠盐仓村乡村公路，南近乐民镇，GPS坐标N21°8'、E109°44'，海拔10米。遗物分布较稀疏。地表采集少量南朝时期泥质灰陶，饰水波纹、弦纹等，可辨器形有尊、罐、钵等。

挖尾山遗物点采集遗物

挖尾山遗物点全景

2. 雷州乾陇岭汉代遗物点

遗物点位于湛江市雷州市北和镇调和村委会乾陇下村乾陇岭北坡，GPS坐标N20°39'、E109°47'，海拔36米。地表采集少量汉代泥质陶片，表面饰方格纹、弦纹等，可辨器形有罐、瓮等。

乾陇岭遗物点全景

乾陇岭遗物点采集遗物

3. 雷州石狗园汉代遗物点

遗物点位于湛江市雷州市覃斗镇迈克村委会迈克村石狗园，东近县道690，西南为小溪，GPS坐标N20°31'、E109°57'，海拔22米。地表采集少量陶片和砺石。陶片有夹砂灰陶和泥质灰陶，泥质灰陶饰方格纹、篦点纹等，可辨器形有罐、釜等。遗物点时代为汉代。

石狗园遗物点采集遗物

4. 雷州土贡唐代遗物点

遗物点位于湛江市雷州市英利镇龙门林场土贡林队，北临土贡圩，东邻县道690，GPS坐标N20°30'、E109°58'，海拔29米。地表采集少量唐代陶片，个体较小，主要为夹砂灰陶和泥质灰陶，多素面，个别饰弦纹，可辨器形有罐、盏等。

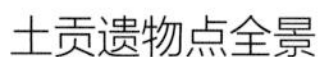

土贡遗物点全景

土贡遗物点采集遗物

5. 雷州堰头岭汉代遗物点

遗物点位于湛江市雷州市英利镇英湖管理区后寮仔土贡农场，北临红湖圩，西近后寮仔，南近红仔园，GPS坐标N20°29'、E109°59'，海拔34米。地表采集少量汉代陶片，有夹砂灰陶、夹砂黄褐陶和泥质灰陶等，多素面，少量饰弦纹，可辨器形有罐、釜等。

堰头岭遗物点全景

堰头岭遗物点采集遗物

6. 徐闻埚仔场汉代遗物点

遗物点位于湛江市徐闻县迈陈镇北街管理区北街村东埚仔场，GPS坐标N20°25'、E110°1'，海拔36米。遗物分布零星，地表采集少量汉代陶片，有泥质灰陶、泥质红褐陶，饰方格纹、水波纹、弦纹等，可辨器形有碗、罐、瓮等。

埚仔场遗物点全景

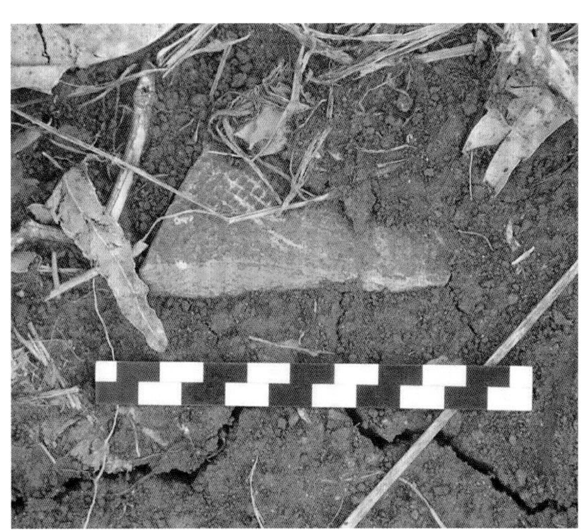

埚仔场遗物点地表暴露遗物

7. 徐闻红泥地汉代和南朝遗物点

遗物点位于湛江市徐闻县迈陈镇龙潭管理区新兴村西红泥地西坡，东北为八角村，东南为新兴村，GPS坐标N20°23'、E109°59'，海拔24米。红泥地为平缓山冈，遗物零星分布，采集陶片分两类：一类为汉代的泥质红褐陶片及夹砂灰陶片，纹饰以方格纹为主；另一类为南朝时期的泥质灰陶片，饰水波纹、弦纹等，可辨器形有釜、罐和瓮等。

红泥地遗物点全景

红泥地遗物点采集遗物

红泥地遗物点采集遗物

8. 徐闻石子落汉代遗物点

遗物点位于湛江市徐闻县迈陈镇迈陈管理区英斐村渡头北石子落，GPS 坐标 N20°20'、E109°59'，海拔 10 米。石子落地势南高北低，地表遗物分布零星。采集少量汉代陶片，有夹砂灰陶、泥质灰陶及泥质红陶，多素面，个别泥质陶饰方格纹。可辨器形有罐和釜等。

石子落遗物点全景

石子落遗物点采集遗物

5.3 雷州半岛环岛一级公路东线

项目编号 GDKG–2014–005–DK05

实施时间 2014年6月

建设单位 湛江市交通运输局

配合单位 湛江市文化广电新闻出版局、湛江市博物馆、雷州市文化广电新闻出版局、雷州市博物馆

雷州半岛环岛一级公路东线工程起点位于调风镇北，顺接雷州半岛环岛一级公路南线工程，路线向北沿省道S289布线至高雷镇，设东里连接线连接东里镇，路线转而向北经东昌、东林、跨越南渡河后，继续向北沿海堤布线至雷州南侧，沿雷州规划环市东路布线至沈塘镇，下穿东海岛至雷州高速公路并与海湾大桥连接线二期工程（省道S373）相接。雷州半岛环岛一级公路东线工程主线路线全长39.934千米。东里连接线改造现有三级道路省道S289，路线里程全长15.876千米。

遗址

雷州石板村东汉至南朝墓地

墓地位于湛江市雷州市沈塘镇石板村西南小山坡，地势平缓，中心GPS坐标N20°58'、E110°7'。由于修建道路和取土作业，墓地局部被毁。

在道路施工形成的断面处发现两件东汉弦纹罐。地表采集大量的青灰色陶片，饰弦纹、水波纹组合纹饰。探沟中出土南朝时期的水波纹罐2件、陶钵

石板村墓地远景

1件。根据遗物特征推测，应为东汉至南朝时期的墓地。

遗物举例如下。

罐　采：2，口微敞，尖唇，上腹稍鼓，下腹斜直，平底。最大腹径居中，肩部一圈半弦纹，下腹部多圈弦纹，可见涂抹痕迹。灰白胎，施半釉，釉已脱落。器形略显矮胖。口径9.3、底径11.5、最大径14.3、高11.6厘米。

四耳罐　TG②：1，敞口，卷沿，圆唇，上腹部稍鼓，下腹斜直，平底，最大径位于上腹部。肩部至上腹部饰三组水波纹加弦纹，泥条横耳，器表可见破裂气泡。内壁可见轮制痕迹，器表下腹有涂抹痕迹。青灰色胎。口径18、底径11.5、最大径30厘米。

石板村墓地剖面采集陶罐

石板村墓地探沟所出遗物

石板村墓地地表遗物暴露情况

5.4 广东京能徐闻火电项目陆域厂区及灰场

项目编号 GDKG–2014–020–DK19

实施时间 2014年7月

建设单位 深圳钰湖电力有限公司

配合单位 湛江市文化广电新闻出版局、徐闻县文体局、徐闻县博物馆

广东京能徐闻电厂位于徐闻县龙塘镇下海村，琼州海峡北岸，西北距龙塘镇约3.5千米，距徐闻县城约18.5千米，北距湛江市区约99.50千米。

徐闻红旗岭战国至汉代遗址

遗址位于京能徐闻电厂排村灰场中部龙塘镇下海村红旗岭，中心GPS坐标N20°18'、E110°20'，海拔26米，遗物分布面积约8万平方米。

红旗岭为低山丘陵，较为平整。北部为浅沟，东部有河流由北向东南注入南海。

地表遗物丰富，采集大量泥质灰陶与夹砂陶片，多数泥质陶片饰米字纹、方格纹、水波纹及弦纹，可辨器形有碗、罐、瓮、盏等。遗址时代为战国至汉代。

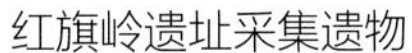
红旗岭遗址采集遗物

红旗岭遗址采集遗物

5.5 梅州至平远高速公路

项目编号 GDKG–2014–017–DK16

实施时间 2014年6～7月

建设单位 梅州市交通运输局

配合单位 梅州市文化广电新闻出版局、广东中国客家博物馆、平远县文化广电新闻出版局、平远县博物馆

梅州至平远高速公路建设项目线路略呈西北—东南走向，起于梅江区城北镇上村，经梅县区大坪镇、平远县长田镇和大柘镇，终于平远县大柘镇田兴村，与济广高速预留点相接，全程33.785千米。

一、遗址

平远牛牯岗商周时期遗址

遗址位于梅州市平远县长田镇三角塘村牛牯岗，中心GPS坐标N24°28'、E115°57'。遗物分布于三个相连的山冈，总面积约1万平方米，保存状况良好。

地表采集少量印纹硬陶和石斧1件，陶片纹饰有方格纹、菱格纹、条纹等。遗址时代为商周时期。

牛牯岗遗址地貌

牛牯岗遗址采集遗物

牛牯岗遗址采集石器

二、遗物点

1. 平远屋背山商周时期遗物点

遗物点位于梅州市平远县长田镇葛藤坪村屋背山，GPS 坐标 N24°28'、E115°58'，海拔约 180 米。屋背山为马鞍形丘陵，遗物散落于两座山顶，分布面积较小。地表采集少量商周时期的印纹硬陶陶片，个别陶片饰菱格纹。

屋背山遗物点地貌

屋背山遗物点采集遗物

2. 平远塘背山商周遗物点

遗物点位于梅州市平远县长田镇大路下村塘背山，GPS 坐标 N24°28'、E115°57'，海拔约 150 米。塘背山为低矮丘陵，遗物分布面积虽然较大，但文化层保存状况不佳。地表采集较多商周时期印纹硬陶，纹饰以条纹、交错条纹为主。

塘背山遗物点地貌

塘背山遗物点采集遗物

5.6 汕昆高速公路龙川至怀集段补充调查

项目编号 GDKG-2014-034-DK33

实施时间 2014年9～10月

建设单位 广东省南粤交通投资建设有限公司

配合单位 河源市文化广电新闻出版局、韶关市文化广电新闻出版局、清远市文化广电新闻出版局、肇庆市文化广电新闻出版局、龙川县博物馆、东源县博物馆、连平县博物馆、翁源县博物馆、英德市博物馆、清新区博物馆、阳山县博物馆、怀集县博物馆、湛江市博物馆、五华县博物馆

遗址

1. 英德山黄岭史前遗址及南朝至唐代墓地

遗址位于清远市英德市望埠镇同心村山黄岭南坡，中心GPS坐标N24°16'、E113°31'，海拔102米，相对高度15米，分布面积约15000平方米。

山黄岭地势开阔平缓，棕黄土发育较好。地表采集大量遗物，以石器为主。有打制石器与磨制石器，打制石器有砍砸器、石核、石片等，磨制石器有石锛、砺石等。另采集少量陶片，部分施青釉。地表发现多处红色墓砖堆积，多饰绳纹与叶脉纹。探沟地层中亦出土较多石制品。

山黄岭遗址内涵丰富、性质较为复杂，包含早晚两个不同时期的文化特征，其早期文化属于以打制石器和磨制石器为代表的史前文化，晚期文化则以长方形叶脉纹墓砖等为代表，该类遗物多见于广东地区南朝至唐代墓地。

山黄岭遗址地表遗物

山黄岭遗址远景

受石灰岩地貌分布特征影响，广东史前洞穴遗址多分布于粤北、粤西及粤西北地区，年代为距今10万至8000年间，以1万年左右的遗址为主，如封开黄岩洞、阳春独石仔等。英德地处北江中游，滃江、连江在此汇入北江，曾发现过牛栏洞、青塘朱屋岩等为数众多、内涵丰富的洞穴遗址。旷野遗址如沙口小狗山等数量则非常稀少，山黄岭遗址的发现，为旷野遗址的研究提供了新的材料。其打制石器数量较多，器类有砍砸器、石核、石片等。从毛坯选料、加工方式等判断可能属南方砾石石器工业，石器特征与牛栏洞遗址相似，但是石片比例较高，造成这一现象的原因是遗址功能、埋藏性质不同还是年代差别尚需研究。考古勘探表明，山黄岭遗址最早时期的堆积保存较好，探沟文化层所出均为打制石器，而磨制石器虽比较精致，但皆属地表采集，且数量较少，反映不同时期的史前堆积保存情况可能并不一致。

遗物举例如下。

石锛　采：6，青灰色板岩磨成，顶部残。形体修长，上宽下窄呈梯形，正面中部微凸，背面稍平，两侧面平直，双面平刃，刃部稍残。制作较精致。残长11、宽4.5～5.5、厚2厘米。

砺石　采：8，青灰色砂岩制成。一窄面经打磨较平整光滑。残长10、宽9、厚1～3厘米。

墓砖　采：2，泥质红陶条砖。一侧宽面有模印文字，可辨字迹仅有“五鬼”二字。残长14、宽15、厚5厘米。

山黄岭遗址探沟出土石器

山黄岭遗址地表采集石器

山黄岭遗址地表采集石器

山黄岭遗址地表采集石器

山黄岭遗址地表采集墓砖

2. 英德石灰峒南朝至唐代墓地

墓地位于清远市英德市石灰铺镇石灰村石灰峒西坡，中心GPS坐标N24°15'、E113°15'，海拔65米，相对高度约20米，墓地面积约4000平方米。

石灰峒为一小土岗，岗顶及四周较缓。地表发现泥质红色绳纹、叶脉纹墓砖，并采集到少量青釉瓷片和酱釉陶片。根据遗物判断该处应为南朝至唐代墓地。

石灰峒墓地地表采集陶瓷片

石灰峒墓地地貌

石灰峒墓地地表遗物

3. 东源长岗岭清代至民国窑址

窑址位于河源市东源县船塘镇许村南侧长岗岭东部，中心 GPS 坐标 N24°9'、E114°59'，海拔 191 米。相对约 20 米。窑址破坏较严重，现存面积约 200 平方米。

长岗岭棕红壤发育较好。山冈南、北皆为较宽阔的河谷，东靠相对较高的山地，西为长岗岭的延伸部分。在地表和断崖处发现散落的大量青花瓷片，可辨器形有碗、盘、碟、器盖等，有较多黏结的瓷器废品和匣钵、垫饼等窑具，未发现窑炉等遗迹，其时代约为清代至民国。

长岗岭窑址采集遗物

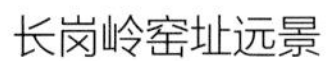

长岗岭窑址远景

长岗岭窑址近景

5.7 神华国华广东清远电厂

项目编号 GDKG-2014-018-DK17

实施时间 2014年8～9月

建设单位 北京国华电力有限责任公司广东分公司

配合单位 清远市文化广电新闻出版局、清远市博物馆、英德市文化广电新闻出版局、英德市博物馆

神华国华广东清远电厂新建工程项目英德沙口厂址位于南岭山脉以南英德市沙口镇境内，北江干流中游河谷盆地。厂址位于沙口镇原广东省铁合金厂东部园山村村委会小屋角、清湾、螺田、上李和下李等自然村之间的山地及山间谷地，包括厂区、2个石灰厂和铁路专用线。

一、遗址

英德长龙角宋代遗址

遗址位于清远市英德市沙口镇园山村园山小学东南长龙角东北，中心GPS坐标N24°25'、E113°32'，海拔约60米。

长龙角地势低洼，平面近椭圆形，四面环山，山多为石灰岩山，山势较陡峭。遗址位于扇形台地上。

地表分布较多宋代和少量南朝到唐时期的遗物，其中宋代遗物以青灰砖、瓦残片居多，少量较碎青灰色瓷片，器形有碗等；南朝遗物为正面饰绳纹、侧面叶脉纹的长方形或刀形红砖；唐代遗物亦仅见数块方格纹红砖。

勘探发现宋代建筑地面一处，局部文化层堆积较厚。地面位于该建筑的东北，平面呈长方形，东西残长约7.5、南北宽约5米，西北角残留方形柱础1个，边长36厘米，风化较严重。

长龙角灰场及远处电厂厂址地貌

长龙角遗址探沟出土砖瓦及陶瓷片

长龙角遗址探沟出土宋代瓷片、陶片

长龙角遗址出土宋代瓦片

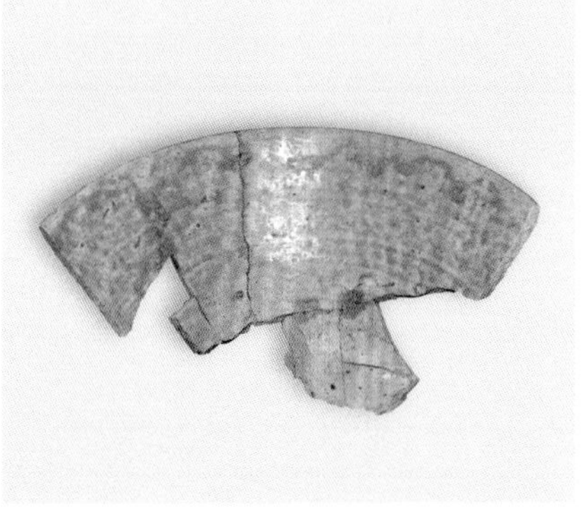

长龙角遗址探沟出土唐代黄釉瓷碗残片

长龙角遗址探沟出土唐、宋砖残块

地面保存较差，东部残毁尤甚。铺地砖破裂严重。可见两种铺设方式：一为单砖平铺一排方形砖，间有少量长方形砖；第二种为与前者呈 50° 夹角对缝平铺方形砖。方形砖为青灰色，常见规格 30 厘米 × 30 厘米 ×4 厘米。长方形砖以青灰色为主，常见规格为 29 厘米 ×13 厘米 ×4 厘米；其次为红色，少量正面饰方格纹，侧面饰叶脉纹，常见规格为 30 厘米 ×15 厘米 ×5 厘米，后一类砖时代为唐代。

由于缺乏文献史料的佐证，长龙角宋代建筑的性质尚难判断。基址规模宏大，结构复杂，堆积丰富，保存良好，是近年来广东历史时期建筑考古学最为重要的新发现。

长龙角遗址宋代建筑遗迹（局部）

二、遗物点

1. 英德井塘坪南朝至唐代遗物点

遗物点位于清远市英德市沙口镇清溪村仁科水泥厂东北井塘坪北坡，省道S253东侧，GPS坐标N24°23'、E113°31'，海拔约51米。地表发现大量南朝至唐时期墓砖，墓砖烧制火候较高，均为红褐色，形状有两种：一种为刀形砖，烧制火候较高，正面饰方格、交叉条纹组合纹饰，侧面饰叶脉纹；另一种为素面长方形砖。

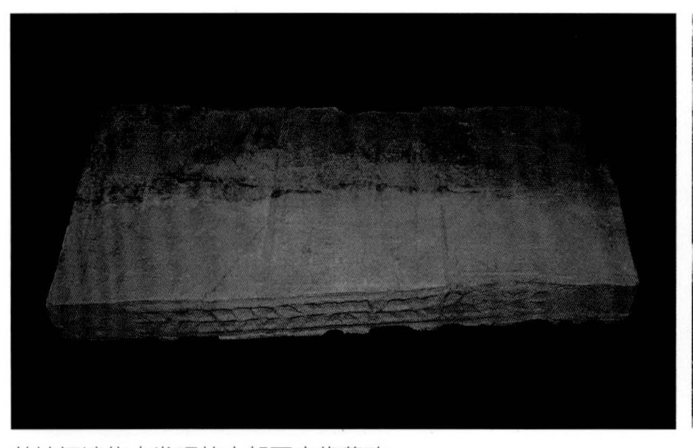

井塘坪遗物点发现的南朝至唐代墓砖

井塘坪遗物点采集唐代侧边叶脉纹墓砖

2. 英德洋庭南朝至唐代遗物点

遗物点位于清远市英德市沙口镇清溪村委东坌园自然村东北山冈的西南坡，省道S253东侧，西距北江约1.5千米，GPS坐标N24°23'、E113°32'，海拔约54米。洋庭为条带状山冈，岗顶较平缓，四周分布众多不连续的侵蚀台地与低山。地表采集少量南朝至唐时期墓砖及少量青灰瓦片。墓砖多集中于田坎处，呈红褐色，有刀形砖和长方形砖两种，长方形砖多素面，刀形砖平面饰方格纹，侧面饰叶脉纹。

洋庭遗物点地表南朝至唐代墓砖残块

洋庭遗物点地表陶瓷片

洋庭遗物点采集南朝至唐代墓砖残块

3. 英德大岭南朝至唐代遗物点

遗物点位于北江东岸清远市英德市沙口镇清溪村京广铁路西的大岭东南坡，东北距仁科水泥厂约500米。GPS 坐标 N24°22'、E113°31'，海拔约 50 米。大岭为圆形孤峰，坡度平缓，四周开阔。地表散落较多南朝至唐时期墓砖及陶瓷残片。以陶片为主，较破碎，多泥质素面灰陶，可辨器形有罐等。墓砖较少，以刀形砖为主，红褐色，侧面饰叶脉纹。此外，大岭西南台地还采集泥质方格纹红陶片 1 片，年代未知。

大岭遗物点采集砖瓦及陶瓷片

大岭遗物点地貌

5.8 连南县猫公山商周遗址及南朝墓地

实施时间 2014年3月

建设单位 连南瑶族自治县人民政府

配合单位 清远市文化广电新闻出版局、广东瑶族博物馆（连南）

遗址位于清远市连南瑶族自治县三江镇联红村猫公山脚，西南距县城1千米，东距三江河约1.5千米，测量基点GPS坐标N24°43'、E112°17'。遗址发现于20世纪60年代初，在其南面岩厦下溶洞周围发现商周时期石器和陶片，1986年被公布为县级文物保护单位，2014年进行了考古调查、勘探。

猫公山远景

猫公山为马鞍形石灰岩孤峰，山势陡峭，山上树木葱茏，林荫蔽日，周围地势平坦开阔。山上有多处大小不一的溶洞，南面岩厦下的溶洞最大。山脚下四周为平缓的台地。

猫公山周围台地采集大量陶片、石器和1件算珠状带刻划纹陶纺轮。陶片有夹砂红褐陶、泥质灰褐色陶等，纹饰主要有方格纹、曲折纹、夔纹、圆圈纹等。石器多为残片；1件锛形石饰件保存完好，四面磨制光滑，制作精美，上端有细穿孔，下端为单面刃，体形较小，高2、宽1.5、厚0.3厘米。上述遗存时代属新石器时代晚期到商周时期，遗址现存面积逾1万平方米，部分堆积遭到破坏。

猫公山西南发现较多青灰色南朝墓砖，侧面印叶脉纹或“S”形纹。断崖处发现砖室墓券顶露头，墓葬大致呈东西向，距地表0.5米，所用长方形砖胎色红褐，平面印粗绳纹，侧面印叶脉纹，常见规格长32、宽18、厚6.5厘米。猫公山西南为南朝墓地，分布面积约25000平方米。

猫公山遗址方格纹陶片（地表遗物）

猫公山遗址锛形石饰件（地表遗物）

猫公山遗址陶纺轮（地表遗物）

猫公山遗址南朝墓葬墓砖

猫公山遗址暴露的南朝墓葬

5.9 连南县民族小学南朝墓地调查

实施时间 2014年3月
建设单位 连南瑶族自治县人民政府
配合单位 清远市文化广电新闻出版局、广东瑶族博物馆（连南）

墓地位于清远市连南瑶族自治县民族小学东南的缓坡台地上，东北距县城1.2千米。中心GPS坐标N24°42'、E112°16'。

墓地西北靠大山，东南与嶙峋突兀的山峰相望。由于种植作业，墓地局部被毁，有5座砖室券顶墓直接暴露于梯田断崖处，散落的红色墓砖部分平面印绳纹，侧面印叶脉纹，墓地时代为南朝。

民族小学南朝墓葬区

民族小学南朝墓葬残存现状

民族小学南朝墓葬残存墓砖

5.10 乳源县市政道路建设项目

项目编号 GDKG–2014–036–DK35

实施时间 2014年11月

建设单位 乳源瑶族自治县民族博物馆

配合单位 韶关市文化广电新闻出版局、乳源瑶族自治县文化广电新闻出版局、乳源瑶族自治县民族博物馆

乳源县市政道路建设项目位于韶关市乳源瑶族自治县县城东南县级文保单位泽桥山古墓葬群的墟赴岭周边和泽桥山西北坡，路线总长1.502千米，面积34300平方米。因水土流失和取土破坏，局部地表坑洼不平，起伏较大。

根据地理位置和地形条件的不同，调查区域划分为第Ⅰ到第Ⅳ共4区。

第Ⅰ区地表踏查发现小型明清砖室墓4座，保存状况一般，墓砖为青灰色。第Ⅳ区踏查发现4座南朝至唐代砖室墓露头，集中于距项目路线中心线25～40米处。

考古普探确认第Ⅱ区分布南朝至唐代砖室墓3座，第Ⅲ区分布同时期砖室墓1座，第Ⅳ区分布长方形竖穴土坑墓1座。考古重探显示，第Ⅲ区砖室墓平面呈长方形，长460、宽130、距地表63厘米，方向正南北，砖色红褐或青灰；第Ⅳ区土坑墓填土土色斑驳，含少量炭粒，长220、宽180厘米，方向近东西。由于第Ⅳ区曾发现战国至汉代的长方形

采集遗物

采集遗物

采集遗物

竖穴土坑墓,分布于该区的土坑墓年代应大抵相同。

泽桥山墓葬群包括泽桥山、墟赴岭和林屋背三座岗丘，泽桥山与墟赴岭相连，山鞍部位又称中心岭，林屋背在泽桥山以西偏北约1.3千米。墓葬群于2000年抢救性发掘99座，勘探确认而未发掘26座，年代以六朝隋唐时期为主，有少量北宋墓。考古工作表明，泽桥山东南坡、中心岭及山岭间两个南北纵向山谷的西面或东、西两侧谷坡为主要的墓葬分布区。本次调查的范围覆盖墟赴岭周边和泽桥山西北坡，为墓葬群的分布状况研究提供了新的材料。

第Ⅰ区断崖发现的残留墓砖

第Ⅳ区附近地面发现的墓砖

5.11 潈洋台与广海卫文物考古调查、勘探

项目编号 GDKG–2014–042–DK39

实施时间 2014 年 10 ～ 11 月

建设单位 台山市海上丝绸之路史迹申报世界文化遗产工作领导小组办公室

配合单位 江门市文化广电新闻出版局、江门市申遗办、江门市博物馆、台山市文化广电新闻出版局、台山市申遗办、台山市博物馆、台山市广海镇人民政府

（一）潈洋台

由于缺乏准确线索，潈洋台的具体位置长期众说纷纭，悬而未决。本次调查可供参考的资料仍非常有限，实地踏查无果。

（二）广海卫

广海卫遗址位于江门市台山市广海镇。广海镇地处台山市东南端，靠山临海，是台山市沿海要地，北面与端芬镇相连，东北面与斗山镇相接，西部与海宴毗邻，东面与赤溪镇接壤，南邻南海，与上、下川岛隔海相望。全镇总面积 132.58 平方千米。

地面踏查采用拉网式全覆盖方法，由广海卫东门旧址（即朝阳门，GPS 坐标 N21°57'、E112°47'）开始，自北向南进行，调查范围涉及广海卫遗址全部及其周边共 5000 平方米。

调查显示朝阳门以北的卫城城墙仅残存长约 10 米、高约 3 米的夯土，毁损严重；朝阳门以南至南门东侧的东南段城墙保存稍好，除中间几处被毁外，大部分墙体的内侧包墙石料和城墙夯土尚存，残长约 450 米。由于植被茂密，部分墙体的具体保存情况不明。

对残高 1.8 米的东南段城墙夯土断面进行观察，可以发现夯土共 39 层，用杂色砂质风化岩夯成，土质致密。下部夯筑散乱，层面不平整，层厚 3 ～ 5 厘米；上部 6 层夯土较规整，层厚 10 ～ 12 厘米。夯土纯净，未见遗物。夯土上覆盖深灰色砂土。

墙体构造为明代常见的“两侧包边，中间夯土”的形式。城墙中段内侧墙面用比较规整的石料砌成，保存较好；外侧墙面用粗砂土夹石灰构筑，厚约 0.6 米；内外墙面之间为夯土构成的城墙主体（夯层情况详上）。城墙上部已毁。顶部残宽 2.2 ～ 4.9、底部残宽 9.3、外壁残高 4.75、内壁残高约 7 米。

城墙北端残留向内凸出的长方形城垛 1 座，顶部南北残长 12.5、东西残宽 11、残高 8.5 米。该城垛面积较大，散布碎瓦。其南 470 米处另有 5 米见方的小型城垛，中设直径约 1.3 米的凹窝炉膛，炉膛周边散落较多黄褐色、灰色布纹瓦片和灰色砖块。

东南段城墙夯土部分保存较好，用山体风化岩

广海卫城墙遗址范围示意图

东门附近城墙夯土剖面

城墙内侧墙面

粉碎夯筑，不含遗物，十分纯净。城墙外侧墙面夹杂碎砖瓦块，应该是晚于夯土所筑。

城内采集大量明代遗物，包括青灰色砖等建筑材料和瓷碗等日用器皿。

根据现存城墙来看，其修筑充分利用山势，并修整边坡，增加外侧墙体高度以利于防御。结合文献资料分析，广海镇东南段城墙的建筑年代应为明代早期，广海卫城始建于明当毋庸置疑。

明代广东的行政区划同全国总形势一样，是府州县与卫所并行制。“广东等处承宣布政使司，领广州、韶州、南雄、惠州、潮州、肇庆、高州、雷州、廉州、琼州十府与今州八县七十有五……又建广东都指挥使司，领广州左、右、前、后、南海、广海、清远、惠州、碣石、潮州、肇庆、神电、雷州、廉州、海南十五卫与今千户所五十有二”。沿海地区选择重要位置建立卫所，加强了对地方的管理，但主要目的是为了防御倭寇的侵扰。

据清光绪十九年《新宁县志·建置略》记载：“广海卫城，赤西协镇右营都司驻扎所，即前阳江镇中军游击守备移驻处也，原隶新会，宋置巡检司于此。是为古溽州。明洪武二十年命都司花茂开创。迁巡检司于望头乡，以其地置卫所。二十七年建卫城。”卫城包括垛口、敌楼、窝铺等。其后多经维修，规模逐渐扩大，并且增建雉堞、兵马司等，城外修护城河。卫城城墙高大坚固，配套设施齐全，城防建设较完善。清代政府规定“卫、所改为州县”、“卫军改屯丁”，卫所逐渐并入行政系统，但是由于广东海防的重要性，广海卫的军事功能并没有削弱，城防建设也一直没有停止。

长方形城垛

城墙外侧墙面

城墙内采集明代瓷片

5.12 新会区北门窑群文物考古调查、勘探

项目编号 GDKG-2014-039-DK37

实施时间 2014年11月

建设单位 新会区文化广电新闻出版局

配合单位 江门市文化广电新闻出版局、江门市申遗办、江门市博物馆、江门市新会区文化广电新闻出版局、江门市新会区博物馆

北门窑址原称“古陶瓷窑群遗址”，位于江门市新会区城区北部马山和猪㟖岭两座山上，距圭峰山主峰约1千米，现已建成马山公园和北门公园。

窑址主要分布在马山北侧半山腰和猪㟖岭南侧半山腰处，海拔15～19米。现存窑炉29座，均为馒头窑，毁坏程度不一。马山15座，大致分为东西向排列的上下两排；猪㟖岭14座，依据窑炉分布位置和形制规模分为三组，除东侧3座窑炉呈南北向排列外，其他组均为东西排列，其中一座保存较好，窑膛长约4、宽约3、高约2米，后壁设3条烟道。炉外未见废弃堆积，窑内采集遗物以明代城墙砖居多，探孔和探沟出土遗物也以明代砖瓦残片为主，据此推断北门窑应为明代的砖瓦窑。

北门窑选址非常合理。马山和猪㟖岭植被茂密，可为烧窑提供充足的燃料；山间黏土矿藏丰富，是制作砖瓦极好的原料；而两山之间的洼地与西侧艇仔湖相连，利于取水用水。新会于明代修建城墙，砖瓦需求量大增，为北门窑的创烧提供了内在动因。北门窑位置毗邻明代城墙，极有可能专为修建和修整城墙而设。

新会北门窑址Y2窑门及火膛

此外，调查发现清代水井1口，平面形状为圆形，直壁，底部不详。直径75、清理深度170厘米。出土遗物有青砖残块、白瓷片、黑釉缸口沿残片、酱釉罐残片等。

据《新会县志》，新会元代始筑城，黄斌聚众反元，攻陷县城，毁所筑土城，“洪武十七年邑人岑得才建言请置千户所及城池，是年设都指挥。王臻领兵一千立栅镇守，二十四年始筑土城。三十年千户所朱斌督造砌以砖石”，所以新会现存城墙为明代始建。筑城范围为“西北跨西山，东跨马山，周五里”。后被称为旧城。天顺六年、正德十一年分别修筑子城，均被毁。万历元年修建新城，设镇海、宾升、宝成三大门，门上均有楼橹，还设便门四座、敌楼炮台八座、水门三座、小水门两座、垛一千四百四十五座。新会城成为当时广东地区除广州城、潮州城外的第三大城。万历三十五年“东自马山西自旧城，计三百丈，益以砖石增高三尺”。“顺治四年，内外城各增高三尺，十一年增建炮台敌楼五座”。至道光三年、十八年都有修筑的记载。新会城墙有栅栏筑、土筑和砖石筑等，城墙砖的使用当不晚于明洪武三十年。万历年间筑造新城，应为城墙砖烧造的最高峰。清代城墙的数次增补，表明北门窑的终烧或可延至清道光以后。此次发现的窑炉成组分布，形制亦有区别，存在分期的可能。

新会北门窑址 Y21

新会北门窑址 Y7

5.13 广西液化天然气输气管道工程粤西支线

项目编号 GDKG–2014–012–DK12

实施时间 2014年4～5月

建设单位 中石化石油工程设计有限公司广西LNG粤西支线总承包项目部

配合单位 湛江市文化广电新闻出版局、湛江市博物馆、遂溪县文化广电新闻出版局、遂溪县博物馆、廉江市文化广电新闻出版局、廉江市博物馆

广西液化天然气（LNG）项目输气管道工程粤西支线广东段位于湛江市遂溪县、廉江市境内，全长63千米。

廉江龙眼根东汉遗物点

遗物点位于湛江市廉江市营仔镇垌口村油柑埇自然村东北龙眼根，GPS坐标N21°33'、E110°1'，海拔33米。地表采集东汉时期的泥质水波纹灰陶及少量戳印方格纹砖。陶器可辨器形有瓮、罐。砖为刀形，灰白色，火候较低，均残，宽12.5、厚2.2～3.2厘米。

龙眼根遗物点全景

龙眼根遗物点地表遗物

龙眼根遗物点采集遗物

5.14 汕头至湛江高速公路清远清新至云浮新兴段

项目编号 GDKG–2014–033–DK32

实施时间 2014年12月～2015年1月

建设单位 广东省南粤交通清云高速公路筹建处

配合单位 清远市文化广电新闻出版局、肇庆市文化广电新闻出版局、云浮市文化广电新闻出版局、清远市博物馆、清远市清新区文化广电新闻出版局、清新区博物馆、四会市文化广电新闻出版局、四会市博物馆、高要市博物馆、德庆县博物馆

汕头至湛江高速公路清远清新至云浮新兴段项目起点位于清新区太和镇，顺接汕湛高速公路河源至清远段，终点位于新兴县簕竹镇，顺接汕湛高速公路云浮新兴至湛江段，路线全长157.57千米。

一、遗址

云城区山塘尾南朝墓地

墓地位于云浮市云城区安塘街道安塘村西北山塘尾，东北靠近安塘村，南临乡村公路，西临斗带村，中心GPS坐标N23°9'、E112°14'，海拔17米。遗物零星分布，面积约6000平方米。

山塘尾为山前台地，地表采集泥质陶片、青釉碟等，陶片表面饰方格纹、弦纹，可辨器形有碗、罐，墓地时代为南朝。

值得注意的是，距墓地约300米的古宠村曾发掘汉至南朝墓葬17座，两处墓地可能存在联系。

遗物举例如下。

青釉碟　采：1，略残。灰胎，尖唇，敞口，浅弧腹，下收平底，且底部有切痕。器表施青釉，部分脱落，内壁仅存少量青釉。口部直径11.5、底径6.0、通高2.6厘米。

山塘尾墓地全景

山塘尾墓地地表遗物

山塘尾墓地采集遗物

二、遗物点

1. 高要茅岗唐宋遗物点

遗物点位于肇庆市高要区禄步镇寻边村西南山前台地，南距桐槎大道320米，GPS坐标N23°9'、E112°14'，海拔17米。地表采集少量唐宋时期陶瓷片，陶片以泥质灰陶为主，素面，可辨器形有碗、罐。

茅岗遗物点全景

茅岗遗物点地表遗物

茅岗遗物点采集遗物

2. 云城区望天岗唐宋遗物点

遗物点位于云浮市云城区安塘街道夏洞村望天岗，西距广梧高速50米，GPS坐标N22°56'、E112°11'，海拔52米。望天岗为山前台地，地表采集少量唐宋时期陶瓷片，陶片多为泥质灰陶，表面饰水波纹等，可辨器形有碗、罐。

望天岗遗物点全景

望天岗遗物点采集遗物

5.15 广东省惠州市惠城区东坡祠遗址

项目编号 GDKG–2014–030–DK27、GDKG–2014–038–DK26

实施时间 2014年1、11月

建设单位 惠州市文化广电新闻出版局

配合单位 惠州市文化广电新闻出版局、惠州市博物馆

遗址位于惠州市惠城区桥东惠新中街67号原惠州卫校内，北距东江约70米，西南距惠州市第四小学约260米，南距惠州市第二小学约280米。为配合惠州苏东坡祠重建项目，考古队分别于2014年1月、11月对东坡祠遗址进行了两次文物考古调查、勘探。

遗址地处东江南岸台地白鹤峰，台地顶部平坦，地势较四周为高，最高处海拔24米，相对高度约6米，比东江江面正常水位高约16米。遗址中心位于学校的运动场内，运动场中部的市级文物保护单位“东坡井”可能与遗址相关，井旁立有清乾隆十五年（1750年）名士关槐书“冰湍”两字石刻。操场西侧有一条下山阶梯，由红砂岩和青石铺就，石阶中段立“林婆卖酒处”石碑。

东坡祠遗址全景

F1 全景

地表采集少量明清时期的青花瓷片、酱釉陶片、红砂岩和青砖碎块等遗物，主要分布于台地四周。经试掘，东坡井周围堆积破坏严重，除现代平整操场堆垫的青砖碎块和水泥墩块之外，表土之下即为生土。平台四周明清时期的砖墙、灰坑和建筑垫土等保存较好，其下为宋代文化层，出土较多唐宋时期遗物。受台地地形的影响，地层堆积厚薄不均，台地顶部地层堆积薄，低洼处地层堆积厚，由于台地边坡陡峭，低洼处的地层亦可能发生倒装。

发现的遗迹主要包括房址 2 座、灰坑 2 座、墙基 5 条和水井 1 口。

遗物较为丰富，以宋代和清代为多。除大量建筑材料外，还出土大量陶瓷器、钱币、骨器、铜器和铁器等日常生活用器物。

东坡祠遗址宋至明清遗存可分为四组。F1、F2 以下的文化堆积，叠压于清、民国建筑之下或被其打破，形成时间早于此类建筑的始建时间，属第一组；F1、F2 房基、居住面筑于早期遗存之上，属第二组；F1、F2 居住面上倒塌堆积以及打破 F1 的 H1，为第三组；打破 F1、F2 的排水沟、墙基则为第四组遗存。

早期堆积层中出土了始铸于宋哲宗元祐年间的元祐通宝、始铸于宋神宗元丰元年的元丰通宝，共

双鱼洗

椭圆形瓦当

存的青瓷碗、盘、洗、罐、盏等形制、风格均与岭南地区宋代遗物相同，可知第一组遗存的年代为宋代。东坡井井壁用砖不一，上下砌法存在明显差异，可知经多次重修，由于晚期破坏严重，井内未见早期遗物，但底部井砖的形制与宋代井砖及铺路砖相似，其始建年代可能为宋代。

F1、F2 均受到晚期活动的破坏。平面均为长方形，坐东南向西北，方向基本一致。墙基内外均用红褐色土铺垫，青砖砌建，黄沙泥粘缝隙，建造不甚规整，大部分地方用半砖，咬合不整齐。依据建筑的倒塌堆积和铺垫土层出土遗物，可推断为清末至民国时期建筑。

打破 F1、F2 的排水沟、墙基从建筑方法和材料形制判断，应为新中国成立后所筑。

宋代遗存的方位、年代和内涵均与相关文献相合，应为东坡故居及其后东坡祠的残迹。F1、F2 可能是东坡祠在抗战时期被炮火摧毁后建设的约瑟医院、白云医院的旧址，F2 下铺垫的红砂岩柱子、条砖应为明清时期东坡祠的建筑构件。

宋代建筑材料举例如下。

鸱吻泥质灰白陶，人面形，张口吞脊，底面弧线状，下颌部有一排牙齿，两边有獠牙，另一面堆塑出一兽面，头上部残缺，右侧额头有角，左侧已残，眉毛竖立，眼睛向前突出、顶端上有孔，鼻子向前突出，下有鼻孔，兽面边缘有两道旋纹，整个面部有刻划旋纹，呈灰色，残。残长 20.1、残宽 17.6、残高 10.1 厘米。

鸱吻

元丰通宝

罐

遗址出土的瓷器

第二节
抢救发掘类

5.16 广东京能徐闻火电项目陆域厂区及灰场（广东京能徐闻发电厂项目厂址及贮灰场）

项目编号 GDKG-2014-041-FJ03
实施时间 2014 年 12 月～ 2015 年 1 月
建设单位 深圳钰湖电力有限公司
配合单位 湛江市文化广电新闻出版局、湛江市博物馆、徐闻县文化广电新闻出版局、徐闻县博物馆

徐闻红旗岭新石器时代晚期及汉代遗址

遗址位于琼州海峡北岸的湛江市徐闻县龙塘镇东南约 3 千米的红旗岭，距离徐闻县城约 18 千米，遗址中心 GPS 坐标 N20°18'、E110°20'，海拔约 26 米。发掘区位于京能电厂排村灰场西北，地势平坦，布设 10 米 ×10 米探方 3 个，发掘面积 300 平方米。

遗址因水土流失及近现代人为因素的严重破坏，仅在表层及扰土层中出土少量陶片。陶片以夹砂灰黑陶为主，其次为泥质灰陶，极少量泥质黄褐陶，个别陶片饰交错条纹和方格纹。由于陶器个体较碎，器形多数不可辩认，可辨者仅有钵、釜、罐等。

综合调查采集及发掘所获遗物的时代特征，红旗岭遗址大约存在新石器时代晚期和汉代两个时期的遗存，由于保存状况差，原有文化堆积不复存在，遗址的具体内涵已无法探究。

红旗岭遗址第 1 层出土遗物

红旗岭遗址第 2 层出土夹砂陶片

红旗岭遗址考古发掘区域发掘前地貌

红旗岭遗址发掘区全景（西—东）

5.17 广东省揭阳至惠来高速公路

项目编号 GDKG–2014–044–FJ04
实施时间 2014年6～9月
建设单位 广东南粤交通揭惠高速公路管理中心
配合单位 揭阳市文化广电新闻出版局、揭阳市博物馆

榕城区牛屎山先秦遗址

遗址位于榕江南岸的揭阳市榕城区仙桥街道办湖心村牛屎山山脊，东南距虎头埔遗址约4千米，测量基点GPS坐标N23°27'、E116°20'，海拔20～30米，发掘面积1000平方米。

牛屎山属低矮丘陵地形，北部山脚有人工拓宽的南截洪水流经，与揭阳县城隔榕江相望。牛屎山原生堆积为红褐色黏土，底部堆积为风化红砂岩。

牛屎山原为农场用地，有少量现代建筑，遍布树坑，但是未有大型农耕行为，地层保存状况良好。发掘结果表明，牛屎山遗址保存较厚的先秦时期文化堆积，清理出10座灰坑及1座土坑竖穴墓，灰坑多为自然形成，形状不规整。遗址出土大量陶片，以泥质灰陶及夹砂灰陶为主，泥质灰陶陶质硬，烧造火候较高。纹饰以方格纹、夔纹为主，少量菱格纹、复线菱格纹、勾连雷纹等，可辨器形有敞口罐、折肩罐等。少量素面泥质陶外壁施陶衣，器形以陶钵为主。夹砂陶多为素面，可辨器形有器座、鼎足等。出土少量原始瓷，器形多为碗，碗底较厚，饼足、内底部多有螺旋纹。遗址出土小件近150件，以石器为主，主要器形有石锛、石环、砺石、石刀、石环芯、凹石、石镞

牛屎山遗址远景（西南—东北）

等。少量青铜器，类型可分为削刀、刮刀、箭镞等，均为地层出土，多数已残，保存状况较差。

根据遗址内出土大量方格纹、夔纹陶片以及少量原始瓷，结合所出陶器多为平底、少量凹底的器形特征，初步判断牛屎山遗址年代应为春秋晚期至战国早期，其性质为聚落居址。遗址发掘为研究揭阳地区春秋战国时期社会状况、建立粤东先秦文化序列提供了重要材料。

此外，考古队还发掘了3座南宋砖石合构墓及1座宋代土坑竖穴墓。墓葬遭到不同程度的破坏，保存状况较差，但是墓葬形制各具特色，为研究宋代社会经济发展、丧葬习俗变化提供了重要材料。

牛屎山遗址 H1

牛屎山遗址 M5

牛屎山遗址出土陶片

牛屎山遗址出土陶器座

牛屎山遗址出土石锛

附表

附表一 2010～2014年度广东省基建考古新发现总表

1. 遗址加 # 号者为经过考古发掘。

2. 遗址面积一栏中的数值均表示其发掘面积。

3. 部分历史时期遗址或遗物点出土遗物较少或年代特征不甚明确，为避免舛误，以朝代合称表示此类遗址或遗物点所处的历史阶段，如“隋唐时期”、“明清时期”等。

新发现遗址

序号	遗址或遗物点名称	位置	遗址面积（平方米）	年代	项目序号	项目编号	所属项目	备注
1	圆墩岭遗址	韶关市武江区龙归镇双头村西	30000	新石器时代晚期	1.2	GDKG-2010-003-DK03	广乐高速公路坪石至樟市段工程项目文物考古调查、勘探	发现明代竖穴土坑墓、灰坑各1座
2	黄泥堪墓地	韶关市乳源瑶族自治县桂头镇五官庙抽水站北	3500	南朝	1.2	GDKG-2010-003-DK03	广乐高速公路坪石至樟市段工程项目文物考古调查、勘探	墓地范围内亦发现唐宋时期瓷片
3	五官庙遗址	韶关市乳源瑶族自治县桂头镇五官庙抽水站北	2000	新石器时代	1.2	GDKG-2010-003-DK03	广乐高速公路坪石至樟市段工程项目文物考古调查、勘探	
4	一号岭墓地	韶关市浈江区五四村东	2000	东汉—南朝	1.2	GDKG-2010-003-DK03	广乐高速公路坪石至樟市段工程项目文物考古调查、勘探	
5	六号岭墓地	韶关市浈江区五四村南	2500	南朝	1.2	GDKG-2010-003-DK03	广乐高速公路坪石至樟市段工程项目文物考古调查、勘探	
6	千家村墓地	韶关市乳源瑶族自治县桂头镇千家村东	20000	南朝	1.2	GDKG-2010-003-DK03	广乐高速公路坪石至樟市段工程项目文物考古调查、勘探	墓地范围内曾发现宋代窑址
7	黄金岭遗址	韶关市乳源瑶族自治县桂头镇小江村委五官庙水闸西	1500	宋代	1.2	GDKG-2010-003-DK03	广乐高速公路坪石至樟市段工程项目文物考古调查、勘探	遗址发现汉代泥质灰陶方格纹陶罐残片
8	讲故评遗址	韶关市乐昌市新民村南	/	新石器时代	1.2	GDKG-2010-003-DK03	广乐高速公路坪石至樟市段工程项目文物考古调查、勘探	
9	坳头村遗址	肇庆市端州区睦岗镇坳头村	3000	唐代、明代、清代	1.3	GDKG-2010-005-DK05	广佛肇高速公路肇庆段一期工程文物考古调查、勘探	
10	冯屋村遗址	肇庆市四会市大沙镇冯屋村南绥江左岸	/	明清时期	1.3	GDKG-2010-005-DK05	广佛肇高速公路肇庆段一期工程文物考古调查、勘探	
11	骑岭遗址	湛江市遂溪县工业园区中的遂城镇铺塘村委会简足水村	5500	南朝—隋代	1.4	GDKG-2010-011-DK08	广东中能酒精有限公司木薯燃料乙醇一期项目文物考古调查、勘探	

续表

序号	遗址或遗物点名称	位置	遗址面积（平方米）	年代	项目序号	项目编号	所属项目	备注
12	鸡公田窑址	韶关市曲江区白土镇饶屋新村东	10000	宋代	1.6	GDKG-2010-020-DK14	中广核韶关核电工程项目文物考古调查、勘探	
13	山塘片窑址	韶关市曲江区白土镇饶屋新村东山塘片山	12000	宋代	1.6	GDKG-2010-020-DK14	中广核韶关核电工程项目文物考古调查、勘探	
14	# 龙嘴岗遗址和墓地	肇庆市广宁县南街镇城南村（原巷口管理区）	1500	战国时期	1.7	GDKG-2010-008-FJ01	新建贵阳至广州铁路（广东段）考古发掘	清理战国时期墓葬17座、隋唐时期墓葬1座，发现少量新石器时代遗物
15	# 石马龙地墓地	韶关市仁化县周田镇平甫村石马龙村南	850	明代	1.8	GDKG-2010-010-FJ02	新建赣韶铁路广东段考古发掘	清理明代葬墓1座
16	# 骑岭遗址	湛江市遂溪县工业园区中的遂城镇铺塘村委会简足水村	1600	南朝—唐代	1.9	GDKG-2010-015-FJ03	广东中能酒精有限公司木薯燃料乙醇一期项目考古发掘	清理南朝—唐代房屋遗迹2处、灰坑55个、灰沟2条
17	# 马飘岭遗址	湛江市吴川市塘缀镇山路村马飘岭、大凌田村九朗岭、山丫村山塘岭	3000	南朝—唐代	1.10	GDKG-2010-017-FJ04	新建茂名至湛江铁路古代文化遗址考古发掘	清理南朝—唐代灰坑31个、灰沟2条
18	# 黄泥堪墓地	韶关市乳源瑶族自治县游溪镇莲塘边村委担干岭村东	2000	唐代、明代	1.11	GDKG-2010-018-FJ05	广乐高速公路坪石至樟市段工程项目抢救性考古发掘	清理唐代墓葬5座、明代墓葬1座
19	# 一号岭墓地	韶关市浈江区五四村东	墓葬5座	南朝	1.11	GDKG-2010-018-FJ05	广乐高速公路坪石至樟市段工程项目抢救性考古发掘	清理南朝墓葬5座
20	# 六号岭墓地	韶关市浈江区五四村南	墓葬7座	南朝	1.11	GDKG-2010-018-FJ05	广乐高速公路坪石至樟市段工程项目抢救性考古发掘	清理南朝墓葬7座
21	# 圆墩岭遗址	韶关市武江区龙归镇双头村西	2000	新石器时代晚期—商时期	1.11	GDKG-2010-018-FJ05	广乐高速公路坪石至樟市段工程项目抢救性考古发掘	发掘新石器时代晚期壕沟4条；另清理唐宋时期墓葬5座、明清时期墓葬7座
22	# 曾屋岭墓地	惠州市博罗县福田镇联合村冲径曾屋岭东麓	墓葬89座	春秋时期	1.12	GDKG-2010-023-FJ07	从莞高速公路惠州段项目考古发掘	发掘春秋时期墓葬85座；另清理宋代墓葬1座和清代墓葬3座
23	狮雄山遗址	梅州市五华县华城镇塔岗村西南	34000	秦汉时期	2.1	GDKG-2011-001-DK01	五华县狮雄山遗址调查、勘探、试掘	清理秦汉时期壕沟1条、建筑基址5座、排水沟3条、陶窑1座、水井1座、灰坑21座、灰沟10条

续表

序号	遗址或遗物点名称	位置	遗址面积（平方米）	年代	项目序号	项目编号	所属项目	备注
24	大窝塘遗址	韶关市曲江区白土镇乌泥角村南	5000	唐代—宋代	2.2	GDKG-2011-002-DK02	广东省韶关市 2×30MW 生物质发电项目	
25	大河咀遗址	湛江市雷州市北和镇北沟边村崩沟岭西北	1000	南朝—唐代	2.3	GDKG-2011-004-DK04	广东大唐国际雷州发电厂 2×1000MW 一期工程项目	
26	对面岭遗址	河源市紫金县临江镇胜利村校木组东南	/	新石器时代晚期—商时期	2.4	GDKG-2011-008-DK08	河源市东环高速公路项目	
27	州山顶窑址	肇庆市高要区白土镇下灶村东	1000	明代	2.5	GDKG-2011-014-DK14	广东省天然气管网二期工程高明—肇庆联络线项目	
28	背后山遗址	肇庆市德庆县播植镇前岸村北	/	东汉、唐代	2.6	GDKG-2011-017-DK17	广佛肇高速公路高要小湘至封开江口段项目	
29	金钱咀遗址	肇庆市封开县长岗镇周黎村金钱咀村东	3000	汉代、唐代	2.6	GDKG-2011-017-DK17	广佛肇高速公路高要小湘至封开江口段项目	
30	长长山遗址	江门市鹤山市双合镇泗河村委布尚村西	/	南朝—唐代	2.7	GDKG-2011-018-DK18	江门至罗定高速公路项目	
31	云山遗址	云浮市新兴县东成镇云河村委都村北	/	战国时期、唐代	2.7	GDKG-2011-018-DK18	江门至罗定高速公路项目	
32	荔枝山遗址	江门市鹤山市双合镇泗河村委布尚村西	/	南朝—唐代	2.7	GDKG-2011-018-DK18	江门至罗定高速公路项目	
33	虎头山墓地	江门市鹤山市址山镇角塘村东南	/	唐代	2.7	GDKG-2011-018-DK18	江门至罗定高速公路项目	
34	蟾蜍山遗址	江门市开平市月山镇新村东北	/	宋代	2.7	GDKG-2011-018-DK18	江门至罗定高速公路项目	
35	# 松树塝墓地	清远市连州市丰阳镇松树塝村	墓葬 35 座	六朝隋唐	2.9	GDKG-2011-020-FJ01	广东省连州至怀集公路（二广高速连州段）考古发掘	清理砖室墓 35 座
36	# 塘仔面墓地	清远市连州市西岸镇鹅江村	墓葬 5 座	六朝隋唐	2.9	GDKG-2011-020-FJ01	广东省连州至怀集公路（二广高速连州段）考古发掘	清理墓葬 5 座
37	# 石兰寨墓地	清远市连州市西岸镇石兰寨村	墓葬 11 座	六朝隋唐	2.9	GDKG-2011-020-FJ01	广东省连州至怀集公路（二广高速连州段）考古发掘	清理墓葬 11 座
38	# 西岸村墓地	清远市连州市西岸镇西岸村	墓葬 4 座	六朝隋唐	2.9	GDKG-2011-020-FJ01	广东省连州至怀集公路（二广高速连州段）考古发掘	清理墓葬 4 座
39	# 麦田村墓地	清远市连州市西岸镇麦田村	墓葬 8 座	六朝隋唐	2.9	GDKG-2011-020-FJ01	广东省连州至怀集公路（二广高速连州段）考古发掘	清理墓葬 8 座

续表

序号	遗址或遗物点名称	位置	遗址面积（平方米）	年代	项目序号	项目编号	所属项目	备注
40	# 新开墩墓地	清远市连州市连州镇青龙头村	墓葬 5 座	六朝隋唐	2.9	GDKG-2011-020-FJ01	广东省连州至怀集公路（二广高速连州段）考古发掘	清理墓葬 5 座
41	# 竹蔸墩墓地	清远市连州市连州镇青龙头村西	墓葬 2 座	六朝隋唐	2.9	GDKG-2011-020-FJ01	广东省连州至怀集公路（二广高速连州段）考古发掘	清理墓葬 2 座
42	# 上横墩墓地	清远市连州市连州镇青龙头村西北	墓葬 4 座	六朝隋唐	2.9	GDKG-2011-020-FJ01	广东省连州至怀集公路（二广高速连州段）考古发掘	清理墓葬 4 座
43	# 加减冲墓地	清远市连州市连州镇青龙头村西北	墓葬 1 座	六朝隋唐	2.9	GDKG-2011-020-FJ01	广东省连州至怀集公路（二广高速连州段）考古发掘	清理墓葬 1 座
44	# 后岗墩墓地	清远市连州市连州镇内田洞村西	墓葬 1 座	六朝隋唐	2.9	GDKG-2011-020-FJ01	广东省连州至怀集公路（二广高速连州段）考古发掘	清理墓葬 1 座
45	# 石地岭墓地	清远市连州市连州镇沙坊村西南	墓葬 7 座	六朝隋唐	2.9	GDKG-2011-020-FJ01	广东省连州至怀集公路（二广高速连州段）考古发掘	清理墓葬 7 座
46	# 大地墓地	清远市连州市连州镇沙坊村西	墓葬 11 座	六朝隋唐、宋代	2.9	GDKG-2011-020-FJ01	广东省连州至怀集公路（二广高速连州段）考古发掘	清理墓葬 11 座
47	# 铁鬼坪墓地	清远市连州市连州镇沙坊村西	墓葬 13 座	六朝隋唐、宋代	2.9	GDKG-2011-020-FJ01	广东省连州至怀集公路（二广高速连州段）考古发掘	清理墓葬 13 座
48	# 晨景冲墓地	清远市连州市西岸镇新村西	墓葬 3 座	六朝隋唐	2.9	GDKG-2011-020-FJ01	广东省连州至怀集公路（二广高速连州段）考古发掘	清理墓葬 3 座
49	笔架山窑址	潮州市潮安区	/	宋代	3.1	GDKG-2012-013-DK12	潮州笔架山宋代窑址调查、勘探	新发现窑址 3 座
50	葫芦山遗址	揭阳市普宁市广太镇寨山头村	25000	新石器时代晚期至商时期	3.2	GDKG-2012-016-DK15	潮州至惠州高速公路	
51	平宝山遗址	揭阳市普宁市广太镇平宝山村东北	20000	新石器时代晚期、商时期、春秋时期	3.2	GDKG-2012-016-DK15	潮州至惠州高速公路	
52	新寮埔遗址	揭阳市揭西县新寮埔村西南	15000	新石器时代晚期	3.2	GDKG-2012-016-DK15	潮州至惠州高速公路	
53	宫墩窑址	揭阳市揭西县河婆镇宫墩村	30000	明代	3.2	GDKG-2012-016-DK15	潮州至惠州高速公路	
54	回澜寨遗址	揭阳市揭西县河婆镇回澜寨村	25000	新石器时代晚期	3.2	GDKG-2012-016-DK15	潮州至惠州高速公路	遗址范围内发现有明代窑址
55	猪母岭山遗址	汕尾市海丰县平东镇西山下村	15000	春秋时期	3.2	GDKG-2012-016-DK15	潮州至惠州高速公路	
56	圆山仔遗址	汕头市潮阳区河溪镇华东村圆山仔	15000	商周时期	3.3	GDKG-2012-003-DK03	汕湛高速公路汕头至揭西段	

续表

序号	遗址或遗物点名称	位置	遗址面积（平方米）	年代	项目序号	项目编号	所属项目	备注
57	东岩山墓地	汕头市潮阳区河溪镇华东村南	1500	唐代、明代	3.3	GDKG-2012-003-DK03	汕湛高速公路汕头至揭西段	
58	铁炉村遗址	湛江市坡头区官渡镇铁炉村东	/	汉代、唐代、明清时期	3.5	GDKG-2012-005-DK05	湛江市官渡海围、消坡海围大桥	
59	麻再岭遗址	东莞市清溪镇	/	宋代、明代	3.6	GDKG-2012-007-DK07	中石油深圳 LNG 应急调峰站项目	遗址采集到零星汉代方格纹瓦片
60	炮台岭窑址	韶关市南雄市雄州街道黎口村	/	宋代	3.7	GDKG-2012-023-DK22	南雄东方（大润发）广场规划建设项目	
61	紫金山遗址	韶关市浈江区犁市镇新村农场	/	宋代、明代	3.8	GDKG-2012-026-DK25	国电粤华韶关煤矸石发电项目	
62	# 高要学宫	肇庆市端州区正东路	400	明代—民国时期	3.9	GDKG-2012-010-FJ01	肇庆市高要学宫考古发掘	
63	覆船山遗址	梅州市五华县转水镇青西村及新民村	4000	新石器时代晚期	4.1	GDKG-2013-001-DK01	兴宁至汕尾高速公路兴宁至五华段（含畲江、华阳支线）	
64	大面山遗址	梅州市五华县转水镇新民村	2000	新石器时代晚期	4.1	GDKG-2013-001-DK01	兴宁至汕尾高速公路兴宁至五华段（含畲江、华阳支线）	
65	北坑里遗址	梅州市五华县转水镇新华村	500	新石器时代晚期	4.1	GDKG-2013-001-DK01	兴宁至汕尾高速公路兴宁至五华段（含畲江、华阳支线）	
66	鹰婆嘴遗址	梅州市五华县安流镇学园村	1000	新石器时代晚期	4.1	GDKG-2013-001-DK01	兴宁至汕尾高速公路兴宁至五华段（含畲江、华阳支线）	
67	社岭背遗址	梅州市五华县河东镇苑塘村东	1000	新石器时代晚期	4.1	GDKG-2013-001-DK01	兴宁至汕尾高速公路兴宁至五华段（含畲江、华阳支线）	
68	横石山遗址	梅州市兴宁市水口镇英勤村横石寨东	800	春秋时期	4.1	GDKG-2013-001-DK01	兴宁至汕尾高速公路兴宁至五华段（含畲江、华阳支线）	
69	赤泥岭遗址	梅州市五华县安流镇梅林村西	1000	新石器时代晚期	4.1	GDKG-2013-001-DK01	兴宁至汕尾高速公路兴宁至五华段（含畲江、华阳支线）	
70	鸡笼山遗址	汕头市潮阳区河溪镇南垅村	36000	商周时期	4.2	GDKG-2013-002-DK02	汕头市潮汕二环及联络线高速公路	
71	七里山遗址	汕头市潮阳区金浦街道寨外村	20000	新石器时代晚期	4.2	GDKG-2013-002-DK02	汕头市潮汕二环及联络线高速公路	
72	内腾遗址	韶关市浈江区犁市镇内腾村东	160000	新石器时代	4.3	GDKG-2013-003-DK03	中国石化新疆煤制天然气外输管道工程（新粤浙管道）广东段	
73	磨盘岭遗址	茂名市信宜市池洞镇岭砥村	68000	南朝—唐代	4.4	GDKG-2013-007-DK06	包头至茂名国家高速公路粤境段	

续表

序号	遗址或遗物点名称	位置	遗址面积（平方米）	年代	项目序号	项目编号	所属项目	备注
74	大岭岗遗址	茂名市信宜市丁堡镇山背村竹坡村	63000	南朝—唐代	4.4	GDKG-2013-007-DK06	包头至茂名国家高速公路粤境段	
75	马鞍岭遗址	茂名市信宜市丁堡镇大舍坡村委会垌尾村	43000	南朝—唐代	4.4	GDKG-2013-007-DK06	包头至茂名国家高速公路粤境段	
76	白坟岭遗址	茂名市信宜市水口镇水口村	20000	南朝—唐代	4.4	GDKG-2013-007-DK06	包头至茂名国家高速公路粤境段	
77	北京岭遗址	茂名市高州市东岸镇东坡村	30000	南朝—唐代	4.4	GDKG-2013-007-DK06	包头至茂名国家高速公路粤境段	
78	旺坑岭坪遗址	茂名市高州市东岸镇旺坑村	42000	南朝—唐代	4.4	GDKG-2013-007-DK06	包头至茂名国家高速公路粤境段	
79	上村岭遗址	茂名市高州市曹江镇南山村	54000	南朝—唐代	4.4	GDKG-2013-007-DK06	包头至茂名国家高速公路粤境段	
80	人头岭遗址	茂名市高州市曹江镇甲子坡村	48000	南朝—唐代	4.4	GDKG-2013-007-DK06	包头至茂名国家高速公路粤境段	
81	二背岭遗址	茂名市信宜市池垌镇岭砥村	16000	南朝—唐代	4.4	GDKG-2013-007-DK06	包头至茂名国家高速公路粤境段	
82	龟岭遗址	茂名市信宜市东镇镇白坡村	60000	南朝—唐代	4.4	GDKG-2013-007-DK06	包头至茂名国家高速公路粤境段	
83	庙背岭遗址	茂名市高州市东岸镇甘川管区黄榄村	50000	南朝—唐代	4.4	GDKG-2013-007-DK06	包头至茂名国家高速公路粤境段	
84	老虎涌遗址	茂名市高州市东岸镇河朗坡村	16000	南朝—唐代	4.4	GDKG-2013-007-DK06	包头至茂名国家高速公路粤境段	
85	圆头岭遗址	茂名市高州市东岸镇双利村	17000	南朝—唐代	4.4	GDKG-2013-007-DK06	包头至茂名国家高速公路粤境段	
86	上高村岭遗址	茂名市高州市曹江镇周坡村	60000	唐代—宋代	4.4	GDKG-2013-007-DK06	包头至茂名国家高速公路粤境段	
87	白土山遗址	茂名市高州市分界镇南山村	28000	南朝—唐代	4.4	GDKG-2013-007-DK06	包头至茂名国家高速公路粤境段	
88	何木岭遗址	云浮市罗定市分界镇新坡村	45000	南朝—唐代	4.4	GDKG-2013-007-DK06	包头至茂名国家高速公路粤境段	
89	高燕垌岗遗址	茂名市信宜市朱砂镇里五村	30000	南朝—唐代	4.4	GDKG-2013-007-DK06	包头至茂名国家高速公路粤境段	
90	大寨岗遗址	茂名市信宜市池洞镇大坡村	45000	南朝—唐代	4.4	GDKG-2013-007-DK06	包头至茂名国家高速公路粤境段	

续表

序号	遗址或遗物点名称	位置	遗址面积（平方米）	年代	项目序号	项目编号	所属项目	备注
91	屋背岭遗址	茂名市高州市东岸镇双利村	50000	南朝—唐代	4.4	GDKG-2013-007-DK06	包头至茂名国家高速公路粤境段	
92	山岭遗址	茂名市高州市东岸镇双利村	12000	南朝—唐代	4.4	GDKG-2013-007-DK06	包头至茂名国家高速公路粤境段	
93	猫岭遗址	茂名市高州市谢鸡镇义山村	35000	南朝—唐代	4.4	GDKG-2013-007-DK06	包头至茂名国家高速公路粤境段	
94	柴山遗址	茂名市高州市泗水镇塘华村	18000	南朝—唐代	4.4	GDKG-2013-007-DK06	包头至茂名国家高速公路粤境段	
95	枫林山遗址	揭阳市揭西县五云镇梅江村西南	/	商周时期	4.5	GDKG-2013-013-DK11	西气东输三线闽粤支干线广东段	
96	塘背岭遗址	梅州市五华县梅林镇优河村东	/	新石器时代晚期	4.5	GDKG-2013-013-DK11	西气东输三线闽粤支干线广东段	
97	海螺山遗址	梅州市五华县华阳镇华阳村北	/	新石器时代晚期	4.5	GDKG-2013-013-DK11	西气东输三线闽粤支干线广东段	
98	王结塘山遗址	梅州市五华县华阳镇华阳村北	/	新石器时代晚期	4.5	GDKG-2013-013-DK11	西气东输三线闽粤支干线广东段	
99	流顶岗遗址	河源市紫金县紫城镇石陂村北	/	东周时期	4.5	GDKG-2013-013-DK11	西气东输三线闽粤支干线广东段	
100	井上山遗址	河源市紫金县紫城镇上书村丘坑南	/	新石器时代晚期	4.5	GDKG-2013-013-DK11	西气东输三线闽粤支干线广东段	
101	对面山遗址	河源市紫金县紫城镇上书村丘坑大屋西北	/	新石器时代晚期	4.5	GDKG-2013-013-DK11	西气东输三线闽粤支干线广东段	
102	山子下遗址	河源市紫金县紫城镇上书村南	/	新石器时代晚期	4.5	GDKG-2013-013-DK11	西气东输三线闽粤支干线广东段	
103	高浮顶遗址	河源市紫金县紫城镇上书村南	/	新石器时代晚期	4.5	GDKG-2013-013-DK11	西气东输三线闽粤支干线广东段	
104	留村岭遗址	惠州市龙门县龙江镇沈村东北	/	东汉、宋代	4.5	GDKG-2013-013-DK11	西气东输三线闽粤支干线广东段	
105	蛇尾岭遗址	广州市增城区派潭镇田心围行政村瓦窑吓村东南	/	东周时期	4.5	GDKG-2013-013-DK11	西气东输三线闽粤支干线广东段	
106	后龙山遗址	广州市增城区派潭镇大田围落光岭北	/	东周时期	4.5	GDKG-2013-013-DK11	西气东输三线闽粤支干线广东段	

续表

序号	遗址或遗物点名称	位置	遗址面积（平方米）	年代	项目序号	项目编号	所属项目	备注
107	瓢靴山遗址	揭阳市普宁市南溪镇南兜村	20000	新石器时代晚期、宋代	4.6	GDKG-2013-018-DK16	广东省天然气管网三期工程揭阳—梅州输气管道	
108	店前山遗址	揭阳市普宁市广太镇仁美村	3000	新石器时代晚期、商时期、西周—春秋时期	4.6	GDKG-2013-018-DK16	广东省天然气管网三期工程揭阳—梅州输气管道	
109	树篮山遗址	揭阳市普宁市广太镇京狮池村老寨	500	新石器时代晚期、战国—西汉时期	4.6	GDKG-2013-018-DK16	广东省天然气管网三期工程揭阳—梅州输气管道	
110	禁头山遗址	汕头市潮阳区金灶镇波头村	2000	新石器时代晚期	4.6	GDKG-2013-018-DK16	广东省天然气管网三期工程揭阳—梅州输气管道	
111	田中山遗址	汕头市潮阳区金灶镇波头村	/	新石器时代晚期	4.6	GDKG-2013-018-DK16	广东省天然气管网三期工程揭阳—梅州输气管道	
112	彩英坑遗址	潮州市潮安区归湖镇凤东村东南	10000	新石器时代、明代	4.7	GDKG-2013-021-DK19	宁（波）（东）莞高速公路粤闽界至潮州古巷段	
113	石子顶遗址	河源市龙川县老隆镇涧洞村石子塘	5000	新石器时代晚期、春秋时期	4.8	GDKG-2013-022-DK20	汕昆高速公路龙川至怀集段	
114	排下山遗址	清远市英德市青塘镇马岭村北	20000	新石器时代晚期	4.8	GDKG-2013-022-DK20	汕昆高速公路龙川至怀集段	
115	龙尾排墓地	河源市东源县船塘镇凹头村龙尾	5000	商时期	4.8	GDKG-2013-022-DK20	汕昆高速公路龙川至怀集段	
116	大旗山遗址	河源市连平县忠信镇东升村北	30000	战国时期	4.8	GDKG-2013-022-DK20	汕昆高速公路龙川至怀集段	
117	八字山遗址	河源市连平县油溪镇油东村北	30000	新石器时代、战国时期	4.8	GDKG-2013-022-DK20	汕昆高速公路龙川至怀集段	
118	引子崇遗址	韶关市翁源县龙仙镇塘下村西	4000	新石器时代晚期	4.8	GDKG-2013-022-DK20	汕昆高速公路龙川至怀集段	
119	桥头山遗址	河源市龙川县义都镇新潭村杠下	15000	新石器时代晚期	4.8	GDKG-2013-022-DK20	汕昆高速公路龙川至怀集段	
120	山黄岭墓地	清远市英德市望埠镇同心村	3000	南朝—唐代	4.8	GDKG-2013-022-DK20	汕昆高速公路龙川至怀集段	
121	长白岭墓地	清远市英德市望埠镇望河村潘屋	3000	南朝—唐代	4.8	GDKG-2013-022-DK20	汕昆高速公路龙川至怀集段	
122	水尾背墓地	清远市英德市石灰铺镇石灰村第四伙	2000	南朝—唐代	4.8	GDKG-2013-022-DK20	汕昆高速公路龙川至怀集段	
123	老虎窝墓地	清远市英德市西牛镇赤米管理区单竹径村北	3000	南朝—唐代	4.8	GDKG-2013-022-DK20	汕昆高速公路龙川至怀集段	

续表

序号	遗址或遗物点名称	位置	遗址面积（平方米）	年代	项目序号	项目编号	所属项目	备注
124	岗头岭遗址	河源市龙川县义都镇新潭村背头	4000	东周时期	4.8	GDKG-2013-022-DK31	汕昆高速公路龙川至怀集段	
125	烟子坪遗址	河源市连平县元善镇密溪村河背	3000	新石器时代晚期	4.8	GDKG-2013-022-DK31	汕昆高速公路龙川至怀集段	
126	旗山冲墓地	清远市清新区浸潭镇禾联村二队东北	2000	南朝—唐代	4.8	GDKG-2013-022-DK31	汕昆高速公路龙川至怀集段	
127	黄岭坪墓地	韶关市仁化县城口镇东光管理区水东村	5000	南朝	4.9	GDKG-2013-023-DK21	武（汉）深（圳）高速公路仁化至博罗段	遗址范围内发现少量方格纹陶片
128	长岭墓地	韶关市仁化县黄坑镇自然头村	1000	南朝	4.9	GDKG-2013-023-DK21	武（汉）深（圳）高速公路仁化至博罗段	
129	李屋遗址	惠州市龙门县龙田镇李屋村东	2000	东周时期	4.9	GDKG-2013-023-DK21	武（汉）深（圳）高速公路仁化至博罗段	
130	河田遗址	惠州市龙门县龙城街道办江夏村河田	1000	战国时期	4.9	GDKG-2013-023-DK21	武（汉）深（圳）高速公路仁化至博罗段	
131	# 宫墩村窑址	揭阳市揭西县河婆镇宫墩村	1200	清代	4.10	GDKG-2013-006-FJ01	广东省潮州至惠州高速公路	发掘龙窑 2 座
132	# 乌崇岭遗址	揭阳市揭西县河婆镇回澜寨村	1070	新石器时代晚期	4.10	GDKG-2013-006-FJ01	广东省潮州至惠州高速公路	发现新石器时代晚期灰坑 11 座、用火遗迹 2 个
133	# 葫芦山遗址	揭阳市普宁市广太镇寨山头村	1120	新石器时代晚期	4.10	GDKG-2013-006-FJ01	广东省潮州至惠州高速公路	清理新石器时代晚期灰坑 13 座，另清理唐代墓葬 1 座
134	# 平宝山遗址	揭阳市普宁市广太镇平宝山村	1000	新石器时代晚期—商周时期	4.10	GDKG-2013-006-FJ01	广东省潮州至惠州高速公路	清理新石器时代晚期至商周时期灰坑 8 座、墓葬 5 座
135	# 坳顶遗址	河源市连平县溪山镇北百高村	500	新石器时代晚期	4.11	GDKG-2013-012-FJ02	大庆至广州高速公路粤境连平、新丰和龙门段	
136	# 黄田埂遗址	河源市连平县元善镇东河村东北	2000	商时期	4.11	GDKG-2013-012-FJ02	大庆至广州高速公路粤境连平、新丰和龙门段	
137	# 屋背山遗址	茂名市信宜市池洞镇岭砥村	1100	唐代	4.12	GDKG-2013-024-FJ03	广东省信宜（桂粤界）至茂名公路	发现唐代中晚期灰坑 14 座
138	# 大岭岗遗址	茂名市信宜市丁堡镇山背村	700	唐代	4.12	GDKG-2013-024-FJ03	广东省信宜（桂粤界）至茂名公路	清理灰坑 13 座、灰沟 2 条和灶 1 个
139	# 马鞍岭遗址	茂名市信宜市丁堡镇大舍坡村	800	唐代	4.12	GDKG-2013-024-FJ03	广东省信宜（桂粤界）至茂名公路	清理灰坑 21 座

续表

序号	遗址或遗物点名称	位置	遗址面积（平方米）	年代	项目序号	项目编号	所属项目	备注
140	# 白坟岭遗址	茂名市信宜市水口镇简坡村	1500	唐代	4.12	GDKG-2013-024-FJ03	广东省信宜（桂粤界）至茂名公路	清理灰坑 19 个、灰沟 2 条、墓葬 2 座、路面 1 条、窑 1 座
141	# 岭坪遗址	茂名市高州市东岸镇旺坑村	1300	隋唐时期	4.12	GDKG-2013-024-FJ03	广东省信宜（桂粤界）至茂名公路	清理灰坑 28 座、灰沟 8 条、窑 1 座、灶 1 座、疑似房屋地面 1 处
142	# 屋背岭遗址	茂名市高州市东岸镇双利村	400	唐代	4.12	GDKG-2013-024-FJ03	广东省信宜（桂粤界）至茂名公路	清理灰坑 1 座
143	# 上村岭遗址	茂名市高州市曹江镇谭村	2000	唐代	4.12	GDKG-2013-024-FJ03	广东省信宜（桂粤界）至茂名公路	清理灰坑 17 座、灶 1 个、瓮棺葬 6 座
144	# 人头岭遗址	茂名市高州市曹江镇甲子坡村	900	唐代	4.12	GDKG-2013-024-FJ03	广东省信宜（桂粤界）至茂名公路	清理灰坑 25 个、灰沟 8 条
145	岭凸仔墓地	湛江市徐闻县南山镇县级文物保护单位二桥仕尾汉唐遗址附近	/	汉代	5.1	GDKG-2014-006-DK06	雷州半岛环岛一级公路南线	
146	坑仔山遗址	湛江市徐闻县龙塘镇木棉管理区那泗村西南	20000	汉代	5.1	GDKG-2014-006-DK06	雷州半岛环岛一级公路南线	
147	后茅园遗址	湛江市徐闻县龙塘镇龙塘管理区那板村南	25000	南朝	5.1	GDKG-2014-006-DK06	雷州半岛环岛一级公路南线	
148	桥头遗址	湛江市徐闻县南山镇二桥管理区二桥村东	20000	战国时期、唐代—宋代	5.1	GDKG-2014-006-DK06	雷州半岛环岛一级公路南线	
149	木棉遗址	湛江市徐闻县龙塘镇木棉管理区木棉村东南	/	战国—西汉时期	5.1	GDKG-2014-006-DK06	雷州半岛环岛一级公路南线	
150	徐闻上洋遗址	湛江市徐闻县龙塘镇赤农村委会昌发村东北	/	汉至唐代	5.1	GDKG-2014-006-DK06	雷州半岛环岛一级公路南线	
151	木棉子墓地	湛江市徐闻县迈陈镇龙潭管理区龙潭村西北	30000	汉代	5.2	GDKG-2014-007-DK07	雷州半岛环岛一级公路西线	
152	潭葛岭遗址	湛江市雷州市北和镇潭葛村委会潭葛南村东	5000	汉代	5.2	GDKG-2014-007-DK07	雷州半岛环岛一级公路西线	
153	红仔园遗址	湛江市雷州市英利镇红湖村委会后寮村东	5000	战国—汉代	5.2	GDKG-2014-007-DK07	雷州半岛环岛一级公路西线	
154	村后遗址	湛江市徐闻县迈陈镇龙潭管理区讨泗村北	5000	汉代	5.2	GDKG-2014-007-DK07	雷州半岛环岛一级公路西线	
155	大园坡遗址	湛江市徐闻县迈陈镇那宋村委会那宋村西	35000	战国—汉代	5.2	GDKG-2014-007-DK07	雷州半岛环岛一级公路西线	

续表

序号	遗址或遗物点名称	位置	遗址面积（平方米）	年代	项目序号	项目编号	所属项目	备注
156	石板村墓地	湛江市雷州市沈塘镇石板村西南	/	东汉—南朝	5.3	GDKG-2014-005-DK05	雷州半岛环岛一级公路东线	
157	红旗岭遗址	京能徐闻电厂排村灰场中部龙塘镇下海村	80000	战国—汉代	5.4	GDKG-2014-020-DK19	广东京能徐闻火电项目陆域厂区及灰场	
158	牛牯岗遗址	梅州市平远县长田镇三角塘村	10000	商周时期	5.5	GDKG-2014-017-DK16	梅州至平远高速公路	
159	山黄岭墓地	清远市英德市望埠镇同心村	15000	南朝—唐代	5.6	GDKG-2014-034-DK33	汕昆高速公路龙川至怀集段补充调查	地表采集少量石器
160	石灰峒墓地	清远市英德市石灰铺镇石灰村	4000	南朝—唐代	5.6	GDKG-2014-034-DK33	汕昆高速公路龙川至怀集段补充调查	
161	长岗岭窑址	河源市东源县船塘镇许村南	200	清代—民国时期	5.6	GDKG-2014-034-DK33	汕昆高速公路龙川至怀集段补充调查	
162	长龙角遗址	清远市英德市沙口镇园山村园山小学东南	/	宋代	5.7	GDKG-2014-018-DK17	神华国华广东清远电厂	
163	猫公山遗址及墓地	清远市连南瑶族自治县三江镇联红村	25000	商周时期、南朝	5.8	无	连南县猫公山商周遗址及南朝墓地	
164	民族小学墓地	清远市连南瑶族自治县民族小学东南	/	南朝	5.9	无	连南县民族小学南朝墓地调查	
165	泽桥山墓地	韶关市乳源瑶族自治县县城东南	/	南朝—唐代、明清时期	5.10	GDKG-2014-036-DK35	乳源县市政道路建设项目	
166	广海卫遗址	江门市台山市广海镇	/	明清时期	5.11	GDKG-2014-042-DK39	潿洋台与广海卫文物考古调查、勘探	
167	北门窑址	江门市新会区城区北部马山、猪乸岭	/	明代	5.12	GDKG-2014-039-DK37	新会区北门窑群文物考古调查、勘探	
168	山塘尾墓地	云浮市云城区安塘街道安塘村西北	6000	南朝	5.14	GDKG-2014-033-DK32	汕头至湛江高速公路清远清新至云浮新兴段	
169	东坡祠遗址	惠州市惠城区桥东惠新中街 67 号原惠州卫校内	10000	宋代、明清时期、民国时期	5.15	GDKG-2014-030-DK27、GDKG-2014-038-DK26	广东省惠州市惠城区东坡祠遗址	
170	# 红旗岭遗址	湛江市徐闻县龙塘镇东南	300	新石器时代晚期、汉代	5.16	GDKG-2014-041-FJ03	广东京能徐闻火电项目陆域厂区及灰场（广东京能徐闻发电厂项目厂址及贮灰场）	
171	# 牛屎山遗址	揭阳市榕城区仙桥街道办湖心村	1000	东周时期、宋代	5.17	GDKG-2014-044-FJ04	广东省揭阳至惠来高速公路	清理东周时期灰坑 10 座、土坑竖穴墓 1 座，宋代墓葬 4 座

新发现遗物点

序号	遗址或遗物点名称	位置	遗址面积（平方米）	年代	项目序号	项目编号	所属项目	备注
172	小塘岗遗物点	清远市英德市沙口镇红峰村委老屋村北	/	宋代、明代	1.1	GDKG-2010-002-DK02	广乐高速公路樟市至花东段工程项目文物考古调查、勘探	
173	布基村遗物点	肇庆市鼎湖区莲花镇布基村北	/	唐代—宋代	1.3	GDKG-2010-005-DK05	广佛肇高速公路肇庆段一期工程文物考古调查、勘探	
174	对艮岗遗物点	肇庆市广宁县南街镇城南村委巷口村	/	新石器时代晚期、隋代、唐代	1.5	GDKG-2010-014-DK11	广宁县官步初级中学和巷口小学拆迁重置合并建设项目文物考古调查、勘探	
175	马地岗遗物点	肇庆市德庆县马圩镇	/	汉代、唐代	2.6	GDKG-2011-017-DK17	广佛肇高速公路高要小湘至封开江口段项目	
176	四禅山遗物点	肇庆市德庆县播植镇洛阳村	/	汉代、唐代	2.6	GDKG-2011-017-DK17	广佛肇高速公路高要小湘至封开江口段项目	
177	山念梏遗物点	肇庆市高要区小湘镇爱村	/	唐代—明代	2.6	GDKG-2011-017-DK17	广佛肇高速公路高要小湘至封开江口段项目	
178	莲藕塱遗物点	云浮市新兴县东成镇都斛村西北	/	先秦时期、唐代	2.7	GDKG-2011-018-DK18	江门至罗定高速公路项目	
179	鸢头狮山遗物点	江门鹤山市双河镇莲庆青年农场南	/	唐代	2.7	GDKG-2011-018-DK18	江门至罗定高速公路项目	
180	区塘山边遗物点	佛山市高明区合成镇高村村委城村东南	/	唐代	2.7	GDKG-2011-018-DK18	江门至罗定高速公路项目	
181	水田顶遗物点	云浮市新兴县东成镇思本村东北	/	唐代	2.7	GDKG-2011-018-DK18	江门至罗定高速公路项目	
182	云栏山遗物点	云浮市新兴县东成镇思本村北	/	唐代	2.7	GDKG-2011-018-DK18	江门至罗定高速公路项目	
183	放牛山遗物点	云浮市新兴县新成镇布龙村东北	/	唐代	2.7	GDKG-2011-018-DK18	江门至罗定高速公路项目	
184	炮台山遗物点	江门市蓬江区棠下镇五洞村积溪西南	/	唐代—宋代	2.8	GDKG-2011-019-DK19	广佛江快速通道江门段项目	
185	斧头山遗物点	江门市蓬江区棠下镇大亨村	/	唐代—宋代	2.8	GDKG-2011-019-DK19	广佛江快速通道江门段项目	
186	围仔山遗物点	汕头市潮阳区河溪镇南垅村	/	战国—西汉时期	3.3	GDKG-2012-003-DK03	汕湛高速公路汕头至揭西段	
187	蛇仔龙遗物点	汕头市潮阳区和平镇临昆上村	/	商时期	3.3	GDKG-2012-003-DK03	汕湛高速公路汕头至揭西段	

续表

序号	遗址或遗物点名称	位置	遗址面积（平方米）	年代	项目序号	项目编号	所属项目	备注
188	鹅岭遗物点	阳江市阳春市陂面镇南星村	/	南朝—唐代	3.4	GDKG-2012-001-DK01	云浮至阳江高速公路罗定至阳春段	
189	龙尾山遗物点	阳江市阳春市陂面镇上塘村	/	南朝—唐代	3.4	GDKG-2012-001-DK01	云浮至阳江高速公路罗定至阳春段	
190	山塘墩遗物点	阳江市阳春市陂面镇上塘村	/	宋代、明清时期	3.4	GDKG-2012-001-DK01	云浮至阳江高速公路罗定至阳春段	
191	旧寨塘遗物点	阳江市阳春市陂面镇旧寨塘	/	隋唐时期	3.4	GDKG-2012-001-DK01	云浮至阳江高速公路罗定至阳春段	
192	旺岗遗物点	云浮市罗定市围底镇大旺塘村	/	宋代	3.4	GDKG-2012-001-DK01	云浮至阳江高速公路罗定至阳春段	
193	三角山遗物点	云浮市罗定市围底镇莲塘头村委三角塘村	/	汉代、唐代	3.4	GDKG-2012-001-DK01	云浮至阳江高速公路罗定至阳春段	
194	大坡遗物点	湛江市坡头区官渡镇官塘村	/	汉代、宋代、明清时期	3.5	GDKG-2012-005-DK05	湛江市官渡海围、消坡海围大桥	
195	麻俸村遗物点	湛江市坡头区官渡镇麻俸村南	/	南朝	3.5	GDKG-2012-005-DK05	湛江市官渡海围、消坡海围大桥	
196	年丰村遗物点	深圳市龙岗区坪地镇	/	唐代	3.6	GDKG-2012-007-DK07	中石油深圳 LNG 应急调峰站项目	
197	卜姑岭遗物点	韶关市浈江区犁市镇	/	宋代	3.8	GDKG-2012-026-DK25	国电粤华韶关煤矸石发电项目	
198	蛇形嘴遗物点	梅州市五华县转水镇新华村北	/	新石器时代晚期	4.1	GDKG-2013-001-DK01	兴宁至汕尾高速公路兴宁至五华段（含畲江、华阳支线）	
199	伯公坳遗物点	梅州市五华县转水镇新华村东南	/	新石器时代晚期	4.1	GDKG-2013-001-DK01	兴宁至汕尾高速公路兴宁至五华段（含畲江、华阳支线）	
200	凹峰山遗物点	梅州市五华县转水镇蛇塘村北	/	新石器时代晚期	4.1	GDKG-2013-001-DK01	兴宁至汕尾高速公路兴宁至五华段（含畲江、华阳支线）	
201	双岗岭遗物点	梅州市五华县横陂镇华阁二桥东	/	商周时期	4.1	GDKG-2013-001-DK01	兴宁至汕尾高速公路兴宁至五华段（含畲江、华阳支线）	
202	塘尾后山遗物点	梅州市五华县安流镇吉水村	/	商周时期	4.1	GDKG-2013-001-DK01	兴宁至汕尾高速公路兴宁至五华段（含畲江、华阳支线）	
203	鹅形山遗物点	梅州市五华县安流镇半径村西	/	新石器时代晚期	4.1	GDKG-2013-001-DK01	兴宁至汕尾高速公路兴宁至五华段（含畲江、华阳支线）	
204	冯山遗物点	梅州市五华县安流镇吉洞村东南	/	新石器时代晚期	4.1	GDKG-2013-001-DK01	兴宁至汕尾高速公路兴宁至五华段（含畲江、华阳支线）	

续表

序号	遗址或遗物点名称	位置	遗址面积（平方米）	年代	项目序号	项目编号	所属项目	备注
205	双福山至商周遗物点	梅州市五华县安流镇双福村东北	/	新石器时代晚期	4.1	GDKG-2013-001-DK01	兴宁至汕尾高速公路兴宁至五华段（含畲江、华阳支线）	
206	九肚山遗物点	汕头市潮阳区金浦街道办三堡村	/	新石器时代晚期	4.2	GDKG-2013-002-DK02	汕头市潮汕二环及联络线高速公路	
207	蜘蛛山遗物点	汕头市金平区鮀莲街道莲塘村	/	唐代—宋代	4.2	GDKG-2013-002-DK02	汕头市潮汕二环及联络线高速公路	
208	内腾遗物点	韶关市浈江区犁市镇内腾村东南	/	唐代—宋代	4.3	GDKG-2013-003-DK03	中国石化新疆煤制天然气外输管道工程（新粤浙管道）广东段	
209	大瓦岗遗物点	茂名市信宜市朱砂镇	/	南朝—唐代	4.4	GDKG-2013-007-DK06	包头至茂名国家高速公路粤境段	
210	穴离村遗物点	茂名市信宜市朱砂镇穴离村东南	/	南朝—唐代	4.4	GDKG-2013-007-DK06	包头至茂名国家高速公路粤境段	
211	良家冲遗物点	茂名市信宜市池洞镇大坡村	/	南朝—唐代	4.4	GDKG-2013-007-DK06	包头至茂名国家高速公路粤境段	
212	红螺后山遗物点	茂名市信宜市东镇镇东城街道办事处漳坡村	/	南朝—唐代	4.4	GDKG-2013-007-DK06	包头至茂名国家高速公路粤境段	
213	竹山岭遗物点	茂名市信宜市丁堡镇湾统村	/	南朝—唐代	4.4	GDKG-2013-007-DK06	包头至茂名国家高速公路粤境段	
214	湾统村遗物点	茂名市信宜市丁堡镇湾统村	/	南朝—唐代	4.4	GDKG-2013-007-DK06	包头至茂名国家高速公路粤境段	
215	水口互通遗物点	茂名市信宜市水口互通出口	/	南朝—唐代	4.4	GDKG-2013-007-DK06	包头至茂名国家高速公路粤境段	
216	水口村遗物点	茂名市信宜市水口镇水口村	/	南朝—唐代	4.4	GDKG-2013-007-DK06	包头至茂名国家高速公路粤境段	
217	大舍坡村第一遗物点	茂名市信宜市水口镇水口服务区起点处	/	南朝—唐代	4.4	GDKG-2013-007-DK06	包头至茂名国家高速公路粤境段	
218	大舍坡村第二遗物点	茂名市信宜市水口镇水口服务区匝道右侧山地	/	南朝—唐代	4.4	GDKG-2013-007-DK06	包头至茂名国家高速公路粤境段	
219	柑子地遗物点	茂名市信宜市水口镇水口互通水口村	/	南朝—唐代	4.4	GDKG-2013-007-DK06	包头至茂名国家高速公路粤境段	
220	铜口遗物点	茂名市信宜市水口镇水口村	/	南朝—唐代	4.4	GDKG-2013-007-DK06	包头至茂名国家高速公路粤境段	
221	岗背岭遗物点	茂名市高州区东岸镇石陂村	/	南朝—唐代	4.4	GDKG-2013-007-DK06	包头至茂名国家高速公路粤境段	

续表

序号	遗址或遗物点名称	位置	遗址面积（平方米）	年代	项目序号	项目编号	所属项目	备注
222	燕子岭遗物点	茂名市高州市东岸镇旺坑村	/	南朝—唐代	4.4	GDKG-2013-007-DK06	包头至茂名国家高速公路粤境段	
223	乡利塘遗物点	茂名市高州市东岸镇双利村	/	南朝—唐代	4.4	GDKG-2013-007-DK06	包头至茂名国家高速公路粤境段	
224	乐坑遗物点	茂名市高州市东岸镇乐坑村	/	南朝—唐代	4.4	GDKG-2013-007-DK06	包头至茂名国家高速公路粤境段	
225	山口第一遗物点	茂名市高州市东岸镇双利村龟岭山	/	南朝—唐代	4.4	GDKG-2013-007-DK06	包头至茂名国家高速公路粤境段	
226	山口第二遗物点	茂名市高州市东岸镇双利村	/	南朝—唐代	4.4	GDKG-2013-007-DK06	包头至茂名国家高速公路粤境段	
227	南山村第一遗物点	茂名市高州市曹江镇上南山村鸭婆帽山	/	南朝—唐代	4.4	GDKG-2013-007-DK06	包头至茂名国家高速公路粤境段	
228	南山村第二遗物点	茂名市高州市曹江镇上南山村亚车化山	/	南朝—唐代	4.4	GDKG-2013-007-DK06	包头至茂名国家高速公路粤境段	
229	高州停车区遗物点	茂名市高州市曹江镇高州停车区内	/	南朝—唐代	4.4	GDKG-2013-007-DK06	包头至茂名国家高速公路粤境段	
230	谭村第一遗物点	茂名市高州市曹江镇上谭村谭坑东面山地	/	南朝—唐代	4.4	GDKG-2013-007-DK06	包头至茂名国家高速公路粤境段	
231	荷垌村遗物点	茂名市高州市曹江镇荷垌村东北	/	南朝—唐代	4.4	GDKG-2013-007-DK06	包头至茂名国家高速公路粤境段	
232	连理塘遗物点	茂名市高州市曹江镇上甲子村	/	南朝—唐代	4.4	GDKG-2013-007-DK06	包头至茂名国家高速公路粤境段	
233	高坡村遗物点	茂名市高州市曹江镇上甲子村	/	南朝—唐代	4.4	GDKG-2013-007-DK06	包头至茂名国家高速公路粤境段	
234	冯坑遗物点	茂名市高州市曹江镇凤坑村、冯坑村后山	/	南朝—唐代	4.4	GDKG-2013-007-DK06	包头至茂名国家高速公路粤境段	
235	西坑村遗物点	茂名市高州市曹江镇西坑村西	/	南朝—唐代	4.4	GDKG-2013-007-DK06	包头至茂名国家高速公路粤境段	
236	水口服务区遗物点	茂名市信宜市水口镇水口服务区主线西侧山地	/	宋代	4.4	GDKG-2013-007-DK06	包头至茂名国家高速公路粤境段	
237	竹仔蓝山遗物点	揭阳市揭东区埔田镇新岭村	/	新石器时代晚期	4.5	GDKG-2013-013-DK11	西气东输三线闽粤支干线广东段	

续表

序号	遗址或遗物点名称	位置	遗址面积（平方米）	年代	项目序号	项目编号	所属项目	备注
238	巽巳山遗物点	河源市紫金县中坝镇中心村水口	/	新石器时代晚期	4.5	GDKG-2013-013-DK11	西气东输三线闽粤支干线广东段	
239	高峡山遗物点	河源市紫金县中坝镇塔坳村石楼下	/	新石器时代晚期	4.5	GDKG-2013-013-DK11	西气东输三线闽粤支干线广东段	
240	车全排遗物点	河源市紫金县紫城镇林下村山下	/	新石器时代晚期	4.5	GDKG-2013-013-DK11	西气东输三线闽粤支干线广东段	
241	围顶坪遗物点	河源市紫金县义容镇南坑村西	/	新石器时代晚期	4.5	GDKG-2013-013-DK11	西气东输三线闽粤支干线广东段	
242	屋背岭遗物点	河源市紫金县义容镇南坑村西	/	新石器时代晚期	4.5	GDKG-2013-013-DK11	西气东输三线闽粤支干线广东段	
243	龟仙岭遗物点	广州市增城区派潭镇田心围村瓦窑吓	/	唐代—宋代	4.5	GDKG-2013-013-DK11	西气东输三线闽粤支干线广东段	
244	竹园边遗物点	广州市增城区小楼镇庙潭村西	/	东周时期	4.5	GDKG-2013-013-DK11	西气东输三线闽粤支干线广东段	
245	耕寮遗物点	广州市增城区小楼镇耕寮村北	/	唐代—宋代	4.5	GDKG-2013-013-DK11	西气东输三线闽粤支干线广东段	
246	西冚遗物点	广州市增城区小楼镇西冚村东南	/	唐代—宋代	4.5	GDKG-2013-013-DK11	西气东输三线闽粤支干线广东段	
247	竹园吓遗物点	广州市从化区江埔街留田坑村西北	/	东周时期、唐代—宋代	4.5	GDKG-2013-013-DK11	西气东输三线闽粤支干线广东段	
248	上屋山遗物点	梅州市梅县区程江镇大塘村	/	商周时期、明清时期	4.6	GDKG-2013-018-DK16	广东省天然气管网三期工程揭阳—梅州输气管道	
249	南山窝遗物点	河源市龙川县义都镇新潭村新民	/	新石器时代晚期	4.8	GDKG-2013-022-DK20	汕昆高速公路龙川至怀集段	
250	龙祖山遗物点	河源市东源县船塘镇小水村大寨	/	新石器时代晚期—商时期	4.8	GDKG-2013-022-DK20	汕昆高速公路龙川至怀集段	
251	官山遗物点	河源市连平县忠信镇曲塘村东北	/	新石器时代晚期	4.8	GDKG-2013-022-DK20	汕昆高速公路龙川至怀集段	
252	圳头遗物点	河源市连平县元善镇东联村陈皮合	/	新石器时代晚期	4.8	GDKG-2013-022-DK21	汕昆高速公路龙川至怀集段	
253	牛拔岭遗物点	韶关市翁源县龙仙镇新饶村东南	/	春秋时期	4.8	GDKG-2013-022-DK22	汕昆高速公路龙川至怀集段	

续表

序号	遗址或遗物点名称	位置	遗址面积（平方米）	年代	项目序号	项目编号	所属项目	备注
254	铺船岗遗物点	清远市英德市青塘镇新青村东北	/	新石器时代晚期	4.8	GDKG-2013-022-DK23	汕昆高速公路龙川至怀集段	
255	蔗场遗物点	清远市英德市东华镇石角梁村东南	/	东周时期	4.8	GDKG-2013-022-DK24	汕昆高速公路龙川至怀集段	
256	大岭窝遗物点	清远市英德市望埠镇同心村	/	商周时期	4.8	GDKG-2013-022-DK25	汕昆高速公路龙川至怀集段	
257	谭屋遗物点	清远市英德市望埠镇谭屋村西北	/	唐代	4.8	GDKG-2013-022-DK26	汕昆高速公路龙川至怀集段	
258	大蔗塘遗物点	清远市英德市横石塘镇仙桥村北	/	唐代	4.8	GDKG-2013-022-DK27	汕昆高速公路龙川至怀集段	
259	塘鼓岭遗物点	清远市英德市西牛镇赤米管理区单竹径村西北	/	唐代	4.8	GDKG-2013-022-DK28	汕昆高速公路龙川至怀集段	
260	小黎坝遗物点	肇庆市怀集县怀城镇谭舍村西南	/	唐代	4.8	GDKG-2013-022-DK29	汕昆高速公路龙川至怀集段	
261	上芒山遗物点	肇庆市怀集县怀城镇谭勒村罗龙	/	唐代	4.8	GDKG-2013-022-DK30	汕昆高速公路龙川至怀集段	
262	长岗岭遗物点	河源市东源县船塘镇许村南	/	商周时期	4.8	GDKG-2013-022-DK30	汕昆高速公路龙川至怀集段	
263	黄田村背遗物点	韶关市仁化县丹霞街道管理区黄田村西	/	宋代	4.9	GDKG-2013-023-DK21	武（汉）深（圳）高速公路仁化至博罗段	
264	高扶岭遗物点	韶关市仁化县黄坑镇高扶村	/	战国时期、宋代	4.9	GDKG-2013-023-DK21	武（汉）深（圳）高速公路仁化至博罗段	
265	山塘背遗物点	韶关市仁化县周田镇台滩管理区	/	南朝	4.9	GDKG-2013-023-DK21	武（汉）深（圳）高速公路仁化至博罗段	
266	麦屋遗物点	韶关市始兴县沈所镇麦屋村西南	/	明代	4.9	GDKG-2013-023-DK21	武（汉）深（圳）高速公路仁化至博罗段	
267	桐子坪遗物点	韶关市翁源县坝仔镇毛屋村西南	/	宋代	4.9	GDKG-2013-023-DK21	武（汉）深（圳）高速公路仁化至博罗段	
268	大窝顶遗物点	惠州市龙门县龙田镇寺前村	/	东周时期	4.9	GDKG-2013-023-DK21	武（汉）深（圳）高速公路仁化至博罗段	
269	甘坑遗物点	惠州市龙门县路溪镇蒲田村南	/	宋代	4.9	GDKG-2013-023-DK21	武（汉）深（圳）高速公路仁化至博罗段	

续表

序号	遗址或遗物点名称	位置	遗址面积（平方米）	年代	项目序号	项目编号	所属项目	备注
270	华丰岭遗物点	湛江市徐闻县迈陈镇华丰村西北	/	汉代	5.1	GDKG-2014-006-DK06	雷州半岛环岛一级公路南线	
271	东岭岗遗物点	湛江市徐闻县南山镇海港管理区海港村	/	汉代	5.1	GDKG-2014-006-DK06	雷州半岛环岛一级公路南线	
272	陆内地遗物点	湛江市徐闻县龙塘镇木棉管理区埚仔村南	/	战国—西汉时期	5.1	GDKG-2014-006-DK06	雷州半岛环岛一级公路南线	
273	下埚地遗物点	湛江市徐闻县龙塘镇大塘管理区埚仔村东	/	汉代	5.1	GDKG-2014-006-DK06	雷州半岛环岛一级公路南线	
274	樟树园遗物点	湛江市徐闻县龙塘镇西洋管理区田蟹钳村北	/	汉代	5.1	GDKG-2014-006-DK06	雷州半岛环岛一级公路南线	
275	边岭遗物点	湛江市徐闻县南山镇海港管理区海港村西北	/	汉代、唐代	5.1	GDKG-2014-006-DK06	雷州半岛环岛一级公路南线	
276	宫井岗遗物点	湛江市徐闻县南山镇竹山村北	/	汉代、唐代	5.1	GDKG-2014-006-DK06	雷州半岛环岛一级公路南线	
277	塘边遗物点	湛江市徐闻县前山镇曹家管理区红坎上村北	/	汉代、唐代	5.1	GDKG-2014-006-DK06	雷州半岛环岛一级公路南线	
278	挖尾山遗物点	湛江市遂溪县乐民镇盐仓村东	/	南朝	5.2	GDKG-2014-007-DK07	雷州半岛环岛一级公路西线	
279	乾陇岭遗物点	湛江市雷州市北和镇调和村委会乾陇下村	/	汉代	5.2	GDKG-2014-007-DK07	雷州半岛环岛一级公路西线	
280	石狗园遗物点	湛江市雷州市覃斗镇迈克村委会迈克村	/	汉代	5.2	GDKG-2014-007-DK07	雷州半岛环岛一级公路西线	
281	土贡遗物点	湛江市雷州市英利镇龙门林场	/	唐代	5.2	GDKG-2014-007-DK07	雷州半岛环岛一级公路西线	
282	堰头岭遗物点	湛江市雷州市英利镇英湖管理区后寮仔	/	汉代	5.2	GDKG-2014-007-DK07	雷州半岛环岛一级公路西线	
283	埚仔场遗物点	湛江市徐闻县迈陈镇北街管理区北街村	/	汉代	5.2	GDKG-2014-007-DK07	雷州半岛环岛一级公路西线	
284	红泥地遗物点	湛江市徐闻县迈陈镇龙潭管理区新兴村西	/	汉代、南朝	5.2	GDKG-2014-007-DK07	雷州半岛环岛一级公路西线	
285	石子落遗物点	湛江市徐闻县迈陈镇迈陈管理区英斐村渡头北	/	汉代	5.2	GDKG-2014-007-DK07	雷州半岛环岛一级公路西线	

续表

序号	遗址或遗物点名称	位置	遗址面积（平方米）	年代	项目序号	项目编号	所属项目	备注
286	屋背山遗物点	梅州市平远县长田镇葛藤坪村	/	商周时期	5.5	GDKG-2014-017-DK16	梅州至平远高速公路	
287	塘背山遗物点	梅州市平远县长田镇大路下村	/	商周时期	5.5	GDKG-2014-017-DK16	梅州至平远高速公路	
288	井塘坪遗物点	清远市英德市沙口镇清溪村仁科水泥厂东北	/	南朝一唐代	5.7	GDKG-2014-018-DK17	神华国华广东清远电厂	
289	洋庭遗物点	清远市英德市沙口镇清溪村委东坌园	/	南朝一唐代	5.7	GDKG-2014-018-DK17	神华国华广东清远电厂	
290	大岭遗物点	清远市英德市沙口镇清溪村	/	南朝一唐代	5.7	GDKG-2014-018-DK17	神华国华广东清远电厂	
291	龙眼根遗物点	湛江市廉江市营仔镇垌口村油柑埇	/	东汉	5.13	GDKG-2014-012-DK12	广西液化天然气输气管道工程粤西支线	
292	茅岗遗物点	肇庆市高要区禄步镇寻边村西南	/	唐代一宋代	5.14	GDKG-2014-033-DK32	汕头至湛江高速公路清远清新至云浮新兴段	
293	望天岗遗物点	云浮市云城区安塘街道夏洞村	/	唐代一宋代	5.14	GDKG-2014-033-DK32	汕头至湛江高速公路清远清新至云浮新兴段	

附表二　2010～2014年度广东省基建考古新发现分区一览表

1.遗址加#号者为经过考古发掘。

2.遗址面积一栏中的数值均表示其发掘面积。

3.部分历史时期遗址或遗物点出土遗物较少或年代特征不甚明确，为避免舛误，以朝代合称表示此类遗址或遗物点所处的历史阶段，如“隋唐时期”、“明清时期”等。

地区	遗址序号	遗址或遗物点名称	位置	遗址面积（平方米）	年代	项目序号	备注
东莞市	59	麻再岭遗址	东莞市清溪镇	/	宋代、明代	3.6	遗址采集到零星汉代方格纹瓦片
佛山市	180	区塘山边遗物点	佛山市高明区合成镇高村村委城村东南	/	唐代	2.7	
惠州市	22	#曾屋岭墓地	惠州市博罗县福田镇联合村冲径曾屋岭东麓	墓葬89座	春秋时期	1.12	发掘春秋时期墓葬85座，另清理宋代墓葬1座和清代墓葬3座
	104	留村岭遗址	惠州市龙门县龙江镇沈村东北	/	东汉、宋代	4.5	
	129	李屋遗址	惠州市龙门县龙田镇李屋村东	2000	东周时期	4.9	
	130	河田遗址	惠州市龙门县龙城街道办江夏村河田	1000	战国时期	4.9	
	169	东坡祠遗址	惠州市惠城区桥东惠新中街67号原惠州卫校内	10000	宋代、明清时期、民国时期	5.15	
	268	大窝顶遗物点	惠州市龙门县龙田镇寺前村	/	东周时期	4.9	
	269	甘坑遗物点	惠州市龙门县路溪镇蒲田村南	/	宋代	4.9	
汕头市	56	圆山仔遗址	汕头市潮阳区河溪镇华东村圆山仔	15000	商周时期	3.3	
	57	东岩山墓地	汕头市潮阳区河溪镇华东村南	1500	唐代、明代	3.3	
	70	鸡笼山遗址	汕头市潮阳区河溪镇南垅村	36000	商周时期	4.2	
	71	七里山遗址	汕头市潮阳区金浦街道寨外村	20000	新石器时代晚期	4.2	
	110	禁头山遗址	汕头市潮阳区金灶镇波头村	2000	新石器时代晚期	4.6	
	111	田中山遗址	汕头市潮阳区金灶镇波头村	/	新石器时代晚期	4.6	
	186	围仔山遗物点	汕头市潮阳区河溪镇南垅村	/	战国—西汉时期	3.3	
	187	蛇仔龙遗物点	汕头市潮阳区和平镇临昆上村	/	商时期	3.3	
	206	九肚山遗物点	汕头市潮阳区金浦街道办三堡村	/	新石器时代晚期	4.2	
	207	蜘蛛山遗物点	汕头市金平区鮀莲街道莲塘村	/	唐代—宋代	4.2	

续表

地区	遗址序号	遗址或遗物点名称	位置	遗址面积（平方米）	年代	项目序号	备注
江门市	30	长长山遗址	江门市鹤山市双合镇泗河村委布尚村西	/	南朝—唐代	2.7	
	32	荔枝山遗址	江门市鹤山市双合镇泗河村委布尚村西	/	南朝—唐代	2.7	
	33	虎头山墓地	江门市鹤山市址山镇角塘村东南	/	唐代	2.7	
	34	蟾蜍山遗址	江门开平市月山镇新村东北	/	宋代	2.7	
	166	广海卫遗址	江门市台山市广海镇	/	明清时期	5.11	
	167	北门窑址	江门市新会区城区北部马山、猪螂岭	/	明代	5.12	
	179	畬头狮山遗物点	江门鹤山市双河镇莲庆青年农场南	/	唐代	2.7	
	184	炮台山遗物点	江门市蓬江区棠下镇五洞村积溪西南	/	唐代—宋代	2.8	
	185	斧头山遗物点	江门市蓬江区棠下镇大亨村	/	唐代—宋代	2.8	
茂名市	73	磨盘岭遗址	茂名市信宜市池洞镇岭砥村	68000	南朝—唐代	4.4	
	74	大岭岗遗址	茂名市信宜市丁堡镇山背村竹坡村	63000	南朝—唐代	4.4	
	75	马鞍岭遗址	茂名市信宜市丁堡镇大舍坡村委会垌尾村	43000	南朝—唐代	4.4	
	76	白坟岭遗址	茂名市信宜市水口镇水口村	20000	南朝—唐代	4.4	
	77	北京岭遗址	茂名市高州市东岸镇东坡村	30000	南朝—唐代	4.4	
	78	旺坑岭坪遗址	茂名市高州市东岸镇旺坑村	42000	南朝—唐代	4.4	
	79	上村岭遗址	茂名市高州市曹江镇南山村	54000	南朝—唐代	4.4	
	80	人头岭遗址	茂名市高州市曹江镇甲子坡村	48000	南朝—唐代	4.4	
	81	二背岭遗址	茂名市信宜市池垌镇岭砥村	16000	南朝—唐代	4.4	
	82	龟岭遗址	茂名市信宜市东镇镇白坡村	60000	南朝—唐代	4.4	
	83	庙背岭遗址	茂名市高州市东岸镇甘川管区黄榄村	50000	南朝—唐代	4.4	
	84	老虎涌遗址	茂名市高州市东岸镇河朗坡村	16000	南朝—唐代	4.4	
	85	圆头岭遗址	茂名市高州市东岸镇双利村	17000	南朝—唐代	4.4	
	86	上高村岭遗址	茂名市高州市曹江镇周坡村	60000	唐代—宋代	4.4	
	87	白土山遗址	茂名市高州市分界镇南山村	28000	南朝—唐代	4.4	
	89	高燕垌岗遗址	茂名市信宜市朱砂镇里五村	30000	南朝—唐代	4.4	

续表

地区	遗址序号	遗址或遗物点名称	位置	遗址面积（平方米）	年代	项目序号	备注
茂名市	90	大寨岗遗址	茂名市信宜市池洞镇大坡村	45000	南朝—唐代	4.4	
	91	屋背岭遗址	茂名市高州市东岸镇双利村	50000	南朝—唐代	4.4	
	92	山岭遗址	茂名市高州市东岸镇双利村	12000	南朝—唐代	4.4	
	93	猫岭遗址	茂名市高州市谢鸡镇义山村	35000	南朝—唐代	4.4	
	94	柴山遗址	茂名市高州市泗水镇塘华村	18000	南朝—唐代	4.4	
	137	# 屋背山遗址	茂名市信宜市池洞镇岭砥村	1100	唐代	4.12	发现唐代中晚期灰坑 14 座
	138	# 大岭岗遗址	茂名市信宜市丁堡镇山背村	700	唐代	4.12	清理灰坑 13 座、灰沟 2 条和灶 1 个
	139	# 马鞍岭遗址	茂名市信宜市丁堡镇大舍坡村	800	唐代	4.12	清理灰坑 21 座
	140	# 白坟岭遗址	茂名市信宜市水口镇简坡村	1500	唐代	4.12	清理灰坑 19 个、灰沟 2 条、墓葬 2 座、路面 1 条、窑 1 座
	141	# 岭坪遗址	茂名市高州市东岸镇旺坑村	1300	隋唐时期	4.12	清理灰坑 28 座、灰沟 8 条、窑 1 座、灶 1 座、疑似房屋地面 1 处
	142	# 屋背岭遗址	茂名市高州市东岸镇双利村	400	唐代	4.12	清理灰坑 1 座
	143	# 上村岭遗址	茂名市高州市曹江镇谭村	2000	唐代	4.12	清理灰坑 17 座、灶 1 个、瓮棺葬 6 座
	144	# 人头岭遗址	茂名市高州市曹江镇甲子坡村	900	唐代	4.12	清理灰坑 25 个、灰沟 8 条
	209	大瓦岗遗物点	茂名市信宜市朱砂镇	/	南朝—唐代	4.4	
	210	穴离村遗物点	茂名市信宜市朱砂镇穴离村东南	/	南朝—唐代	4.4	
	211	良家冲遗物点	茂名市信宜市池洞镇大坡村	/	南朝—唐代	4.4	
	212	红螺后山遗物点	茂名市信宜市东镇镇东城街道办事处漳坡村	/	南朝—唐代	4.4	
	213	竹山岭遗物点	茂名市信宜市丁堡镇湾统村	/	南朝—唐代	4.4	
	214	湾统村遗物点	茂名市信宜市丁堡镇湾统村	/	南朝—唐代	4.4	
	215	水口互通遗物点	茂名市信宜市水口互通出口	/	南朝—唐代	4.4	
	216	水口村遗物点	茂名市信宜市水口镇水口村	/	南朝—唐代	4.4	
	217	大舍坡村第一遗物点	茂名市信宜市水口镇水口服务区起点处	/	南朝—唐代	4.4	
	218	大舍坡村第二遗物点	茂名市信宜市水口镇水口服务区匝道右侧山地	/	南朝—唐代	4.4	
	219	柑子地遗物点	茂名市信宜市水口镇水口互通水口村	/	南朝—唐代	4.4	

续表

地区	遗址序号	遗址或遗物点名称	位置	遗址面积（平方米）	年代	项目序号	备注
茂名市	220	铜口遗物点	茂名市信宜市水口镇水口村	/	南朝—唐代	4.4	
	221	岗背岭遗物点	茂名市高州市东岸镇石陂村	/	南朝—唐代	4.4	
	222	燕子岭遗物点	茂名市高州市东岸镇旺坑村	/	南朝—唐代	4.4	
	223	乡利塘遗物点	茂名市高州市东岸镇双利村	/	南朝—唐代	4.4	
	224	乐坑遗物点	茂名市高州市东岸镇乐坑村	/	南朝—唐代	4.4	
	225	山口第一遗物点	茂名市高州市东岸镇双利村龟岭山	/	南朝—唐代	4.4	
	226	山口第二遗物点	茂名市高州市东岸镇双利村	/	南朝—唐代	4.4	
	227	南山村第一遗物点	茂名市高州市曹江镇上南山村鸭婆帽山	/	南朝—唐代	4.4	
	228	南山村第二遗物点	茂名市高州市曹江镇上南山村亚车化山	/	南朝—唐代	4.4	
	229	高州停车区遗物点	茂名市高州市曹江镇高州停车区内	/	南朝—唐代	4.4	
	230	谭村第一遗物点	茂名市高州市曹江镇上谭村谭坑东面山地	/	南朝—唐代	4.4	
	231	荷垌村遗物点	茂名市高州市曹江镇荷垌村东北	/	南朝—唐代	4.4	
	232	连理塘遗物点	茂名市高州市曹江镇上甲子村	/	南朝—唐代	4.4	
	233	高坡村遗物点	茂名市高州市曹江镇上甲子村	/	南朝—唐代	4.4	
	234	冯坑遗物点	茂名市高州市曹江镇凤坑村、冯坑村后山	/	南朝—唐代	4.4	
	235	西坑村遗物点	茂名市高州市曹江镇西坑村西	/	南朝—唐代	4.4	
	236	水口服务区遗物点	茂名市信宜市水口镇水口服务区主线西侧山地	/	宋代	4.4	
肇庆市	9	坳头村遗址	肇庆市端州区睦岗镇坳头村	3000	唐代、明代、清代	1.3	
	10	冯屋村遗址	肇庆市四会市大沙镇冯屋村南绥江左岸	/	明清时期	1.3	
	14	# 龙嘴岗遗址和墓地	肇庆市广宁县南街镇城南村（原巷口管理区）	1500	战国时期	1.7	清理战国时期墓葬 17 座、隋唐时期墓葬 1 座，发现少量新石器时代遗物
	27	州山顶窑址	肇庆市高要区白土镇下灶村东	1000	明代	2.5	
	28	背后山遗址	肇庆市德庆县播植镇前岸村北	/	东汉、唐代	2.6	
	29	金钱咀遗址	肇庆市封开县长岗镇周黎村金钱咀村东	3000	汉代、唐代	2.6	
	62	# 高要学宫	肇庆市端州区正东路	400	明代—民国时期	3.9	

续表

地区	遗址序号	遗址或遗物点名称	位置	遗址面积（平方米）	年代	项目序号	备注
肇庆市	173	布基村遗物点	肇庆市鼎湖区莲花镇布基村北	/	唐代—宋代	1.3	
	174	对𡵓岗遗物点	肇庆市广宁县南街镇城南村委巷口村	/	新石器时代晚期、隋代、唐代	1.5	
	175	马地岗遗物点	肇庆市德庆县马圩镇	/	汉代、唐代	2.6	
	176	四禅山遗物点	肇庆市德庆县播植镇洛阳村	/	汉代、唐代	2.6	
	177	山念䓓遗物点	肇庆市高要区小湘镇爱村	/	唐代—明代	2.6	
	260	小黎坰遗物点	肇庆市怀集县怀城镇谭舍村西南	/	唐代	4.8	
	261	上芒山遗物点	肇庆市怀集县怀城镇谭勒村罗龙	/	唐代	4.8	
	292	茅岗遗物点	肇庆市高要区禄步镇寻边村西南	/	唐代—宋代	5.14	
湛江市	11	骑岭遗址	湛江市遂溪县工业园区中的遂城镇铺塘村委会简足水村	5500	南朝—隋代	1.4	
	16	# 骑岭遗址	湛江市遂溪县工业园区中的遂城镇铺塘村委会简足水村	1600	南朝—唐代	1.9	清理南朝—唐代房屋遗迹2处、灰坑55个、灰沟2条
	17	# 马飘岭遗址	湛江市吴川市塘缀镇山路村马飘岭、大凌田村九朗岭、山丫村山塘岭	3000	南朝—唐代	1.10	清理南朝—唐代灰坑31个、灰沟2条
	25	大河咀遗址	湛江市雷州市北和镇北沟边村崩沟岭西北	1000	南朝—唐代	2.3	
	58	铁炉村遗址	湛江市坡头区官渡镇铁炉村东	/	汉代、唐代、明清时期	3.5	
	145	岭凸仔墓地	湛江市徐闻县南山镇县级文物保护单位二桥仕尾汉唐遗址附近	/	汉代	5.1	
	146	坑仔山遗址	湛江市徐闻县龙塘镇木棉管理区那泗村西南	20000	汉代	5.1	
	147	后茅园遗址	湛江市徐闻县龙塘镇龙塘管理区那板村南	25000	南朝	5.1	
	148	桥头遗址	湛江市徐闻县南山镇二桥管理区二桥村东	20000	战国时期、唐代—宋代	5.1	
	149	木棉遗址	湛江市徐闻县龙塘镇木棉管理区木棉村东南	/	战国—西汉时期	5.1	
	150	徐闻上洋遗址	湛江市徐闻县龙塘镇赤农村委会昌发村东北	/	汉至唐代	5.1	
	151	木棉子墓地	湛江市徐闻县迈陈镇龙潭管理区龙潭村西北	30000	汉代	5.2	
	152	潭葛岭遗址	湛江市雷州市北和镇潭葛村委会潭葛南村东	5000	汉代	5.2	
	153	红仔园遗址	湛江市雷州市英利镇红湖村委会后寮村东	5000	战国—汉代	5.2	
	154	村后遗址	湛江市徐闻县迈陈镇龙潭管理区讨泗村北	5000	汉代	5.2	

续表

地区	遗址序号	遗址或遗物点名称	位置	遗址面积（平方米）	年代	项目序号	备注
湛江市	155	大园坡遗址	湛江市徐闻县迈陈镇那宋村委会那宋村西	35000	战国—汉代	5.2	
	156	石板村墓地	湛江市雷州市沈塘镇石板村西南	/	东汉—南朝	5.3	
	157	红旗岭遗址	京能徐闻电厂排村灰场中部龙塘镇下海村	80000	战国—汉代	5.4	
	170	# 红旗岭遗址	湛江市徐闻县龙塘镇东南	300	新石器时代晚期、汉代	5.16	
	194	大坡遗物点	湛江市坡头区官渡镇官塘村	/	汉代、宋代、明清时期	3.5	
	195	麻俸村遗物点	湛江市坡头区官渡镇麻俸村南	/	南朝	3.5	
	270	华丰岭遗物点	湛江市徐闻县迈陈镇华丰村西北	/	汉代	5.1	
	271	东岭岗遗物点	湛江市徐闻县南山镇海港管理区海港村	/	汉代	5.1	
	272	陆内地遗物点	湛江市徐闻县龙塘镇木棉管理区埚仔村南	/	战国—西汉时期	5.1	
	273	下埚地遗物点	湛江市徐闻县龙塘镇大塘管理区埚仔村东	/	汉代	5.1	
	274	樟树园遗物点	湛江市徐闻县龙塘镇西洋管理区田蟹钳村北	/	汉代	5.1	
	275	边岭遗物点	湛江市徐闻县南山镇海港管理区海港村西北	/	汉代、唐代	5.1	
	276	宫井岗遗物点	湛江市徐闻县南山镇竹山村北	/	汉代、唐代	5.1	
	277	塘边遗物点	湛江市徐闻县前山镇曹家管理区红坎上村北	/	汉代、唐代	5.1	
	278	挖尾山遗物点	湛江市遂溪县乐民镇盐仓村东	/	南朝	5.2	
	279	乾陇岭遗物点	湛江市雷州市北和镇调和村委会乾陇下村	/	汉代	5.2	
	280	石狗园遗物点	湛江市雷州市覃斗镇迈克村委会迈克村	/	汉代	5.2	
	281	土贡遗物点	湛江市雷州市英利镇龙门林场	/	唐代	5.2	
	282	堰头岭遗物点	湛江市雷州市英利镇英湖管理区后寮仔	/	汉代	5.2	
	283	埚仔场遗物点	湛江市徐闻县迈陈镇北街管理区北街村	/	汉代	5.2	
	284	红泥地遗物点	湛江市徐闻县迈陈镇龙潭管理区新兴村西	/	汉代、南朝	5.2	
	285	石子落遗物点	湛江市徐闻县迈陈镇迈陈管理区英斐村渡头北	/	汉代	5.2	
	291	龙眼根遗物点	湛江市廉江市营仔镇垌口村油柑埇	/	东汉	5.13	
梅州市	23	狮雄山遗址	梅州市五华县华城镇塔岗村西南	34000	秦汉时期	2.1	清理秦汉时期壕沟 1 条、建筑基址 5 座、排水沟 3 条、陶窑 1 座、水井 1 座、灰坑 21 座、灰沟 10 条

续表

地区	遗址序号	遗址或遗物点名称	位置	遗址面积（平方米）	年代	项目序号	备注
梅州市	63	覆船山遗址	梅州市五华县转水镇青西村及新民村	4000	新石器时代晚期	4.1	
	64	大面山遗址	梅州市五华县转水镇新民村	2000	新石器时代晚期	4.1	
	65	北坑里遗址	梅州市五华县转水镇新华村	500	新石器时代晚期	4.1	
	66	鹰婆嘴遗址	梅州市五华县安流镇学园村	1000	新石器时代晚期	4.1	
	67	社岭背遗址	梅州市五华县河东镇苑塘村东	1000	新石器时代晚期	4.1	
	68	横石山遗址	梅州兴宁市水口镇英勤村横石寨东	800	春秋时期	4.1	
	69	赤泥岭遗址	梅州市五华县安流镇梅林村西	1000	新石器时代晚期	4.1	
	96	塘背岭遗址	梅州市五华县梅林镇优河村东	/	新石器时代晚期	4.5	
	97	海螺山遗址	梅州市五华县华阳镇华阳村北	/	新石器时代晚期	4.5	
	98	王结塘山遗址	梅州市五华县华阳镇华阳村北	/	新石器时代晚期	4.5	
	158	牛牯岗遗址	梅州市平远县长田镇三角塘村	10000	商周时期	5.5	
	198	蛇形嘴遗物点	梅州市五华县转水镇新华村北	/	新石器时代晚期	4.1	
	199	伯公坳遗物点	梅州市五华县转水镇新华村东南	/	新石器时代晚期	4.1	
	200	凹峰山遗物点	梅州市五华县转水镇蛇塘村北	/	新石器时代晚期	4.1	
	201	双岗岭遗物点	梅州市五华县横陂镇华阁二桥东	/	商周时期	4.1	
	202	塘尾后山遗物点	梅州市五华县安流镇吉水村	/	商周时期	4.1	
	203	鹅形山遗物点	梅州市五华县安流镇半径村西	/	新石器时代晚期	4.1	
	204	冯山遗物点	梅州市五华县安流镇吉洞村东南	/	新石器时代晚期	4.1	
	205	双福山至商周遗物点	梅州市五华县安流镇双福村东北	/	新石器时代晚期	4.1	
	248	上屋山遗物点	梅州市梅县区程江镇大塘村	/	商周时期、明清时期	4.6	
	286	屋背山遗物点	梅州市平远县长田镇葛藤坪村	/	商周时期	5.5	
	287	塘背山遗物点	梅州市平远县长田镇大路下村	/	商周时期	5.5	
汕尾市	55	猪母岭山遗址	汕尾市海丰县平东镇西山下村	15000	春秋时期	3.2	
河源市	26	对面岭遗址	河源市紫金县临江镇胜利村校木组东南	/	新石器时代晚期—商时期	2.4	

续表

地区	遗址序号	遗址或遗物点名称	位置	遗址面积（平方米）	年代	项目序号	备注
河源市	99	流顶岗遗址	河源市紫金县紫城镇石陂村北	/	东周时期	4.5	
	100	井上山遗址	河源市紫金县紫城镇上书村丘坑南	/	新石器时代晚期	4.5	
	101	对面山遗址	河源市紫金县紫城镇上书村丘坑大屋西北	/	新石器时代晚期	4.5	
	102	山子下遗址	河源市紫金县紫城镇上书村南	/	新石器时代晚期	4.5	
	103	高浮顶遗址	河源市紫金县紫城镇上书村南	/	新石器时代晚期	4.5	
	113	石子顶遗址	河源市龙川县老隆镇涧洞村石子塘	5000	新石器时代晚期、春秋时期	4.8	
	115	龙尾排墓地	河源市东源县船塘镇凹头村龙尾	5000	商时期	4.8	
	116	大旗山遗址	河源市连平县忠信镇东升村北	30000	战国时期	4.8	
	117	八字山遗址	河源市连平县油溪镇油东村北	30000	新石器时代、战国时期	4.8	
	119	桥头山遗址	河源市龙川县义都镇新潭村杠下	15000	新石器时代晚期	4.8	
	124	岗头岭遗址	河源市龙川县义都镇新潭村背头	4000	东周时期	4.8	
	125	烟子坪遗址	河源市连平县元善镇密溪村河背	3000	新石器时代晚期	4.8	
	135	# 坳顶遗址	河源市连平县溪山镇北百高村	500	新石器时代晚期	4.11	
	136	# 黄田埂遗址	河源市连平县元善镇东河村东北	2000	商时期	4.11	
	161	长岗岭窑址	河源市东源县船塘镇许村南	200	清代—民国时期	5.6	
	238	巽巳山遗物点	河源市紫金县中坝镇中心村水口	/	新石器时代晚期	4.5	
	239	高峡山遗物点	河源市紫金县中坝镇塔坳村石楼下	/	新石器时代晚期	4.5	
	240	车全排遗物点	河源市紫金县紫城镇林下村山下	/	新石器时代晚期	4.5	
	241	围顶坪遗物点	河源市紫金县义容镇南坑村西	/	新石器时代晚期	4.5	
	242	屋背岭遗物点	河源市紫金县义容镇南坑村西	/	新石器时代晚期	4.5	
	249	南山窝遗物点	河源市龙川县义都镇新潭村新民	/	新石器时代晚期	4.8	
	250	龙祖山遗物点	河源市东源县船塘镇小水村大寨	/	新石器时代晚期—商时期	4.8	
	251	官山遗物点	河源市连平县忠信镇曲塘村东北	/	新石器时代晚期	4.8	

续表

地区	遗址序号	遗址或遗物点名称	位置	遗址面积（平方米）	年代	项目序号	备注
河源市	252	埘头遗物点	河源市连平县元善镇东联村陈皮合	/	新石器时代晚期	4.8	
	262	长岗岭遗物点	河源市东源县船塘镇许村南	/	商周时期	4.8	
清远市	35	# 松树塝墓地	清远市连州市丰阳镇松树塝村	墓葬35座	六朝隋唐	2.9	清理砖室墓35座
	36	# 塘仔面墓地	清远市连州市西岸镇鹅江村	墓葬5座	六朝隋唐	2.9	清理墓葬5座
	37	# 石兰寨墓地	清远市连州市西岸镇石兰寨村	墓葬11座	六朝隋唐	2.9	清理墓葬11座
	38	# 西岸村墓地	清远市连州市西岸镇西岸村	墓葬4座	六朝隋唐	2.9	清理墓葬4座
	39	# 麦田村墓地	清远市连州市西岸镇麦田村	墓葬8座	六朝隋唐	2.9	清理墓葬8座
	40	# 新开墩墓地	清远市连州市连州镇青龙头村	墓葬5座	六朝隋唐	2.9	清理墓葬5座
	41	# 竹蔸墩墓地	清远市连州市连州镇青龙头村西	墓葬2座	六朝隋唐	2.9	清理墓葬2座
	42	# 上横墩墓地	清远市连州市连州镇青龙头村西北	墓葬4座	六朝隋唐	2.9	清理墓葬4座
	43	# 加减冲墓地	清远市连州市连州镇青龙头村西北	墓葬1座	六朝隋唐	2.9	清理墓葬1座
	44	# 后岗墩墓地	清远市连州市连州镇内田洞村西	墓葬1座	六朝隋唐	2.9	清理墓葬1座
	45	# 右地岭墓地	清远市连州市连州镇沙坊村西南	墓葬7座	六朝隋唐	2.9	清理墓葬7座
	46	# 大地墓地	清远市连州市连州镇沙坊村西	墓葬11座	六朝隋唐、宋代	2.9	清理墓葬11座
	47	# 铁鬼坪墓地	清远市连州市连州镇沙坊村西	墓葬13座	六朝隋唐、宋代	2.9	清理墓葬13座
	48	# 晨景冲墓地	清远市连州市西岸镇新村西	墓葬3座	六朝隋唐	2.9	清理墓葬3座
	114	排下山遗址	清远市英德市青塘镇马岭村北	20000	新石器时代晚期	4.8	
	120	山黄岭墓地	清远市英德市望埠镇同心村	3000	南朝—唐代	4.8	
	121	长白岭墓地	清远市英德市望埠镇望河村潘屋	3000	南朝—唐代	4.8	
	122	水尾背墓地	清远市英德市石灰铺镇石灰村第四伙	2000	南朝—唐代	4.8	
	123	老虎窝墓地	清远市英德市西牛镇赤米管理区单竹径村北	3000	南朝—唐代	4.8	
	126	旗山冲墓地	清远市清新区浸潭镇禾联村二队东北	2000	南朝—唐代	4.8	
	159	山黄岭墓地	清远市英德市望埠镇同心村	15000	南朝—唐代	5.6	地表采集少量石器
	160	石灰峒墓地	清远市英德市石灰铺镇石灰村	4000	南朝—唐代	5.6	

续表

地区	遗址序号	遗址或遗物点名称	位置	遗址面积（平方米）	年代	项目序号	备注
清远市	162	长龙角遗址	清远市英德市沙口镇园山村园山小学东南	/	宋代	5.7	
	163	猫公山遗址及墓地	清远市连南瑶族自治县三江镇联红村	25000	商周时期、南朝	5.8	
	164	民族小学墓地	清远市连南瑶族自治县民族小学东南	/	南朝	5.9	
	172	小塘岗遗物点	清远市英德市沙口镇红峰村委老屋村北	/	宋代、明代	1.1	
	254	铺船岗遗物点	清远市英德市青塘镇新青村东北	/	新石器时代晚期	4.8	
	255	蔗场遗物点	清远市英德市东华镇石角梁村东南	/	东周时期	4.8	
	256	大岭窝遗物点	清远市英德市望埠镇同心村	/	商周时期	4.8	
	257	谭屋遗物点	清远市英德市望埠镇谭屋村西北	/	唐代	4.8	
	258	大蔗塘遗物点	清远市英德市横石塘镇仙桥村北	/	唐代	4.8	
	259	塘鼓岭遗物点	清远市英德市西牛镇赤米管理区单竹径村西北	/	唐代	4.8	
	288	井塘坪遗物点	清远市英德市沙口镇清溪村仁科水泥厂东北	/	南朝—唐代	5.7	
	289	洋庭遗物点	清远市英德市沙口镇清溪村委东坌园	/	南朝—唐代	5.7	
	290	大岭遗物点	清远市英德市沙口镇清溪村	/	南朝—唐代	5.7	
韶关市	1	圆墩岭遗址	韶关市武江区龙归镇双头村西	30000	新石器时代晚期	1.2	发现明代竖穴土坑墓、灰坑各 1 座
	2	黄泥堪墓地	韶关市乳源瑶族自治县桂头镇五官庙抽水站北	3500	南朝	1.2	墓地范围内亦发现唐宋时期瓷片
	3	五官庙遗址	韶关市乳源瑶族自治县桂头镇五官庙抽水站北	2000	新石器时代	1.2	
	4	一号岭墓地	韶关市浈江区五四村东	2000	东汉—南朝	1.2	
	5	六号岭墓地	韶关市浈江区五四村南	2500	南朝	1.2	
	6	千家村墓地	韶关市乳源瑶族自治县桂头镇千家村东	20000	南朝	1.2	墓地范围内曾发现宋代窑址
	7	黄金岭遗址	韶关市乳源瑶族自治县桂头镇小江村委五官庙水闸西	1500	宋代	1.2	遗址发现汉代泥质灰陶方格纹陶罐残片
	8	讲故评遗址	韶关市乐昌市新民村南	/	新石器时代	1.2	
	12	鸡公田窑址	韶关市曲江区白土镇饶屋新村东	10000	宋代	1.6	
	13	山塘片窑址	韶关市曲江区白土镇饶屋新村东山塘片山	12000	宋代	1.6	
	15	# 石马龙地墓地	韶关市仁化县周田镇平甫村石马龙村南	850	明代	1.8	清理明代葬墓 1 座

续表

地区	遗址序号	遗址或遗物点名称	位置	遗址面积（平方米）	年代	项目序号	备注
韶关市	18	#黄泥堪墓地	韶关市乳源瑶族自治县游溪镇莲塘边村委担干岭村东	2000	唐代、明代	1.11	清理唐代墓葬5座，明代墓葬1座
	19	#一号岭墓地	韶关市浈江区五四村东	墓葬5座	南朝	1.11	清理南朝墓葬5座
	20	#六号岭墓地	韶关市浈江区五四村南	墓葬7座	南朝	1.11	清理南朝墓葬7座
	21	#圆墩岭遗址	韶关市武江区龙归镇双头村西	2000	新石器时代晚期—商时期	1.11	发掘新石器时代晚期壕沟4条，另清理唐宋时期墓葬5座、明清时期墓葬7座
	24	大窝塘遗址	韶关市曲江区白土镇乌泥角村南	5000	唐代—宋代	2.2	
	60	炮台岭窑址	韶关市南雄市雄州街道黎口村	/	宋代	3.7	
	61	紫金山遗址	韶关市浈江区犁市镇新村农场	/	宋代、明代	3.8	
	72	内腾遗址	韶关市浈江区犁市镇内腾村东	160000	新石器时代	4.3	
	118	引子岽遗址	韶关市翁源县龙仙镇塘下村西	4000	新石器时代晚期	4.8	
	127	黄岭坪墓地	韶关市仁化县城口镇东光管理区水东村	5000	南朝	4.9	遗址范围内发现少量方格纹陶片
	128	长岭墓地	韶关市仁化县黄坑镇自然头村	1000	南朝	4.9	
	165	泽桥山墓地	韶关市乳源瑶族自治县县城东南	/	南朝—唐代、明清时期	5.10	
	197	卜姑岭遗物点	韶关市浈江区犁市镇	/	宋代	3.8	
	208	内腾遗物点	韶关市浈江区犁市镇内腾村东南	/	唐代—宋代	4.3	
	253	牛拨岭遗物点	韶关市翁源县龙仙镇新饶村东南	/	春秋时期	4.8	
	263	黄田村背遗物点	韶关市仁化县丹霞街道管理区黄田村西	/	宋代	4.9	
	264	高扶岭遗物点	韶关市仁化县黄坑镇高扶村	/	战国时期、宋代	4.9	
	265	山塘背遗物点	韶关市仁化县周田镇台滩管理区	/	南朝	4.9	
	266	麦屋遗物点	韶关市始兴县沈所镇麦屋村西南	/	明代	4.9	
	267	桐子坪遗物点	韶关市翁源县坝仔镇毛屋村西南	/	宋代	4.9	
揭阳市	50	葫芦山遗址	揭阳市普宁市广太镇寨山头村	25000	新石器时代晚期—商时期	3.2	
	51	平宝山遗址	揭阳市普宁市广太镇平宝山村东北	20000	新石器时代晚期、商时期、春秋时期	3.2	
	52	新寮埔遗址	揭阳市揭西县新寮埔村西南	15000	新石器时代晚期	3.2	
	53	宫墩窑址	揭阳市揭西县河婆镇宫墩村	30000	明代	3.2	

续表

地区	遗址序号	遗址或遗物点名称	位置	遗址面积（平方米）	年代	项目序号	备注
揭阳市	54	回澜寨遗址	揭阳市揭西县河婆镇回澜寨村	25000	新石器时代晚期	3.2	遗址范围内发现有明代窑址
	95	枫林山遗址	揭阳市揭西县五云镇梅江村西南	/	商周时期	4.5	
	107	瓢靴山遗址	揭阳市普宁市南溪镇南兜村	20000	新石器时代晚期、宋代	4.6	
	108	店前山遗址	揭阳市普宁市广太镇仁美村	3000	新石器时代晚期、商时期、西周一春秋时期	4.6	
	109	树篮山遗址	揭阳市普宁市广太镇京狮池村老寨	500	新石器时代晚期、战国一西汉时期	4.6	
	131	# 宫墩村窑址	揭阳市揭西县河婆镇宫墩村	1200	清代	4.10	发掘龙窑 2 座
	132	# 乌崇岭遗址	揭阳市揭西县河婆镇回澜寨村	1070	新石器时代晚期	4.10	发现新石器时代晚期灰坑 11 座、用火遗迹 2 个
	133	# 葫芦山遗址	揭阳市普宁市广太镇寨山头村	1120	新石器时代晚期	4.10	清理新石器时代晚期灰坑 13 座，另清理唐代墓葬 1 座
	134	# 平宝山遗址	揭阳市普宁广太镇平宝山村	1000	新石器时代晚期一商周时期	4.10	清理新石器时代晚期至商周时期灰坑 8 座、墓葬 5 座
	171	# 牛屎山遗址	揭阳市榕城区仙桥街道办湖心村	1000	东周时期、宋代	5.17	清理东周时期灰坑 10 座、土坑竖穴墓 1 座，宋代墓葬 4 座
	237	竹仔蓝山遗物点	揭阳市揭东区埔田镇新岭村	/	新石器时代晚期	4.5	
阳江市	188	鹅岭遗物点	阳江市阳春市陂面镇南星村	/	南朝一唐代	3.4	
	189	龙尾山遗物点	阳江市阳春市陂面镇上塘村	/	南朝一唐代	3.4	
	190	山塘墩遗物点	阳江市阳春市陂面镇上塘村	/	宋代、明清时期	3.4	
	191	旧寨塘遗物点	阳江市阳春市陂面镇旧寨塘	/	隋唐时期	3.4	
潮州市	49	笔架山窑址	潮州市潮安区	/	宋代	3.1	新发现窑址 3 座
	112	彩英坑遗址	潮州市潮安区归湖镇凤东村东南	10000	新石器时代、明代	4.7	
云浮市	31	云山遗址	云浮市新兴县东成镇云河村委都村北	/	战国时期、唐代	2.7	
	88	何木岭遗址	云浮市罗定市分界镇新坡村	45000	南朝一唐代	4.4	
	168	山塘尾墓地	云浮市云城区安塘街道安塘村西北	6000	南朝	5.14	
	178	莲藕塱遗物点	云浮市新兴县东成镇都斛村西北	/	先秦时期、唐代	2.7	
	181	水田顶遗物点	云浮市新兴县东成镇思本村东北	/	唐代	2.7	
	182	云栏山遗物点	云浮市新兴县东成镇思本村北	/	唐代	2.7	

续表

地区	遗址序号	遗址或遗物点名称	位置	遗址面积（平方米）	年代	项目序号	备注
云浮市	183	放牛山遗物点	云浮市新兴县新成镇布龙村东北	/	唐代	2.7	
	192	旺岗遗物点	云浮市罗定市围底镇大旺塘村	/	宋代	3.4	
	193	三角山遗物点	云浮市罗定市围底镇莲塘头村委三角塘村	/	汉代、唐代	3.4	
	293	望天岗遗物点	云浮市云城区安塘街道夏洞村	/	唐代—宋代	5.14	
广州市	105	蛇尾岭遗址	广州市增城区派潭镇田心围行政村瓦窑吓村东南	/	东周时期	4.5	
	106	后龙山遗址	广州市增城区派潭镇大田围落光岭北	/	东周时期	4.5	
	243	龟仙岭遗物点	广州市增城区派潭镇田心围村瓦窑吓	/	唐代—宋代	4.5	
	244	竹园边遗物点	广州市增城区小楼镇庙潭村西	/	东周时期	4.5	
	245	耕寮遗物点	广州市增城区小楼镇耕寮村北	/	唐代—宋代	4.5	
	246	西冚遗物点	广州市增城区小楼镇西冚村东南	/	唐代—宋代	4.5	
	247	竹园吓遗物点	广州市从化区江埔街留田坑村西北	/	东周时期、唐代—宋代	4.5	
深圳市	196	年丰村遗物点	深圳市龙岗区坪地镇	/	唐代	3.6	

附表三　2010～2014年度广东省基建考古发掘遗址一览表

1. 遗址面积一栏中的数值均表示其发掘面积。

2. 部分历史时期遗址或遗物点出土遗物较少或年代特征不甚明确，为避免舛误，以朝代合称表示此类遗址或遗物点所处的历史阶段，如“隋唐时期”、“明清时期”等。

序号	遗址或遗物点名称	位置	遗址面积（平方米）	年代	备注
14	龙嘴岗遗址和墓地	肇庆市广宁县南街镇城南村（原巷口管理区）	1500	战国时期	清理战国时期墓葬17座、隋唐时期墓葬1座，发现少量新石器时代遗物
15	石马龙地墓地	韶关市仁化县周田镇平甫村石马龙村南	850	明代	清理明代葬墓1座
16	骑岭遗址	湛江市遂溪县工业园区中的遂城镇铺塘村委会简足水村	1600	南朝—唐代	清理南朝—唐代房屋遗迹2处、灰坑55个、灰沟2条
17	马飘岭遗址	湛江市吴川市塘缀镇山路村马飘岭、大凌田村九朗岭、山丫村山塘岭	3000	南朝—唐代	清理南朝—唐代灰坑31个、灰沟2条
18	黄泥堪墓地	韶关市乳源瑶族自治县游溪镇莲塘边村委担干岭村东	2000	唐代、明代	清理唐代墓葬5座，明代墓葬1座
19	一号岭墓地	韶关市浈江区五四村东		南朝	清理南朝墓葬5座
20	六号岭墓地	韶关市浈江区五四村南		南朝	清理南朝墓葬7座
21	圆墩岭遗址	韶关市武江区龙归镇双头村西	2000	新石器时代晚期—商时期	发掘新石器时代晚期壕沟4条，另清理唐宋时期墓葬5座、明清时期墓葬7座
22	曾屋岭墓地	惠州市博罗县福田镇联合村冲径曾屋岭东麓		春秋时期	发掘春秋时期墓葬85座，另清理宋代墓葬1座和清代墓葬3座
35	松树塝墓地	清远市连州市丰阳镇松树塝村		六朝隋唐	清理砖室墓35座
36	塘仔面墓地	清远市连州市西岸镇鹅江村		六朝隋唐	清理墓葬5座
37	石兰寨墓地	清远市连州市西岸镇石兰寨村		六朝隋唐	清理墓葬11座
38	西岸村墓地	清远市连州市西岸镇西岸村		六朝隋唐	清理墓葬4座
39	麦田村墓地	清远市连州市西岸镇麦田村		六朝隋唐	清理墓葬8座
40	新开墩墓地	清远市连州市连州镇青龙头村		六朝隋唐	清理墓葬5座
41	竹蔸墩墓地	清远市连州市连州镇青龙头村西		六朝隋唐	清理墓葬2座
42	上横墩墓地	清远市连州市连州镇青龙头村西北		六朝隋唐	清理墓葬4座
43	加减冲墓地	清远市连州市连州镇青龙头村西北		六朝隋唐	清理墓葬1座
44	后岗墩墓地	清远市连州市连州镇内田洞村西		六朝隋唐	清理墓葬1座
45	右地岭墓地	清远市连州市连州镇沙坊村西南		六朝隋唐	清理墓葬7座
46	大地墓地	清远市连州市连州镇沙坊村西		六朝隋唐、宋代	清理墓葬11座
47	铁鬼坪墓地	清远市连州市连州镇沙坊村西		六朝隋唐、宋代	清理墓葬13座
48	晨景冲墓地	清远市连州市西岸镇新村西		六朝隋唐	清理墓葬3座
62	高要学宫	肇庆市端州区正东路	400	明代—民国时期	
131	宫墩村窑址	揭阳市揭西县河婆镇宫墩村	1200	清代	发掘龙窑2座
132	乌宗岭遗址	揭阳市揭西县河婆镇回澜寨村	1070	新石器时代晚期	发现新石器时代晚期灰坑11座、用火遗迹2个
133	葫芦山遗址	揭阳市普宁市广太镇寨山头村	1120	新石器时代晚期	清理新石器时代晚期灰坑13座，另清理唐代墓葬1座

续表

序号	遗址或遗物点名称	位置	遗址面积（平方米）	年代	备注
134	平宝山遗址	揭阳市普宁市广太镇平宝山村	1000	新石器时代晚期—商周时期	清理新石器时代晚期至商周时期灰坑8座、墓葬5座
135	坳顶遗址	河源市连平县溪山镇北百高村	500	新石器时代晚期	
136	黄田埂遗址	河源市连平县元善镇东河村东北	2000	商时期	
137	屋背山遗址	茂名市信宜市池洞镇岭砥村	1100	唐代	发现唐代中晚期灰坑14座
138	# 大岭岗遗址	茂名市信宜市丁堡镇山背村	700	唐代	清理灰坑13座、灰沟2条和灶1个
139	马鞍岭遗址	茂名市信宜市丁堡镇大舍坡村	800	唐代	清理灰坑21座
140	白坟岭遗址	茂名市信宜市水口镇简坡村	1500	唐代	清理灰坑19个、灰沟2条、墓葬2座、路面1条、窑1座
141	岭坪遗址	茂名市高州市东岸镇旺坑村	1300	隋唐时期	清理灰坑28座、灰沟8条、窑1座、灶1座、疑似房屋地面1处
142	屋背岭遗址	茂名市高州市东岸镇双利村	400	唐代	清理灰坑1座
143	上村岭遗址	茂名市高州市曹江镇谭村	2000	唐代	清理灰坑17座、灶1个、瓮棺葬6座
144	人头岭遗址	茂名市高州市曹江镇甲子坡村	900	唐代	清理灰坑25个、灰沟8条
170	红旗岭遗址	湛江市徐闻县龙塘镇东南	300	新石器时代晚期、汉代	
171	牛屎山遗址	揭阳市榕城区仙桥街道办湖心村	1000	东周时期、宋代	清理东周时期灰坑10座、土坑竖穴墓1座，宋代墓葬4座

后记

广东省文物考古研究所前身为广东省博物馆文物工作队，成立于1990年。进入21世纪，为配合国家基础设施建设，年轻的考古所积极投身广东基建项目的考古调查、勘探及发掘。尤其是2010年以来，年均承担配合基建项目达30余个。长期的考古调查与勘探工作发现了大量的遗址、遗物点，获得了重要的文物线索，考古发掘工作则积累了珍贵的实物资料，具有重要的研究价值。然而，除少量重要遗址的发掘材料已经整理发表之外，大多数成果作为内部资料，仅记录于工作报告中，无法见诸报刊。本着梳理过往成果、开启未来工作的初衷，我们特将近年来较为重要的发现结集出版，以方便相关研究和保护利用等工作的开展。

这些考古发现都是广东省文物考古研究所各位同仁冒严寒顶酷暑，不惧风吹日晒，跋山涉水获得的。广东气候湿热、植被茂盛、山高林密，工作艰辛的程度可想而知。感谢多年来一直奋斗在田野考古一线的各位同仁，他们为广东考古的发展做出了巨大的牺牲和不可磨灭的贡献。

广东省基建考古工作得以顺利开展离不开各市县（区）文物管理部门及博物馆的大力支持和帮助。在此特别向多年以来配合我所工作的广州、深圳、佛山、东莞、中山、珠海、江门、肇庆、惠州、汕头、潮州、揭阳、汕尾、湛江、茂名、阳江、韶关、清远、云浮、梅州、河源等地文化广电新闻出版局、博物馆以及相关各县（市）区文物管理部门、博物馆表示衷心的感谢。

细致而认真的考古工作需要大量时间与空间，国家基础建设项目相关部门的理解支持与积极配合为考古工作提供了良好的平台。特此对广东省交通运输厅、广东省交通集团有限公司、广东省高速公路有限公司、广东省公路建设有限公司、广东省路桥建设发展有限公司、广东交通实业投资公司、广东省高速公路发展股份有限公司、广东省南粤交通投资建设有限公司、广东省交通规划设计研究院股份有限公司、广东省长大公路工程有限公司、东莞市交通运输局、东莞市交通投资集团有限公司、广东深茂铁路有限责任公司、广珠铁路有限责任公司、茂湛铁路项目公司筹备组、广州铁路（集团）公司、广州铁路（集团）公司建设项目管理中心（洛湛铁路）、广州铁路（集团）公司深圳工程建设指挥部（韩梅）铁路、厦深铁路广东省有限公司、贵广铁路有限责任公司、南广铁路有限责任公司、武广铁路客运专线有限责任公司、广东省水利厅、广东省水利电力勘测设计研究院、中国南方电网公司、广东电力发展股份有限公司、中国能源建设集团广东省电力设计研究院有限公司、深圳能源集团股份有限公司、广东民航机场建设有限公司、中交第四航务工程局有限公司等众多单位及组织表示衷心的感谢。

本书以基建考古工作报告为蓝本编撰而成。本书的内容范围、编撰体例、详细分工等经过编辑部多次开会讨论，于2015年8月在龙门三寨谷会议上最终确定。本书内容以介绍广东省文物考古研究所2010～2014年配合国家基础建设的重要考古新发现为主，主动项目的考古发现视文物价值酌情收录，部分重要的已知遗址的新认识亦作描述。书中仅收录遗址、墓地、窑址及明代以前的遗物点，古建筑暂不作介绍。考古发现以年度划分，以各基建项目为单位分别收录，依文物价值和保存状况分级排列，由石俊会、刘锁强、刘长、柏宇亮、王欢等同志分别负责2010至2014年度材料的整理、编撰工作，邓宏文同志统稿；统计检索表格由刘长同志完成。尚杰、方小燕、陈军鹰、陈以琴、刘亭利、杨蕙、陈诚等同志以及各基建考古项目负责人和工作报告编写者，为资料的收集和本书的出版提供了无私的帮助。本书资料繁杂，时间跨度较大，得以顺利编辑出版，实属不易，这与科学出版社编辑的辛勤劳动息息相关，在此一并致谢。

近年来，广东省文物考古研究所组织和参与了大量的基建考古工作，限于篇幅，书中仅收录2010～2014年重要的遗址、遗物点。因书稿编纂仓促，难免有所不足和错漏，敬请批评指正。

编　者